KB087223

#상위권_정복
#신유형_서술형_고난도

일등
전략

이 책을 집필해 주신 분들

박예진 당산중학교 교사
신지연 성산중학교 교사
이승환 영도중학교 교사

Chunjae
Makes
Chunjae

▼

[일등전략] 중학 국어 문학 1

개발총괄	김덕유
편집개발	고명선, 이동주, 이명진, 정인구
디자인총괄	김희정
표지디자인	윤순미
내지디자인	박희춘, 우혜림
제작	황성진, 조규영
조판	대진문화인쇄(구민범, 권재원)

발행일	2022년 1월 1일 초판 2022년 1월 1일 1쇄
발행인	(주)천재교육
주소	서울시 금천구 가산로9길 54
신고번호	제2001-000018호
고객센터	1577-0902
교재 내용문의	02)3282-1788

중학 국어 문학 1

BOOK 1
학교시험대비

일등
전략

이 책의 구성과 활용

주 도입

이번 주에 배울 내용이 무엇인지 안내하는 부분입니다. 재미있는 만화를 통해 앞으로 배울 학습 요소를 미리 떠올려 봅니다.

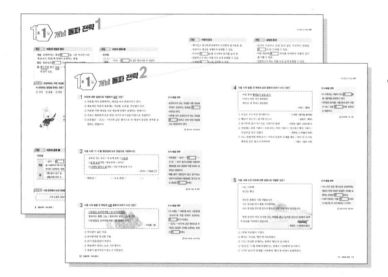

1일 개념 돌파 전략

성취기준별로 꼭 알아야 하는 핵심 개념을 익힌 뒤 문제를 풀며 개념을 잘 이해했는지 확인합니다.

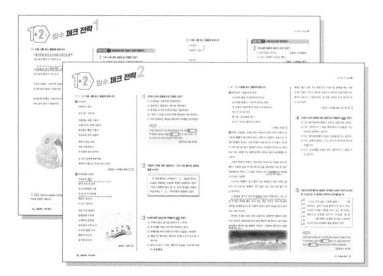

2일, 3일 필수 체크 전략

꼭 알아야 할 대표 유형 문제를 뽑아 쌍둥이 문제와 함께 풀어 보며 문제에 접근하는 과정과 방법을 체계적으로 익혀 봅니다.

부록 시험에 잘 나오는 대표 유형 ZIP

부록을 뜯으면 미니북으로 활용할 수 있습니다. 시험 전에 대표 유형을 확실하게 익혀 보세요.

주 마무리 코너

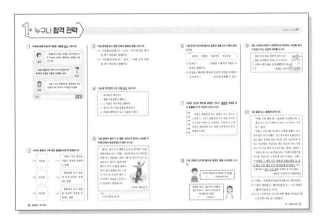

누구나 합격 전략

기초 이해력을 점검할 수 있는 종합 문제로 학습 자신감을 고취할 수 있습니다.

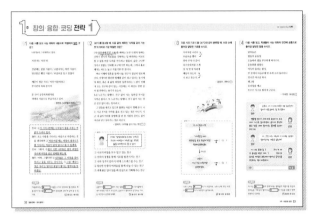

창의·융합·코딩 전략

융복합적 사고력과 문제 해결력을 길러 주는 문제로 구성하였습니다.

권 마무리 코너

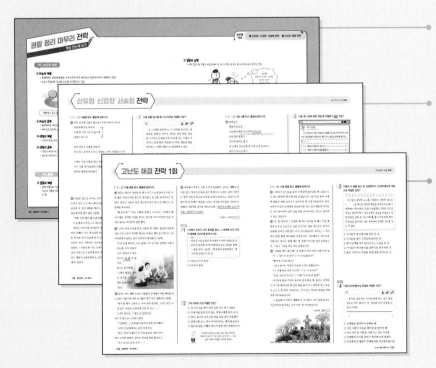

권말 정리 마무리 전략

학습 내용을 도식으로 정리하여 앞에서 공부한 내용을 한눈에 파악할 수 있습니다.

신유형·신경향·서술형 전략

신유형·서술형 문제를 집중적으로 풀며 문제 적응력을 높일 수 있습니다.

고난도 해결 전략

실제 시험에 대비할 수 있는 모의 실전 문제를 3회로 구성하였습니다.

이 책의 차례

1주 비유와 상징 · · · · · · 006

- 1일 개념 돌파 전략 1, 2 · · · · · · 008
- 2일 필수 체크 전략 1, 2 · · · · · · 014
- 3일 필수 체크 전략 1, 2 · · · · · · 022

누구나 합격 전략 · · · · · · 030
창의 · 융합 · 코딩 전략 1, 2 · · · · · · 032

2주 갈등 · · · · · · 036

- 1일 개념 돌파 전략 1, 2 · · · · · · 038
- 2일 필수 체크 전략 1, 2 · · · · · · 044
- 3일 필수 체크 전략 1, 2 · · · · · · 052

누구나 합격 전략 · · · · · · 060
창의 · 융합 · 코딩 전략 1, 2 · · · · · · 062

3주 성장과 성찰   066

1일 개념 돌파 전략 1, 2   068

2일 필수 체크 전략 1, 2   074

3일 필수 체크 전략 1, 2   082

누구나 합격 전략   090
창의 · 융합 · 코딩 전략 1, 2   092

권말 정리 마무리 전략   096

신유형 · 신경향 · 서술형 전략   098
고난도 해결 전략 1회   104
고난도 해결 전략 2회   108
고난도 해결 전략 3회   112

1^주 비유와 상징

비유와 상징이란 무엇일까?

개념 01 비유의 개념과 원리

- **개념**: 표현하려는 대상(❶ 　　　)을 그와 비슷한 다른 대상(보조 관념)에 빗대어 표현하는 방법
- **원리**: 원관념과 ❷ 　　　 사이에 유사성이 존재함.
- 📷 앵두처럼 붉은 입술 → '앵두'와 '입술' 모두 붉다는
  <u>보조 관념</u>　　　<u>원관념</u>
  특성이 있음.

답 ❶ 원관념 ❷ 보조 관념

확인 01 표현하려는 어떤 대상을 그와 비슷한 다른 대상에 빗대어 표현하는 방법을 뜻하는 것은?

① 시어 　② 운율 　③ 비유 　④ 서술자 　⑤ 표현 기법

비유는 문학 작품뿐만 아니라
일상생활에서도 많이 쓰여요.

개념 02 비유의 종류 ❶

- **직유법**

개념	'~같이', '~❶ 　　', '~인 양', '~듯이' 등의 표현을 사용하여 하나의 대상을 다른 대상에 ❷ 　　 빗대어 표현하는 방법
📷	• 쟁반같이 둥근 달 • 샘물처럼 맑은 눈

답 ❶ 처럼 ❷ 직접

확인 02 다음 문장에서 보조 관념을 찾아 쓰시오.

그의 눈빛은 얼음처럼 차가웠다.

개념 03 비유의 종류 ❷

- **은유법**

개념	'~은/는 ~❶ 　　'와 같은 형식으로 두 대상이 ❷ 　　한 것처럼 표현하는 방법
📷	• 내 마음은 호수요. • 나는 나룻배 / 당신은 행인.

답 ❶ 이다 ❷ 동일

확인 03 다음 문장의 괄호 안에서 알맞은 말을 고르시오.

'~은/는 ~이다'와 같은 형식으로 원관념과 보조 관념이 동일한 것처럼 표현하는 방법을 (직유법/은유법)이라고 한다.

개념 04 비유의 종류 ❸

- **의인법**

개념	동식물, ❶ 　　 등과 같이 ❷ 　　 이/가 아닌 것을 사람처럼 표현하는 방법
📷	• 강물이 춤을 준다. • 달님이 방긋방긋 웃는다.

답 ❶ 사물 ❷ 사람

확인 04 다음 문장의 괄호 안에서 알맞은 말을 고르시오.

의인법은 동물이나 식물 등을 (사물/사람)처럼 표현하는 방법이다.

비유의 종류 중 직유법, 은유법,
의인법이 대표적이고, 그 밖에
활유법, 대유법 등이 있어요.

개념 05 비유의 효과

• 재미있고 참신하게 표현하여 신선함과 즐거움을 줌.
• 장면이나 대상을 생생하게 표현할 수 있음.
• 독자의 ❶ □□□ 을/를 자극하여 흥미를 높여 줌.
• 전달하고자 하는 바를 인상 깊게 표현할 수 있음.
• 주제를 ❷ □□□ (으)로 전달할 수 있음.

답 ❶ 상상력 ❷ 효과적

확인 05 다음 비유적 표현의 효과로 적절한 것을 고르시오.

꾀꼬리 같은 목소리

(대상을 생생하게 표현함./독자의 흥미를 떨어트림.)

개념 06 상징의 개념과 종류

• 개념: 인간의 감정, 사상 등의 ❶ □□□ 인 관념을 구체적인 사물로 나타내는 방법
• 종류

개인적 (창조적) 상징	개인이 독창적으로 ❷ □□□ 해 낸 상징. 어떤 하나의 작품에만 나타나는 경우가 많다. ⑩ 오영수의 〈고무신〉에서 고무신 → 애정, 추억, 사랑, 이별을 상징함.
관습적 상징	특정 사회나 집단에서 오랫동안 널리 사용되어 그 의미가 사회적으로 받아들여진 상징 ⑩ • 비둘기 → 평화를 상징함. • 소나무 → 지조, 절개를 상징함.
원형적 상징	인류의 역사, 종교, 풍습 등에서 시대를 초월하여 이어져 내려오는 보편적인 상징 ⑩ • 불 → 정열, 파괴를 상징함. • 물 → 생명력, 정화를 상징함.

└ 본디의 모습을 갖춘 특성이 있는. 또는 그런 것.

답 ❶ 추상적 ❷ 창조

확인 06 다음 문장의 괄호 안에서 알맞은 말을 고르시오.

상징은 인간의 감정이나 사상 등의 추상적인 관념을 (추상적인/구체적인) 사물로 나타내는 방법이다.

개념 07 상징의 효과

• 인간의 사상이나 감정 등과 같은 추상적인 관념을 ❶ □□□ (으)로 드러낼 수 있음.
• 어떤 대상에 ❷ □□□ 의미를 부여하여 작품의 깊이를 더할 수 있음.
• 전달하고자 하는 바를 인상 깊게 표현할 수 있음.

답 ❶ 구체적 ❷ 상징적

확인 07 상징의 효과로 적절한 것을 고르시오.

㉠ 구체적인 관념을 추상적으로 드러낼 수 있다.
㉡ 전달하고자 하는 바를 인상 깊게 표현할 수 있다.

개념 08 비유와 상징의 차이

비유	보통 원관념이 겉으로 드러나고, 원관념과 보조 관념 사이의 ❶ □□□ 을/를 바탕으로 성립함. 또한 원관념과 보조 관념의 의미 관계가 일대일로 대응함. ⑩ 내 마음은 호수요. → 원관념이 겉으로 드러나고, '호수'와 '내 마음'은 잔잔하고 평화롭다는 유사성이 있음.
상징	원관념이 겉으로 드러나지 않고, 원관념과 보조 관념 사이에 유사성이 분명하지 않음. 또한 원관념과 보조 관념의 의미 관계가 다(多)대로 대응하므로 다양한 의미로 해석될 수 있음. ⑩ 님은 갔습니다. / 아아 사랑하는 나의 님은 갔습니다. → '님'의 ❷ □□□ 이/가 겉으로 드러나지 않고, '님'은 사랑하는 사람, 조국, 부처 등을 상징함.

답 ❶ 유사성 ❷ 원관념

확인 08 원관념과 보조 관념의 의미 관계가 다대일로 대응하는 것은?

(비유/상징)

비유와 상징을 구별하는 것보다
비유나 상징이 쓰인 표현의 의미를
파악하는 것이 중요해요!

01 비유에 대한 설명으로 적절하지 <u>않은</u> 것은?

① 비유를 써서 표현하려는 대상을 보조 관념이라고 한다.

② 대표적인 비유의 종류에는 직유법, 은유법, 의인법이 있다.

③ 비유란 어떤 대상을 다른 대상에 빗대어 표현하는 방법이다.

④ 비유는 원관념과 보조 관념 사이의 유사성을 바탕으로 성립한다.

⑤ 은유법은 '~은/는 ~이다'와 같은 형식으로 두 대상이 동일한 것처럼 표현하는 방법이다.

문제 해결 전략

· 표현하고자 하는 대상을 다른 대상에 빗대어 표현하는 방법을 ❶ ☐ (이)라고 한다.

· 비유를 써서 표현하고자 하는 대상을 ❷ ☐ (이)라고 하며 빗댄 대상을 보조 관념이라고 한다.

답 ❶ 비유 ❷ 원관념

02 다음 시의 ㉠~㉢을 원관념과 보조 관념으로 구분하시오.

> 골목길 걷는 동안 / 내 등에 업힌 ㉠가을볕
> ㉡동생 숨결처럼 / 따듯하게 느껴지고
> ㉢아랫목 할머니 품처럼 / 시린 어깨 감싸 주고
>
> – 정진아, 〈가을볕〉

· 원관념: (   ) · 보조 관념: (   ), (   )

문제 해결 전략

· 직유법은 '~같이', '~❶ ☐', '~인 양', '~듯이' 등의 표현을 사용하여 원관념을 보조 관념에 직접 빗대어 표현하는 방법이다.

· 예를 들어 '쟁반같이 둥근 달'이라는 비유적 표현에서 원관념은 '달'이고 보조 관념은 '❷ ☐'(이)다.

답 ❶ 처럼 ❷ 쟁반

03 다음 시의 밑줄 친 부분과 <u>다른</u> 종류의 비유가 쓰인 것은?

> <u>나뭇잎은 손바닥처럼 / 담 너머에 핀다.</u>
> 빛보다도 환한 그늘, / 꽃보다도 밝은 그늘에 고여
> 나뭇잎들은 손바닥들처럼 / 뜰 귀에서 핀다.
>
> – 박성룡, 〈뜰〉

① 바다같이 넓은 마음

② 솜사탕처럼 푹신한 구름

③ 손이 얼음장같이 차갑다.

④ 하늘에서 내리는 눈은 지우개이다.

⑤ 폭풍이 몰아치듯이 분노가 치밀었다.

문제 해결 전략

· 이 시에는 '~처럼'을 써서 '나뭇잎'을 '손바닥'에 직접 빗대어 표현하는 ❶ ☐ 이/가 쓰였다.

· '~은/는 ~이다'와 같은 형식으로 두 대상이 동일한 것처럼 표현하는 방법은 ❷ ☐ (이)다.

답 ❶ 직유법 ❷ 은유법

04 다음 시의 밑줄 친 부분과 같은 종류의 비유가 쓰인 것은?

> 바람 불면 빨래들이 춤을 춘다.
> 어머니 파랑 치마 팔랑팔랑
> 쬐꼬만 내 치마도 팔랑팔랑
>
> — 이원수, 〈빨래〉

① 교실은 흐드러진 장미밭이다.   — 오세영, 〈별처럼 꽃처럼〉

② 해님이 웃는다 / 즐거워 웃는다.   — 윤동주, 〈햇비〉

③ 꽃가루와 같이 부드러운 고양이의 털에   — 이장희, 〈봄은 고양이로다〉

④ 진달래는 분홍 거품이 / 조팝나무는 하얀 거품이 / 영산홍은 빨강 거품이 /
보글보글 일고 있잖아   — 정현정, 〈나무들의 목욕〉

⑤ 나는 찬밥처럼 방에 담겨 / 아무리 천천히 숙제를 해도 / 엄마 안 오시네,
배춧잎 같은 발소리 타박타박   — 기형도, 〈엄마 걱정〉

문제 해결 전략

- 이 시에서는 사람이 아닌 **❶**□□□들을 사람처럼 표현하고 있다.
- 의인법은 동식물, 사물 등과 같이 사람이 아닌 것을 **❷**□□□처럼 표현하는 방법이다.

🔑 답 ❶ 빨래 ❷ 사람

---

05 다음 시에 쓰인 비유에 대한 설명으로 적절한 것은?

> 나는 나룻배
> 당신은 행인.
>
> 당신은 흙발로 나를 짓밟습니다.
> 나는 당신을 안고 물을 건너갑니다.
> 나는 당신을 안으면 깊으나 옅으나 급한 여울이나 건너갑니다.
>
> 만일 당신이 아니 오시면 나는 바람을 쐬고 눈비를 맞으며 밤에서 낮까지 당신을 기다리고 있습니다.
>
> — 한용운, 〈나룻배와 행인〉

① 1연에 직유법이 쓰였다.

② 화자는 자신을 '행인'에 비유하였다.

③ '나'는 무심한 존재라는 점에서 '행인'과 유사하다.

④ '당신'은 '나'를 위해 희생한다는 점에서 '나룻배'와 유사하다.

⑤ '나'와 '당신'의 관계를 '나룻배'와 '행인'에 빗대어 표현하였다.

문제 해결 전략

- 'A는 B'와 같은 형식으로 표현하려는 대상과 빗댄 대상이 동일한 것처럼 표현하는 방법은 **❶**□□□(이)다.
- 시에서 말하는 이를 '**❷**□□□'(이)라고 하는데, 이 시의 화자는 '나'이다.

🔑 답 ❶ 은유법 ❷ 화자

06 비유를 써서 표현할 때의 효과로 적절하지 <u>않은</u> 것은?

① 주제를 효과적으로 전달할 수 있다.

② 대상을 더욱 생생하게 전달할 수 있다.

③ 전달하고자 하는 바를 인상 깊게 표현할 수 있다.

④ 사실적이고 정확한 정보를 객관적으로 전달할 수 있다.

⑤ 대상을 참신하게 표현하여 독자에게 신선한 느낌을 줄 수 있다.

문제 해결 전략

• 비유를 쓰면 있는 그대로 표현할 때보다 새롭고 산뜻한 느낌을 줄 수 있고 ❶□□ 의 흥미를 불러일으킬 수 있다.

• 비유를 쓰면 표현하고자 하는 대상을 더욱 ❷□□ 하게 표현할 수 있다.

답 ❶ 독자 ❷ 생생

---

07 상징에 대한 설명으로 적절한 것끼리 바르게 묶은 것은?

> ㄱ. 원관념이 겉으로 드러나지 않는다.
>
> ㄴ. 상징의 종류에는 개인적, 관습적, 원형적 상징이 있다.
>
> ㄷ. 추상적인 관념을 구체적인 사물로 나타내는 방법이다.
>
> ㄹ. 원관념과 보조 관념의 의미 관계가 일대일로 대응한다.
>
> ㅁ. 원관념과 보조 관념 사이에 유사성이 분명하게 드러난다.

① ㄱ, ㄴ, ㄷ 　② ㄱ, ㄴ, ㄹ 　③ ㄴ, ㄷ, ㄹ

④ ㄴ, ㄷ, ㅁ 　⑤ ㄷ, ㄹ, ㅁ

문제 해결 전략

• 상징은 추상적인 관념을 ❶□□□ 인 사물로 나타내는 방법이다.

• 비유와 달리 상징은 원관념과 보조 관념 사이에 ❷□□□ 이/가 분명하지 않아도 성립할 수 있다.

답 ❶ 구체적 ❷ 유사성

---

08 다음 시조에 나타난 '솔'과 '눈서리'의 상징적 의미로 적절한 것을 〈보기〉에서 골라 쓰시오.

> 더우면 꽃 피고 추우면 잎 지거늘
>
> 솔아 너는 어찌 눈서리를 모르는다.
>   모르느냐.
> 구천(九泉)에 뿌리 곧은 줄을 그로 하여 아노라.
> 땅속 깊은 밑바닥.
>
> — 윤선도, 〈오우가〉 [천(박)] [비] [동]

보기
고난　순수　지조　겸손

• 솔: (　　　　　)　　• 눈서리: (　　　　　)

문제 해결 전략

• 이 시조에서는 ❶□□□ 을/를 맞으면 대부분의 나뭇잎이 떨어지는 것과는 달리 잎이 떨어지지 않는 소나무의 변함없는 모습을 예찬하고 있다.

• '솔'과 '눈서리'의 숨은 ❷□□ 이/가 무엇인지 생각해 본다.

답 ❶ 눈서리 ❷ 의미

09 상징의 효과로 적절하지 <u>않은</u> 것은?

① 작품의 깊이를 더할 수 있다.

② 추상적인 관념을 구체적으로 드러낼 수 있다.

③ 대상의 부정적인 특성만을 강조하여 드러낸다.

④ 전달하고자 하는 바를 인상 깊게 표현할 수 있다.

⑤ 상징적 의미를 해석하는 과정에서 독자의 상상력을 키울 수 있다.

문제 해결 전략

• 상징을 써서 표현하면 추상적인 관념을 ❶ ____ (으)로 드러낼 수 있고, 대상에 상징적 의미를 부여하여 의미를 풍부하게 하고 작품의 깊이를 더할 수 있다.

• 상징을 써서 표현하면 ❷ ____ 을/를 인상 깊게 표현할 수 있다.

답 ❶ 구체적 ❷ 주제

10 다음 대화를 읽고 괄호 안에서 알맞은 말을 골라 순서대로 쓰시오.

보통 원관념이 겉으로 드러나 있으면 (비유/상징), 그렇지 않고 추상적인 관념을 구체적인 사물로 나타내면 (비유/상징)인 거 맞지?

응, 맞아. 그런데 비유와 상징을 구별하는 것보다는 비유와 상징이 쓰인 표현의 의미를 파악하는 것이 중요해.

문제 해결 전략

• 비유는 보통 ❶ ____ 이/가 겉으로 드러난다.

• 상징은 원관념이 겉으로 드러나지 않고 ❷ ____ 만 드러난다.

답 ❶ 원관념 ❷ 보조 관념

11 다음 시에 나타난 '까마귀'와 '백로'가 상징하는 바와 거리가 <u>먼</u> 것은?

까마귀 검다 하고 백로야 웃지 마라.
겉이 검은들 속조차 검을쏘냐.
겉 희고 속 검은 것은 너뿐인가 하노라
　　　　　　　　　 – 이직, 〈까마귀 검다 하고〉 금 교

① 백로는 부정적, 까마귀는 긍정적인 존재이다.

② 까마귀는 겉과 속이 모두 검은 음흉한 존재이다.

③ 백로는 겉은 하얗지만 속은 그렇지 않은 존재이다.

④ 까마귀는 겉모습과 달리 깨끗한 양심을 지닌 존재이다.

⑤ 백로는 겉으로는 올바른 척하지만 양심이 바르지 못한 존재이다.

문제 해결 전략

• 상징은 표현하고자 하는 ❶ ____ 을/를 겉으로 드러내지 않고 구체적인 다른 사물로 나타내는 방법이다.

• 상징은 ❷ ____ 이/가 숨겨져 있기 때문에 상징적 표현이 의미하는 바를 여러 가지로 해석할 수 있다.

답 ❶ 대상 ❷ 원관념

[1] 다음 시를 읽고, 물음에 답하시오.

㉠꽃가루와 같이 부드러운 고양이의 털에
고운 봄의 향기가 어리우도다.

'회동그랗다'의 방언. 놀라거나 두려워서 크게 뜬 눈이 동그랗다.
㉡금방울과 같이 호동그란 고양이의 눈에
미친 봄의 불길이 흐르도다.

고요히 다물은 고양이의 입술에
포근한 봄의 졸음이 떠돌아라.

날카롭게 쭉 뻗은 고양이의 수염에
푸른 봄의 생기가 뛰놀아라.

– 이장희, 〈봄은 고양이로다〉 비 동

이 작품은 고양이의 모습에서 연상되는 봄의 분위기와 생명력을 감각적으로 표현한 시입니다.

대표 유형 ❶ 원관념과 보조 관념의 관계 이해하기

1 ㉠과 ㉡에 대한 설명으로 적절한 것은?

① ㉠에서 보조 관념은 '고양이의 털'이다.
② ㉡에서 표현하고자 하는 대상은 '금방울'이다.
③ ㉡에서 원관념과 보조 관념은 동그랗다는 점이 비슷하다.
④ ㉡에서 '금방울'을 '고양이의 눈'에 빗대어 금방울의 반짝임을 강조하였다.
⑤ ㉠과 ㉡에서는 은유법을 사용하여 봄의 분위기를 감각적으로 표현하였다.

유형 해결 전략

비유는 표현하고자 하는 대상인 원관념을 보조 관념에 빗대어 표현하는 방법이다. 비유를 이해할 때에는 원관념과 ❶[   ] 사이의 ❷[   ]을/를 파악하는 것이 중요하다.

답 ❶ 보조 관념 ❷ 유사성

1-1 이 시의 내용을 바탕으로 하여 다음 빈칸에 들어갈 알맞은 말을 쓰시오.

> 이 시의 1연 1행에서는 '고양이의 털'을 '꽃가루'에 빗대어 표현하고 있다. '고양이의 털'과 '꽃가루'가 (   )는 유사성을 바탕으로 한 것이다.

도움말

시구에 드러난 ❶[   ]와/과 보조 관념 사이의 ❷[   ]한 점이 무엇인지 살펴보세요.

답 ❶ 원관념 ❷ 비슷

[2] 다음 시를 읽고, 물음에 답하시오.

나무들이
샤워하고 있다 ⓐ

저것 봐
저것 봐

진달래는 분홍 거품이
조팝나무는 하얀 거품이
영산홍은 빨강 거품이
보글보글 일고 있잖아

깨끗이 씻은 자리
씨앗 마중하려고
ⓑ부지런히 목욕 중이야

㉠온 산이 공중목욕탕처럼
색색의 거품으로 부글거리고 있어.

– 정현정, 〈나무들의 목욕〉 천(박)

이 작품은 꽃을 피우는 나무들을 소재로 하여 꽃이 핀 산의 풍경과 그에 대한 느낌을 표현한 시입니다.

대표 유형 ❷ 시에 쓰인 비유 파악하기

2 ㉠과 같은 종류의 비유가 쓰인 것은?

① 내 마음은 호수요. – 김동명, 〈내 마음은〉

② 나는 나룻배 / 당신은 행인.
　　　　　　　　　– 한용운, 〈나룻배와 행인〉

③ 선생님은 낙타처럼 늙으셨다. – 이한직, 〈낙타〉

④ 나비는 울며 울며 돌아섭니다. – 김억, 〈연분홍〉

⑤ 산수유나무가 그늘 농사를 짓고 있다.
　　　　　　　　　– 문태준, 〈산수유나무의 농사〉

유형 해결 전략

비유의 종류에는 직유법, 은유법, 의인법 등이 있다. '~같이', '~처럼' 등의 표현을 사용하여 하나의 대상을 다른 대상에 직접 빗대어 표현하는 방법은 직유법, 'A는 B'와 같은 형식으로 두 대상이 동일한 것처럼 표현하는 방법은 ❶ ▢▢▢ (이)다. 사람이 아닌 것을 사람처럼 표현하는 방법은 ❷ ▢▢▢ (이)다.

답 ❶ 은유법 ❷ 의인법

2-1 ⓐ와 ⓑ에 공통으로 쓰인 표현 방법으로 적절한 것은?

① 직유법　　② 은유법　　③ 의인법

④ 대조법　　⑤ 반복법

2-2 다음 빈칸에 공통으로 들어갈 알맞은 시어를 쓰시오.

이 시는 나무에 핀 꽃을
'(　　　)'에 빗대어 표현하고 있어.
진달래 꽃은 '분홍 (　　　)',
조팝나무 꽃은 '하얀 (　　　)',
영산홍 꽃은 '빨강 (　　　)'에
비유하고 있지.

[3] 다음 시를 읽고, 물음에 답하시오.

밤하늘은

별들의 운동장
　　'바장이다'의 옛말. 부질없이 짧은 거리를 오락가락 거닐다.
오늘따라 별들 부산하게 바자닌다.
　　급하게 서두르거나 시끄럽게 떠들어 어수선하다.
운동회를 벌였나

아득히 들리는 함성,

먼 곳에서 아슴푸레 빈 우레 소리 들리더니

빗나간 야구공 하나

쨍그랑

유리창을 깨고

또르르 지구로 떨어져 구른다.

　　　　　　　　　　　　－ 오세영, 〈유성〉 [비]

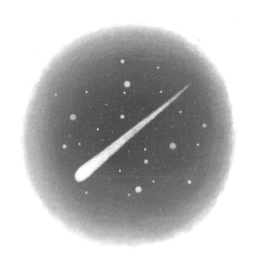

이 작품은 별이 반짝이는 밤하늘의 모습과 유성이 떨어져 내리는 모습을 생동감 있게 표현한 시입니다.

3 이 시를 감상한 내용으로 적절하지 <u>않은</u> 것은?

① '밤하늘'을 '운동장'에 비유한 것이 창의적이네.

② '쨍그랑', '또르르'와 같은 의성어, 의태어를 써서 시가 더욱 감각적으로 느껴져.

③ 사람들이 운동하는 모습을 별들이 반짝이는 것에 빗대어 표현한 것이 인상적이야.

④ 유성이 나타난 순간을 '우레 소리'가 들린 것처럼 표현하여 청각적 심상이 느껴지는걸.

⑤ 밤하늘에 나타난 유성의 모습을 '빗나간 야구공'에 빗대어 표현하니 역동적인 느낌이 들어.

유형 해결 전략

비유의 종류 중 **❶**　　　은/는 사람이 아닌 것을 **❷**　　　처럼 표현하는 방법이다. 이 시에서 어떤 모습을 사람인 것처럼 표현하고 있는지 생각해 본다.

　　　　　　　　　　　　답 ❶ 의인법 ❷ 사람

3-1 이 시를 읽은 독자의 반응으로 적절한 것은?

① 감각적 표현으로 계절의 변화를 나타냈군.

② 색채 대비를 통해 낮과 밤의 차이를 드러냈어.

③ 속담을 사용하여 인생의 교훈을 전달하고 있구나.

④ 별을 의인화하여 밤하늘을 생생하게 표현하였군.

⑤ 시선이 낮은 곳에서 높은 곳으로 이동하며 역동적인 느낌을 주는군.

도움말

'별들 부산하게 **❶**　　　.'(이)라는 표현을 통해 별들이 반짝이는 모습을 **❷**　　　이/가 부산하게 움직이는 것처럼 표현하여 생동감을 주고 있어요.

　　　　　　　　　　　　답 ❶ 바자닌다 ❷ 사람

[4] 다음 글을 읽고, 물음에 답하시오.

가 바다와 시가지 일부가 한꺼번에 내다보이는, 지대가 높고
누덕누덕 기운 헌옷.
귀환 동포가 누더기처럼 살고 있는 산기슭 마을이었다. 그렇
전쟁이나 징용으로 외국으로 나갔다가 고국으로 돌아온 사람을 부르는 말.
기에 마을 사람들은 철수 내외와 같이 가난뱅이 월급쟁이가

아니면 대개가 그날그날의 날품팔이다. / 밤이면 모여들고
일정한 직장이 없이 일거리가 있는 날에만 하루치의 돈을 받고 일하는 사람.
날이 새면 일터로 나가기가 바빴다. 다만 어린아이들만이 마

을 앞 양지바른 담 밑에 모여 윤선이 오고 가는 바다를 바라보

고, 윤선도 보이지 않는 날은 무료에 지쳐 버린다. / 그러나 이
흥미 있는 일이 없어 심심하고 지루함.
단조한 마을, 무료한 아이들에게도 단 하나의 즐거움은 있었
사물이 단순하고 변화가 없어 새로운 느낌이 없음.
다. 그것은 날마다 단골로 찾아오는 젊은 엿장수였다.

나 엿장수가 마을 앞까지 채 오기도 전에 아이들은 벌써 길목

에 쭉 모여 서서 개선장군이나 맞이하듯 기다리고 섰다.
적과의 싸움에서 이기고 돌아온 장군.
　그러면 엿장수는 더한층 가위 소리를 째깍거리고 길목 돌

위에다 엿판을 턱 내려놓고는 '자! 어떠냐?' 하는 듯이 맛보기

를 주면 아이들은 서로 다퉈 담을 치고 들여다본다. 그러나 막

상 엿을 사 먹는 아이는 좀체 보이지 않고, 혹 떨어진 고무신짝

이나 가지고 와서 바꿔 먹는 아이가 없지는 않으나 그것도 매

일같이 있을 리는 없다. 아이들은 사 먹지는 못할망정 보기만

해도 좋았다. 그 뽀얗게 밀가루를 쓴 엿가락이 가지런히 누워

있는 엿판을 들여다보고 있을 양이면 저절로 입에 군침이 괴

고 마음까지 흐뭇해지는 것이었다.
눈언저리의 속눈썹이 난 곳.
다 다음 날도 좋은 날씨였다. ⊙면 산은 선잠 깬 여인의 눈시

울처럼 자꾸만 선이 희미해 오고 수양버들은 아지랑이가 간지

러운 듯 한들거렸다. 보리 싹은 제법 파릇하고 남향 담 밑에는

민들레가 놀란 듯 활짝 피었다.

　　　　　　　　　　　　　　　- 오영수, 〈고무신〉 천(박)

이 작품은 산기슭 마을에 찾아온 봄을 배경으로, 식모살이를 하는 남
이와 마을에 드나드는 엿장수 청년의 순수하고 애틋한 사랑을 그려 낸
소설입니다.

---

4 다음은 이 글을 읽은 독자의 반응이다. 빈칸에 들어갈
내용으로 적절한 것은?

> 이 글에서 '(　　　　)'라는 부분은
> 직유법을 써서, 엿장수를 열렬하게 환영하는
> 아이들의 모습을 생생하게 보여 주고 있어.

① 대개가 그날그날의 날품팔이다.

② 개선장군이나 맞이하듯 기다리고 섰다.

③ 아이들은 서로 다퉈 담을 치고 들여다본다.

④ 아이들은 사 먹지는 못할망정 보기만 해도 좋았다.

⑤ 저절로 입에 군침이 괴고 마음까지 흐뭇해지는
　것이었다.

유형 해결 전략

소설에서 ❶　　　　을/를 사용하면 대상을 ❷　　　　표현할 수
있다. 이 소설에서 전달하려는 내용을 어떤 비유적 표현을 통해 드
러내고 있는지 찾아본다.

　　　　　　　　　　　　　　답 ❶ 비유 ❷ 생생하게

4-1 ⊙에 나타난 표현 방법에 대한 설명으로 적절한 것은?

① 압축적인 표현으로 의미를 간결하게 전달한다.

② 비유를 써서 봄날의 풍경을 생생하게 묘사한다.

③ 서술자가 직접 개입하여 소재의 의미를 설명한다.

④ 반어적인 표현을 써서 주제를 효과적으로 전달한다.

⑤ 속담을 활용하여 전달하고자 하는 바를 인상 깊
　게 표현한다.

도움말

'반어적'이란 표현의 ❶　　　　을/를 높이기 위하여 실제와
❷　　　　되게 말을 하는 것을 뜻해요.

　　　　　　　　　　　　　　답 ❶ 효과 ❷ 반대

[01~03] 다음 시를 읽고, 물음에 답하시오.

가 나무들이

샤워하고 있다

저것 봐 / 저것 봐

진달래는 분홍 거품이

조팝나무는 하얀 거품이

영산홍은 빨강 거품이

보글보글 일고 있잖아

깨끗이 씻은 자리

씨앗 마중하려고

부지런히 목욕 중이야

온 산이 공중목욕탕처럼

색색의 거품으로 부글거리고 있어.

– 정현정, 〈나무들의 목욕〉 천(박)

나 아씨처럼 나린다

보슬보슬 햇비
여우비를 가리킴. 볕이 나 있는 날 잠깐 오다가 그치는 비.
맞아 주자 다 같이

옥수숫대처럼 크게

닷 자 엿 자 자라게
길이의 단위. 한 자는 한 치의 열 배로 약 30.3cm에 해당함.
해님이 웃는다

나 보고 웃는다.

하늘 다리 놓였다

알롱알롱 무지개

노래하자 즐겁게

동무들아 이리 오나

다 같이 춤을 추자

해님이 웃는다

즐거워 웃는다.

– 윤동주, 〈햇비〉 미

01 (가)와 (나)의 공통점으로 적절한 것은?

① 자연물을 사람처럼 표현하였다.

② 질문하고 대답하는 형식을 취하였다.

③ 풍경을 묘사한 뒤에 감정을 서술하였다.

④ 1연의 시구를 마지막 연에 반복하여 제시하였다.

⑤ 서로 반대되는 대상을 대조하여 주제를 강조하였다.

> **도움말**
>
> 시에는 표현하고자 하는 대상(원관념)을 다른 대상(❶ ⬜)
> 에 빗대어 표현하는 방법인 ❷ ⬜ 이/가 자주 쓰여요. (가)
> 와 (나)에 쓰인 비유적 표현을 파악해 보세요.
>
> **답** ❶ 보조 관념 ❷ 비유

02 다음은 (가)에 대한 설명이다. ㉠과 ㉡에 들어갈 알맞은 말을 쓰시오.

> 이 시의 화자는 나무들이 (㉠)을/를 피우는
> 모습을 샤워하는 모습에 빗대어 표현하고 있다.
> 그리고 색색의 꽃이 핀 '온 산'의 풍경을 거품이
> 부글거리는 '(㉡)'에 빗대어 표현하고 있다.

03 (나)에 대한 감상으로 적절하지 <u>않은</u> 것은?

① 시에서 밝고 즐거운 분위기가 느껴져.

② 무지개를 '하늘 다리'에 비유하고 있어.

③ 의태어를 써서 비와 무지개의 모습을 나타냈어.

④ '해님'과 대비되는 화자의 감정이 두드러지게 나타나네.

⑤ 잠깐 오다가 그치는 햇비의 모습을 '아씨'에 빗대어 표현했네.

[04~05] 다음을 읽고, 물음에 답하시오.

(가) 밤하늘은 / 별들의 운동장

　오늘따라 별들 부산하게 바자닌다.

　운동회를 벌였나 / 아득히 들리는 함성,

　먼 곳에서 아슴푸레 빈 우레 소리 들리더니

　빗나간 야구공 하나

　쨍그랑 / 유리창을 깨고

　또르르 지구로 떨어져 구른다.

　　　　　　　　　　　　　　　　　　　－ 오세영, 〈유성〉 [비]

(나) 학창 시절에는 유별나게도 학년이 바뀌고 반이 바뀌어 친구들과 뿔뿔이 흩어져야 하는 신학기가 싫었다. 마음으로 간절히 원했던 친구는 거의 언제나 다른 반으로 가 버렸고, 한 반이 되지 않기를 빌고 빌었던 친구는 어김없이 한 반으로 편성되곤 하는 불행 아닌 불행 앞에서 얼마나 많이 속상해했는지 모른다.

　그래서 학년이 바뀌고 처음 얼마 동안은 늘 마음을 잡지 못했다. 아침에 눈을 떠 학교에 갈 일을 생각하면 가슴 한 켠이 써늘해지곤 하던 그 느낌을 지금도 나는 선연(鮮然)히 떠올릴 수가 있다. [중략]
_{실제로 보는 것같이 생생하게.}

　누군가는 말했다. 친구 없이 사는 일만큼 무서운 사막은 없다고. 또 누군가는 말했다. 친구 없이 사는 것은 증인 없이 죽는 일이라고.

　그 말들을 새기고 있으면 불현듯 마음이 찡해 온다. 나는 지금 무서운 사막을 홀로 걷고 있는 것은 아닌지, 지금 내 삶의
_{불을 켜서 불이 일어나는 것과 같다는 뜻으로, 갑자기 어떤 생각이 걷잡을 수 없이 일어나는 모양.}
의미를 설명해 줄 단 한 사람의 증인도 없이 마음을 닫고 살아가는 것은 아닌지.

　하지만 우정은 상호 간의 교류이다. 일방적인 행위가 결코 아닌 것이다. 말하자면 내가 먼저 쌓아야 할 탑이고 내가 밭을 경작해서 맺어야 할 열매인 것이다. 그럼에도 불구하고 탑을
_{땅을 갈아서 농사를 짓다.}

제대로 쌓는 사람, 혹은 빛깔 곱고 아름다운 열매를 맺는 사람은 참 드물다. 친구는 많지만 진정으로 벗이라 부를 만한 이는 몇이나 되는지, 그것만이라도 한 번쯤 되새겨 보며 살아야 하는 것 아닐까.

　　　　　　　　　　　　　　　　　　－ 양귀자, 〈사막을 같이 가는 벗〉 [천(노)]

04 **(가)와 (나)의 갈래에 대한 설명으로 적절하지 않은 것은?**

① (가): 형식에 따라 정형시, 자유시, 산문시로 나뉜다.

② (가): 생각이나 느낌을 함축적이고 운율을 지닌 언어로 표현하는 글이다.

③ (나): 형식에 얽매이지 않고 자유롭게 쓰는 글이다.

④ (나): 글에 등장하는 '나'는 작가가 꾸며 낸 허구의 인물이다.

⑤ (나): 일상생활 속에서 얻은 생각이나 느낌을 쓰는 글이다.

05 **다음 빈칸에 들어갈 알맞은 단어를 (나)에서 찾아 순서대로 쓰시오.(단, 두 글자로 이루어진 단어를 쓸 것)**

> (나)는 친구 없는 고독한 삶을 '(　　　)'에 비유하고, 삶의 고난을 함께 이겨 낼 수 있는 우정의 가치를 '사막을 같이 가는 벗'이라는 제목으로 표현한 글이다. 우정을 '탑'과 '(　　　)'에 빗대어 진정한 친구를 사귀려면 자신이 먼저 노력해야 함을 말하고 있다.

도움말

빈칸의 앞뒤 문맥을 살펴 각 빈칸에 들어갈 알맞은 단어를 (나)에서 찾아보세요. 글쓴이가 **❶** [　　　] 없이 사는 일을 무엇에 빗대었는지, **❷** [　　　]을/를 빗댄 대상은 무엇인지 살펴보세요.

답 ❶ 친구 ❷ 우정

[06~08] 다음 시를 읽고, 물음에 답하시오.

가 꽃가루와 같이 부드러운 고양이의 털에
고운 봄의 향기가 어리우도다.

㉠금방울과 같이 호동그란 고양이의 눈에
미친 봄의 불길이 흐르도다.

고요히 다물은 고양이의 입술에
포근한 봄의 졸음이 떠돌아라.

날카롭게 쭉 뻗은 고양이의 수염에
푸른 봄의 생기가 뛰놀아라.

– 이장희, 〈봄은 고양이로다〉 비동

나 그래 살아 봐야지
너도나도 공이 되어
떨어져도 튀는 공이 되어

살아 봐야지
쓰러지는 법이 없는 둥근
공처럼, 탄력의 나라의 ㉡
왕자처럼

가볍게 떠올라야지
곧 움직일 준비되어 있는 꼴
둥근 공이 되어

옳지 최선의 꼴
지금의 네 모습처럼
떨어져도 튀어 오르는 공
쓰러지는 법이 없는 공이 되어.

– 정현종, 〈떨어져도 튀는 공처럼〉 금

06 (가)에 나타난 대조적인 분위기를 다음과 같이 정리할 때, 빈칸에 들어갈 알맞은 말을 쓰시오.

> 이 작품은 고양이의 모습을 통해 봄의 분위기를 감각적으로 제시하고 있다. 1연과 3연에서는 정적인 분위기의 봄을, 2연과 4연에서는 (　　　)인 분위기의 봄을 형상화하고 있다.

07 ㉠과 ㉡에 공통으로 쓰인 표현 방법에 대한 설명으로 적절한 것은?

① 모순된 표현 속에 진실을 담아 표현한다.
② 사람이 아닌 것을 사람인 것처럼 표현한다.
③ 감탄사를 사용하여 감정을 강하게 나타낸다.
④ 말의 순서를 뒤바꾸어, 표현하려는 것을 강조한다.
⑤ 보조 관념을 활용하여 원관념을 효과적으로 전달한다.

도움말

(나)는 바람직한 삶의 자세를 ❶　　　의 속성에 빗대어 노래한 작품이에요. ❷　　　을/를 사용하면 전달하고자 하는 바를 효과적으로 드러낼 수 있어요.

답 ❶ 공 ❷ 비유

08 〈보기〉를 참고할 때, (나)의 화자가 조언을 해 줄 대상과 거리가 먼 사람은?

보기

　이 시의 화자는 힘들고 어려운 일이 있어도 좌절하거나 절망하지 않고 탄력이 있는 공처럼 다시 일어서는 삶을 살고자 한다.

① 취직에 실패하여 실의에 빠져 있는 사촌 오빠
② 열심히 준비했지만 가수 오디션에 떨어진 누나
③ 갑작스러운 부상으로 시합에 나가지 못한 선수
④ 열심히 공부했지만 시험 성적이 좋지 않은 친구
⑤ 새벽에 일어나 동네 골목을 깨끗이 청소하는 아저씨

[09~10] 다음 글을 읽고, 물음에 답하시오.

㉮ 엿장수가 엿판을 길목에 내리자 남이는 가시처럼 꼭 찌르는 소리로, / "보소!"

엿장수는 놀란 듯 힐끗 한 번 돌아보고는 담을 싼 아이들을 헤치고 남이에게로 오는데 남이는 입을 쌜쭉하면서 대뜸,

"내 신 내놓소!" / 했다. 엿장수는 걸음을 멈추고 한참 동안 남이를 바라보다 말고 은근한 말투로,

"신은 웬 신요?" / 하고는 상대편의 의심을 받을 만큼 히죽이 웃어 보이자, 남이는 눈이 까칠해 가지고,

"잡아떼면 누가 속을 줄 아는가 베!"

그러나 ㉠엿장수는 수양버들 봄바람 맞듯 연신 히죽거리며,
잇따라 자꾸.

"ⓛ뭘요? 그믐밤에 홍두깨도 분수가 있지."
별안간 엉뚱한 말이나 행동을 함을 비유하여 이르는 말.

남이는 발끈하고, / "신 말이오!" / "신을요?"

"어제 우리 집 아이들을 꾀어 간 옥색 고무신 말이오!"

엿장수는 머리를 벅벅 긁으며, / "꾀기는 누가……."

㉯ 엿장수는 손짓으로 어르듯 달래듯,

"가만있소. 도가에 가 보고 신이 있으면야 갖다 주고말고.
동업자들이 모여서 계나 장사에 관해 의논하는 집. 여기서는 엿장수가 팔 엿을 받아 오는 곳을 뜻함.
만일 신이 없으면 새 신이라도 사다 줄게요. 염려 마소!"

하고는 남이의 발을 눈짐작하는데, 이때 난데없이 ㉢굵다란 벌
눈짐작. 눈으로 헤아려 보는 짐작.
한 마리가 날아와 남이의 얼굴 주위를 잉잉 날아돈다. 남이는 상을 찌푸리고 한 손을 내저어 벌을 쫓고, 목을 돌리고 하는데, 벌은 갑자기 남이 저고리 앞섶에 붙어 가슴패기로 기어오르고 있다. / 이것을 조마조마 보고 있던 엿장수는,

"가, 가만……." / 하고는 한걸음에 뛰어들어,

"요놈의 벌이." / 하고 손바닥으로 벌을 딱 덮어 눌렀다.

옆에서 보기에도 민망스러운 순간이었다.

남이는 당황하면서도 귀언저리를 붉히고 한 걸음 뒤로 물러서자 함께, 엿장수 손아귀에는 벌이 쥐어졌다. 쥐인 벌은 고스란히 있을 리가 없다. 한 번 잉 소리를 내고는 그만 손바닥을 쏘아 버렸다. 동시에 엿장수는,

"앗!" / 하고, 쥐었던 손을 펴 불며 앙감질을 하는 꼴이 남이는 어떻게나 우스웠던지 그만 ㉣손등으로 입을 가리고 킥킥
한 발은 들고 한 발로만 뛰는 짓.
하고 웃어 버렸다. 엿장수는 반은 울상 반은 웃는 상 남이를 바라보는데, ⓜ남이의 송곳니가 무척 예뻐 보였다.

– 오영수, 〈고무신〉 친(박)

09 ㉠~ⓜ에 대한 설명으로 적절하지 <u>않은</u> 것은?

① ㉠: 엿장수가 부드럽게 웃고 있는 모습을 비유적으로 표현하였다.

② ⓛ: 남이가 화를 내는 이유를 몰라서 어리둥절하는 엿장수의 모습이 나타난다.

③ ㉢: 엿장수에 대한 남이의 적대감을 심화시키는 소재이다.

④ ㉣: 남이와 엿장수의 갈등이 해소되었음이 드러난다.

⑤ ⓜ: 엿장수가 남이에게 호감을 느끼고 있음이 드러난다.

> **도움말**
> 남이와 엿장수가 고무신 때문에 갈등을 빚던 중 갑자기 **❶**
> 한 마리가 나타나는데, 벌에 쏘여 앙감질하는 엿장수를 보
> 고 **❷** 이/가 웃어 버리는 모습이 나타나 있어요.
> 답 ❶ 벌 ❷ 남이

10 이 글에서 화가 난 남이의 목소리를 빗댄 대상을 찾아 〈조건〉에 맞게 쓰시오.

> ┌ 조건
> • 화가 난 남이의 목소리를 빗댄 대상을 쓸 것
> • 비유가 쓰인 구절을 찾아 쓰고 비유의 종류를 쓸 것
> • 한 문장으로 쓸 것

[1] 다음 시를 읽고, 물음에 답하시오.

내를 건너서 숲으로
고개를 넘어서 마을로

어제도 가고 오늘도 갈
나의 길 새로운 길

민들레가 피고 까치가 날고
아가씨가 지나고 바람이 일고

나의 길은 언제나 새로운 길
오늘도…… 내일도……

내를 건너서 숲으로
고개를 넘어서 마을로

- 윤동주, 〈새로운 길〉 천(노) 창

이 작품은 '길'을 소재로 하여 인생을 살아가는 자세를 표현한 시입니다.

대표 유형 ① 상징의 개념과 특성 이해하기

1 〈보기〉를 참고하여 '상징'에 대해 바르게 이해한 사람은?

> 보기
>
> 이 시는 '길'이라는 대상을 통해 언제나 새로운 마음으로 삶을 살아가고자 하는 의지를 드러내고 있다. '인생'이라는 추상적인 개념을 '길'이라는 실체로 나타내고 있다.

① 기현: 사람이 아닌 것을 사람처럼 표현하는 것이야.
② 서율: 전달하고자 하는 바를 반대되는 말로 표현하는 것이야.
③ 주민: 쉽게 판단할 수 있는 사실을 의문의 형식으로 표현하는 것이야.
④ 지빈: 구체적인 형태가 없는 대상을 구체적인 대상으로 표현하는 것이야.
⑤ 은호: 이치에 맞지 않는 모순된 표현 속에 진실을 담아 표현하는 것이야.

유형 해결 전략

삶, 평화 등의 추상적인 관념을 길, 비둘기 등의 ❶◻◻◻인 사물로 표현하는 방법을 ❷◻◻◻(이)라고 한다. 이러한 표현 방법이 쓰인 시를 감상할 때에는 보조 관념에 해당하는 사물을 통해 시인이 궁극적으로 전달하려는 바가 무엇인지 생각해 본다.

답 ❶ 구체적 ❷ 상징

1-1 다음은 이 시에 쓰인 상징적 표현을 정리한 것이다. 빈칸에 들어갈 알맞은 시어를 시에서 찾아 쓰시오.

추상적 관념		구체적인 사물
인생	→	길
화자가 이루고자 하는 목표, 미래		숲, ( )

[2] 다음 시조를 읽고, 물음에 답하시오.

내 벗이 몇이나 하니 수석(水石)과 송죽(松竹)이라.
　　　　　물과 돌을 아울러 이르는 말.　　소나무와 대나무를 아울러 이르는 말.
동산(東山)에 달 오르니 그 더욱 반갑고야.
두어라 이 다섯밖에 또 더하여 무엇하리.　　　　　　　(제1수)

구름 빛이 좋다 하나 검기를 자로 한다.
　　　　　　　　　　　　　　자주
바람 소리 맑다 하나 그칠 적이 하노매라.
　　　　　　　　　　　　많더라.
좋고도 그칠 뉘 없기는 물뿐인가 하노라.　　　　　　　(제2수)

꽃은 무슨 일로 피면서 쉬이 지고
풀은 어이하여 푸르는 듯 누르나니
아마도 변치 않는 건 바위뿐인가 하노라.　　　　　　　(제3수)

더우면 꽃 피고 추우면 잎 지거늘
솔아 너는 어찌 눈서리를 모르는다.
　　　　　　　　　　　모르느냐.
구천(九泉)에 뿌리 곧은 줄을 그로 하여 아노라.　　　　(제4수)
땅속 깊은 밑바닥.

나무도 아닌 것이 풀도 아닌 것이
곧기는 뉘 시키며 속은 어이 비었는가.
　　　　　누가. 시켰으며.
저렇고 사시에 푸르니 그를 좋아하노라.　　　　　　　(제5수)
　　　　사계절.

작은 것이 높이 떠서 만물을 다 비치니
밤중의 광명이 너만 한 이 또 있느냐.
보고도 말 아니하니 내 벗인가 하노라.　　　　　　　(제6수)

　　　　　　　　　　　　　　　　　　－ 윤선도, 〈오우가〉 천(박) 비 동

―――――
이 작품은 다섯 자연물(물, 바위, 소나무, 대나무, 달)의 덕을 예찬한 연시조로, 작가가 생각하는 인간의 이상적인 덕성을 다섯 자연물의 특성과 관련짓고 있습니다.

대표 유형 ❷ 시어의 상징적 의미 파악하기

2 다음 대화의 빈칸에 들어갈 말로 적절하지 <u>않은</u> 것은?

 이 시조의 화자는 물, 바위, 소나무, 대나무, 달을 자신의 벗이라고 소개하고 있어.

맞아. 화자가 예찬하는 다섯 자연물에는 상징적인 의미가 담겨 있는데, (　　　　)

① 제2수의 물은 맑음과 영원함을 상징해.
② 제3수의 바위는 변하지 않음을 상징해.
③ 제4수의 소나무는 지조, 절개를 상징해.
④ 제5수의 대나무는 변덕스러움을 상징해.
⑤ 제6수의 달은 포용성과 과묵함을 상징해.

유형 해결 전략

특정 사회나 집단에서 오랫동안 널리 사용되어 그 의미가 사회적으로 받아들여진 상징을 ❶ [　　　] 상징이라고 한다. 예를 들어 시조에서 ❷ [　　] (이)나 대나무는 절개, 지조를 상징하는 경우가 많다.
　　　　　　　　　　　　　　답 ❶ 관습적 ❷ 소나무

2-1 이 시조에서 '솔'이 지닌 상징적 의미를 쓰시오.

조건
• '눈서리'의 상징적 의미를 포함하여 쓸 것
• 한 문장으로 쓸 것

도움말

시조에 나타난 '솔'의 특성을 생각해 보세요. 식물이 ❶ [　　　] 을/를 맞으면 보통 시들거나 죽지만 '솔'은 잎이 떨어지지 않고 땅속 깊이 ❷ [　　] 을/를 내려 흔들리지 않고 있어요.
　　　　　　　　　　　　　　답 ❶ 눈서리 ❷ 뿌리

[3] 다음 글을 읽고, 물음에 답하시오.

앞부분 줄거리 | 학교에 가지 않겠다고 투정을 부리던 용이는 아버지가 올해까지만 머슴살이를 한다는 어머니의 말을 듣고 등굣길에 나선다. 동네 아이들은 용이가 머슴의 자식이란 이유로 용이에게 책 보퉁이를 대신 나르게 한다. 무거운 책 보퉁이들을 메고 고갯길을 올라가던 용이는 자신을 보며 수군거리는 아이들의 모습에 화가 난다.

'뭐, 못난 아이라고?' / 용이는 화가 났습니다. 벌써 고개 위에 다 올라갔는지 아이들의 고함이 산 위에서 들려왔을 때, 갑자기 용이는 눈앞에 있는 책 보퉁이들을 그냥 콱콱 짓밟아 버리고 싶은 생각이 났습니다. 발밑에 돌멩이 하나가 밟혔습니다. 용이는 벌떡 일어나 그 돌멩이를 집어 힘껏 골짜기 아래로 던졌습니다. 돌멩이가 저 밑에 떨어지자, 갑자기 온 산골을 뒤흔드는 소리를 치면서 커다란 뭉텅이 하나가 솟아올랐습니다.

_{책보. 책을 보자기에 싸서 꾸려 놓은 것.}

"꼬공 꼬공, 푸드득!"

그것은 온 산골의 가라앉은 공기를 뒤흔들어 놓고 하늘을 날아오르는, 정말 살아 있는 생명의 소리였습니다. / '야, 참 멋지다!'

날개를 쫙 펴고 꽁지를 쭉 뻗

_{새의 꽁무니에 붙은 깃.}

고 아침 햇빛에 눈부신 모습으로 산을 넘어가는 꿩을 쳐다보는 용이의 온몸에 갑자기 어떤 힘이 마구 솟구쳤습니다. 용이는 그 자리에서 한번 훌쩍 뛰어올라 보았습니다. 하늘에라도 날아오를 듯합니다. 용이는 발에 채는 책 보퉁이 하나를 집어 들었습니다. 그리고 그것을 하늘 위로 던졌습니다. / 횡! 공중에서 몇 바퀴 돌던 책 보퉁이가 퍽 소리를 내면서 골짜기에 떨어졌을 때, 용이는 두 번째 책 보퉁이를 집어 던졌습니다.

또 하나, 또 하나…… / 마지막에 던진 작대기는 건너편 벼랑의 소나무 가지를 철썩 치도록 멀리 떨어졌습니다.

"됐다!" / 용이는 이제 하늘이 탁 트이고 가슴이 시원해져서, 저 건너 산을 보고 "하하하." 웃었습니다.

– 이오덕, 〈꿩〉 [천(노)]

이 작품은 소년 용이가 꿩이 날아오르는 모습을 보고 용기를 얻어 자신을 괴롭히던 아이들에게 당당하게 맞서는 과정을 그린 소설입니다.

---

3 이 글에서 '꿩'이 상징하는 의미로 적절하지 <u>않은</u> 것은?

① 꿩을 본 용이가 하늘에라도 날아오를 듯하다고 느낀 것으로 보아 꿩은 자유를 상징한다.

② 꿩을 본 용이의 온몸에 어떤 힘이 마구 솟구쳤다고 하는 것으로 보아 꿩은 자신감을 상징한다.

③ 꿩을 본 용이가 작대기를 건너편 벼랑을 향해 세게 집어 던진 것으로 보아 꿩은 좌절을 상징한다.

④ 꿩이 날아오르며 우는 소리를 '살아 있는 생명의 소리'라고 표현한 것으로 보아 꿩은 생명력을 상징한다.

⑤ 꿩을 본 용이가 용기를 내어 아이들의 책 보퉁이를 골짜기로 던져 버린 것으로 보아 꿩은 용기를 상징한다.

유형 해결 전략

상징은 표현하려는 추상적 관념은 겉으로 드러나지 않고 ❶ [   ] 인 대상만 제시되어 그 의미를 다양하게 해석할 수 있다는 점을 기억하고, 작가가 소재에 부여한 상징적 의미가 무엇인지를 파악해야 한다. 이 글에서는 꿩을 본 용이의 심리, 꿩을 본 뒤 달라진 용이의 행동과 관련지어 ❷ [   ]의 의미를 파악할 수 있다.

답 ❶ 구체적 ❷ 꿩

3-1 다음은 '꿩'의 상징적 의미를 정리한 것이다. 빈칸에 들어갈 알맞은 단어를 2개 이상 쓰시오.

> 머슴의 자식이라는 이유로 동네 아이들의 책 보퉁이를 대신 메고 고갯길을 오르던 용이는 하늘로 힘차게 날아오르는 꿩을 보고 나서 책 보퉁이를 던져 버린다. 그리고 그동안 자신을 부당하게 대우해 왔던 아이들에게 자신감 있고 당당한 태도로 맞선다. 여기에서 꿩은 '꿩과의 새'라는 일반적인 의미에서 나아가 (   )을/를 상징한다.

[4] 다음 글을 읽고, 물음에 답하시오.

어느 날 퇴근을 해 보니 막내의 친구 애들 7, 8명이 마루에 둘러앉아 있었다. 초등학교 5학년 개구쟁이들, 그러나 개구쟁이답지 않게 조용했다. 그중엔 처음 보는 아이도 있었다.

그날 저녁에 막내는 야구 방망이 하나만 사 달라고 졸랐다. 조르는 대로 다 사 줄 수는 없는 일이지만 너무도 간절히 원하기 때문에 나는 사 주마고 약속을 했다. 그리고 다음 날 퇴근을 할 때 방망이 하나를 사다 주었다.

그다음 날부터 막내는 집에 늦게 들어왔다. 어떤 때는 하늘에 별이 떠야 방망이에 장갑을 꿰어 메고 새카만 거지 아이가 되어 돌아오는 것이다. 그러고는 한 사흘을 굶은 놈처럼 밥을 퍼먹는다.

중간 부분 줄거리 | 막내가 야구 연습 때문에 계속해서 늦게 귀가하자 '나'는 막내를 나무란다. 그러자 막내는 자초지종을 털어놓는데, 담임 선생님의 병환으로 반이 해체되어 뿔뿔이 헤어지게 된 막내네 반 아이들이 기죽지 말자며 야구 대회를 열었고, 야구에 몰두하며 열심히 연습했지만 결국 결승전에서 지고 말았다는 것이다.

"아빠, 우린 해야 돼. 다음번엔 우승해야 돼. 선생님이 다 나으실 때까지 우린 누구 하나도 기죽을 수 없어."

막내는 이야기를 마치면서 이렇게 말했다. 나는 아무 말도 하지 못했다. 무슨 망국민의 독립운동사라도 읽은 것처럼 감
<u>망하여 없어진 나라의 백성.</u>
동 비슷한 것이 가슴에 꽉 차 오는 것 같았다. 학교라는 데는 단순히 국어, 수학이나 가르치는 데가 아니구나 하는 생각도 들었다.

이튿날 밤 나는 늦게 돌아오는 막내의 방망이를 미더운 마음
<u>믿음이 가는 데가 있다.</u>
으로 소중하게 받아 주었다. 그때도 막내와 그 애의 친구 애들의 초롱초롱한 눈 같은 맑고 푸른 별이 두어 개 하늘에 떠 있었다. ㉠<u>나는 그때처럼 맑고 푸른 별을 일찍이 본 적이 없다.</u>

– 정진권, 〈막내의 야구 방망이〉

___
이 작품은 야구 시합을 통해 단결심을 배우며 성장하는 순수한 아이들의 모습을 통해 잔잔한 감동을 주는 수필입니다.

대표 유형 ④ 상징의 효과 이해하기

4 다음은 이 글에 쓰인 상징의 효과에 대한 설명이다. 빈칸에 들어갈 내용으로 적절한 것은?

이 글에서 야구 방망이는 야구에서 공을 치는 도구라는 일반적인 의미뿐만 아니라 막내네 반 아이들의 자존심과 단결심, 막내의 노력을 상징한다. 이처럼 상징을 사용하면 (   )

① 대상을 비판하는 의도를 숨길 수 있다.
② 전문적인 정보를 정확하게 전달할 수 있다.
③ 구체적인 사물을 다른 사물로 나타낼 수 있다.
④ 서로 반대되는 대상을 대립시켜 주제를 강조할 수 있다.
⑤ 대상에 새로운 의미를 부여함으로써 작품의 깊이를 더할 수 있다.

유형 해결 전략

상징을 사용하면 ❶ [　　　] 에 상징적 의미를 부여하여 의미를 ❷ [　　　] 하게 함으로써 작품의 깊이를 더할 수 있다.

답 ❶ 대상 ❷ 풍부

4-1 ㉠에 대한 설명으로 적절한 것은?

① '나'가 별을 처음 본다는 사실을 알려 주고 있다.
② '나'가 푸른 별에 대해 상상한 내용을 서술하고 있다.
③ 밤하늘에 뜬 별을 발견하는 일이 흔치 않은 일임을 설명하고 있다.
④ '맑고 푸른 별'이라는 모순된 표현을 통해 삶의 진실을 드러내고 있다.
⑤ 막내와 막내네 반 아이들의 맑고 순수한 동심을 인상 깊게 표현하고 있다.

도움말

❶ [　　　] 을/를 통해 전달하고자 하는 바를 인상 깊게 표현하고 작품의 ❷ [　　　] 을/를 더할 수 있어요.

답 ❶ 상징 ❷ 깊이

[01~02] 다음 시를 읽고, 물음에 답하시오.

가 내를 건너서 숲으로
고개를 넘어서 마을로

어제도 가고 오늘도 갈
나의 길 새로운 길

민들레가 피고 까치가 날고
아가씨가 지나고 바람이 일고

나의 길은 언제나 새로운 길
오늘도…… 내일도……

내를 건너서 숲으로
고개를 넘어서 마을로

– 윤동주, 〈새로운 길〉[천(노)][창]

나 죽는 날까지 하늘을 우러러
한 점 부끄럼이 없기를,
잎새에 이는 바람에도
나는 괴로워했다.
별을 노래하는 마음으로
모든 죽어 가는 것을 사랑해야지.
그리고 나한테 주어진 길을
걸어가야겠다.

오늘 밤에도 별이 바람에 스치운다.

– 윤동주, 〈서시〉[지]

01 (가)와 (나)에 대한 설명으로 적절하지 <u>않은</u> 것은?

① (가): 처음과 끝에 같은 구절을 반복하는 수미상
관 구조를 이루고 있다.

② (가): 3연을 중심으로 1, 5연과 2, 4연이 각각 의
미상 대칭을 이루고 있다.

③ (나): 사투리를 사용하여 친근감을 느낄 수 있다.

④ (나): 부끄러움이 없는 삶에 대한 화자의 의지를
드러내고 있다.

⑤ (가), (나): 상징적 의미를 지닌 시어를 통해 주제
를 드러내고 있다.

02 다음 대화의 빈칸에 공통으로 들어갈 알맞은 말을 쓰시
오.

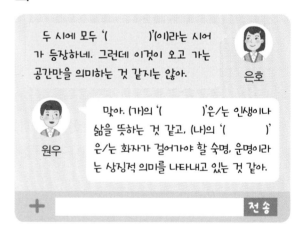

두 시에 모두 '(　　　)'(이)라는 시어
가 등장하네. 그런데 이것이 오고 가는
공간만을 의미하는 것 같지는 않아. — 은호

맞아. (가)의 '(　　　)'은/는 인생이나
삶을 뜻하는 것 같고, (나)의 '(　　　)'
은/는 화자가 걸어가야 할 숙명, 운명이라
는 상징적 의미를 나타내고 있는 것 같아. — 원우

＋ [   ] 전송

도움말

(나)는 현실의 어둠과 괴로움 속에서 자기의 양심을 지키
며 ❶ [   ]이/가 없는, 맑고 순수한 삶을 살고자 하는 화자의
간절한 소망과 ❷ [   ]이/가 드러난 작품이에요. 화자는 1연
7~8행에서 자신의 사명을 받아들이며 고난과 시련을 꿋꿋이 헤
쳐나갈 것을 다짐하고 있어요.

답 ❶ 부끄러움 ❷ 의지

[03~05] 다음 시조를 읽고, 물음에 답하시오.

내 벗이 몇이나 하니 수석(水石)과 송죽(松竹)이라.
동산(東山)에 달 오르니 그 더욱 반갑고야.
두어라 이 다섯밖에 또 더하여 무엇하리.　　　(제1수)

구름 빛이 좋다 하나 검기를 자로 한다.
바람 소리 맑다 하나 그칠 적이 하노매라.
좋고도 그칠 뉘 없기는 물뿐인가 하노라.　　　(제2수)

꽃은 무슨 일로 피면서 쉬이 지고
풀은 어이하여 푸르는 듯 누르나니
아마도 변치 않는 건 바위뿐인가 하노라.　　　(제3수)

더우면 꽃 피고 추우면 잎 지거늘
솔아 너는 어찌 눈서리를 모르는다.
구천(九泉)에 뿌리 곧은 줄을 그로 하여 아노라.　　　(제4수)

나무도 아닌 것이 풀도 아닌 것이
곧기는 뉘 시키며 속은 어이 비었는가.
저렇고 사시에 푸르니 ㉠그를 좋아하노라.　　　(제5수)

작은 것이 높이 떠서 만물을 다 비치니
밤중의 광명이 너만 한 이 또 있느냐.
보고도 말 아니하니 내 벗인가 하노라.　　　(제6수)

　　　　　　　　　　　　　　　　　– 윤선도, 〈오우가〉 천(박) 비 동

03 이 시조에 대한 설명으로 적절하지 <u>않은</u> 것은?

① 여섯 수로 된 연시조이다.
② 제목의 '오우(五友)'는 다섯 친구를 의미한다.
③ 인간의 이상적인 덕성을 자연물의 특성과 관련지어 표현한 시조이다.
④ 첫 수에서 다섯 벗을 소개하고 이후 각각의 벗을 다시 한 수씩 노래하였다.
⑤ 각 수는 초장, 중장, 종장으로 이루어져 있는데 초장의 처음은 세 글자로 고정되어 있다.

04 다음은 제3수에 나타난 자연물의 관계를 정리한 것이다. ⓐ와 ⓑ에 들어갈 알맞은 말을 〈조건〉에 맞게 쓰시오.

(ⓐ)	⟷	바위
쉽게 변하는 존재		(ⓑ)

　조건
• ⓐ에 들어갈 자연물 두 가지를 쓸 것
• ⓑ에 들어갈 '바위'의 상징적 의미를 쓸 것

05 ㉠이 가리키는 자연물과 그 특징을 바르게 연결한 것은?

① 바람 – 자주 그친다.
② 꽃 – 피면서 쉬이 진다.
③ 달 – 세상을 밝게 비춘다.
④ 구름 – 빛이 좋다가도 검게 변한다.
⑤ 대나무 – 줄기가 곧고 사계절 푸르다.

도움말

이 시조는 다섯 자연물의 덕을 예찬한 작품으로, 자연물을 의인화하여 '❶　　　'(이)라고 표현하고 있어요. 화자가 말하는 다섯 벗은 제1수에 제시된 수석(水石)과 ❷　　　, 달이에요.

답 ❶ 벗 ❷ 송죽(松竹)

[06~07] 다음 글을 읽고, 물음에 답하시오.

가 날개를 쫙 펴고 꽁지를 쭉 뻗고 아침 햇빛에 눈부신 모습으로 산을 넘어가는 꿩을 쳐다보는 용이의 온몸에 갑자기 어떤 힘이 마구 솟구쳤습니다. 용이는 그 자리에서 한번 훌쩍 뛰어올라 보았습니다. 하늘에라도 날아오를 듯합니다. 용이는 발에 채는 책 보퉁이 하나를 집어 들었습니다. 그리고 그것을 하늘 위로 던졌습니다. [중략]

용이는 이제 하늘이 탁 트이고 가슴이 시원해져서, 저 건너 산을 보고 "하하하." 웃었습니다.

나 "너, 책 보퉁이 어쨌어?"

"이 자식, 죽고 싶나? 빨리 말해!"

용이는 아이들을 한번 둘러보고는 조용히, 그러나 힘찬 소리로 말했습니다. 이상하게도 책 보퉁이를 모두 날리고 나니 마음이 가라앉는 것이 조금도 겁이 나지 않았습니다.

"너희들 책보 말이제? 저 밑에 두꺼비 바위 아래 던져 놨어."

다 아이들의 발과 주먹이 용이를 덮쳐 왔을 때, ㉠용이는 번개같이 거기를 빠져나와 몇 걸음 발을 옮기더니, 발밑에 있는 돌을 두 손으로 한 개씩 거머쥐고는 거기 있는 커다란 바윗돌 위에 껑충 뛰어올랐습니다.
_{틀어잡거나 휘감아 쥐다.}

그 몸놀림이 어찌나 재빠른지, 아이들이 모두 놀랐습니다. 지금까지의 용이와는 아주 다른, 딴 아이였습니다.

"자, 덤빌람 덤벼! 누구든지 오는 녀석은 가만두지 않을 끼다!"

아이들이 입을 벌리고 어쩔 줄 모르고 서 있을 때, 뒤에서 한 아이가,

"난, 내 책보 가질러 갈란다." 하고 달려갔습니다.

라 용이는 돌아서서, 햇빛이 눈부신 내리받이 길을 바라보았습니다. 이제는 단숨에 학교까지 뛰어갈 듯합니다. 하늘에는 하얀 구름 한 송이가 날고 있었습니다. 용이는 훌쩍 한번 뛰더니 마구 두 팔을 내저으면서 내리 달렸습니다. 그것은 마치 한 마리의 꿩이 소리치면서 하늘을 날아오르는 모습과도 같았습니다.
_{비탈진 곳의 내려가는 방향.}

– 이오덕, 〈꿩〉 천(노)

06 이 글의 내용과 일치하는 것은?
① 아이들이 용이의 책 보퉁이를 빼앗았다.
② 용이가 당당하게 맞서자 아이들은 당황했다.
③ 용이는 자신을 괴롭힌 아이들에게 돌을 던졌다.
④ 용이는 아이들의 책 보퉁이들을 던진 뒤 후회했다.
⑤ 아이들이 책 보퉁이를 가져오라며 다그치자 용이는 겁이 났다.

07 ㉠과 같은 표현 방법이 사용된 것은?
① 가난하다고 해서 사랑을 모르겠는가
　　　　　 – 신경림, 〈가난한 사랑 노래〉
② 아아, 참으로 맑은 세상 저기 있으니
　　　　　 – 정일근, 〈바다가 보이는 교실 10〉
③ 꽃가루와 같이 부드러운 고양이의 털에
　　　　　 – 이장희, 〈봄은 고양이로다〉
④ 산에는 꽃 피네 / 꽃이 피네 / 갈 봄 여름 없이 / 꽃이 피네　　　 – 김소월, 〈산유화〉
⑤ 아직 서해엔 가 보지 않았습니다. / 어쩌면 당신이 거기 계실지 모르겠기에　 – 이성복, 〈서해〉

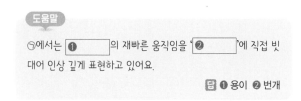

도움말

㉠에서는 **❶**[　　]의 재빠른 움직임을 '**❷**[　　]'에 직접 빗대어 인상 깊게 표현하고 있어요.

답 ❶ 용이 ❷ 번개

[08~10] 다음 글을 읽고, 물음에 답하시오.

가 막내의 담임 선생님은 마른 남짓한 남자분이신데, 무슨 깊은 병환으로 입원을 하셔서 한 두어 달 쉬시게 되었다. 그렇게 되자 학교에서는 막내의 반 아이들을 이 반 저 반으로 나누어 붙였다. 그러니까 막내의 반은 하루아침에 해체되고 아이들은 뿔뿔이 헤어지게 된 것이다.

나 그러는 동안에 아이들은 선생님이 다 나으셔서 오실 때까지 우리 기죽지 말자 하며 서로서로 격려하게 되었고, 이러한 기운이 팽배해지자 이른바 간부였던 아이들은 자기네의 사명
_{어떤 기세나 사상의 흐름 등이 매우 거세게 일어나다.}
을 깨닫게 되었다. 그래서 몇 아이들이 우리 집에 모였던 것이고, 그 기죽지 않을 방법으로 채택된 것이 야구 대회를 주최하여 우승을 차지하는 것이었다.

다 연습은 참으로 피나는 것이었다. 뱃속에서 꼬르륵거리는 소리가 나도 누구 하나 배고프다는 말을 하지 않았다. 연습이 끝나면 또 작전 계획을 세우고 검토했다. 그러노라면 어느새 하늘에 푸른 별이 떴다.

그리하여 마침내 결승전에 진출했다. 이 반 저 반으로 헤어진 반 아이들은 예선부터 한 사람 빠짐없이 응원에 나섰다. 그 응원의 외침은 차라리 처절한 것이었다. 그러나 열광의 도가
_{흥분이나 감격 따위로 들끓는 상태를 비유적으로 이르는 말.}
니처럼 들끓던 결승에서 그만 패하고 만 것이다.

라 "아빠, 우린 해야 돼. 다음번엔 우승해야 돼. 선생님이 다 나으실 때까지 우린 누구 하나도 기죽을 수 없어."

막내는 이야기를 마치면서 이렇게 말했다. ㉠나는 아무 말도 하지 못했다. 무슨 망국민의 독립운동사라도 읽은 것처럼 감동 비슷한 것이 가슴에 꽉 차 오는 것 같았다. 학교라는 데는 단순히 국어, 수학이나 가르치는 데가 아니구나 하는 생각도 들었다. / 이튿날 밤 나는 늦게 돌아오는 막내의 방망이를 미더운 마음으로 소중하게 받아 주었다. 그때도 막내와 그 애의 친구 애들의 초롱초롱한 눈 같은 맑고 푸른 별이 두어 개 하늘

에 떠 있었다. 나는 그때처럼 맑고 푸른 별을 일찍이 본 적이 없다.

– 정진권, 〈막내의 야구 방망이〉🔊

---

08 이 글을 통해 알 수 있는 내용이 <u>아닌</u> 것은?

① 막내네 반 아이들은 뿔뿔이 흩어졌다.

② 막내네 반 아이들은 야구 대회를 주최했다.

③ 막내네 반 아이들은 야구 대회에서 준우승을 했다.

④ 막내네 반 담임 선생님은 아직 학교로 복귀하지 못한 상태이다.

⑤ 막내는 야구 대회 결승전이 끝나자 집에 일찍 들어오기 시작했다.

09 이 글의 '나'가 ㉠과 같이 행동한 까닭으로 적절한 것은?

① 막내의 말을 이해하지 못해서

② 막내의 행동에 너무 화가 나서

③ 막내의 이야기가 터무니없어서

④ 막내의 순수한 의지가 대견해서

⑤ 막내가 시합에서 진 것이 속상해서

도움말

㉠ 뒤에 이어지는 내용을 읽어 보고 '❶　　　'의 행동을 살펴 보면 ㉠과 같이 행동한 ❷　　　 을/를 알 수 있어요.

🔑 ❶ 나 ❷ 까닭

10 다음 대화의 빈칸에 들어갈 알맞은 소재를 이 글에서 찾아 쓰시오.

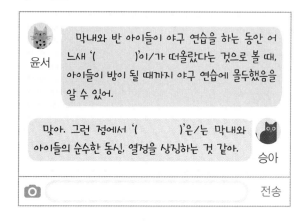

윤서: 막내와 반 아이들이 야구 연습을 하는 동안 어느새 '(　　　　)'이/가 떠올랐다는 것으로 볼 때, 아이들이 밤이 될 때까지 야구 연습에 몰두했음을 알 수 있어.

승아: 맞아. 그런 점에서 '(　　　　)'은/는 막내와 아이들의 순수한 동심, 열정을 상징하는 것 같아.

📷 [　　　　　　　　　]　전송

01 비유에 관해 바르게 이해한 사람을 <u>모두</u> 고르시오.

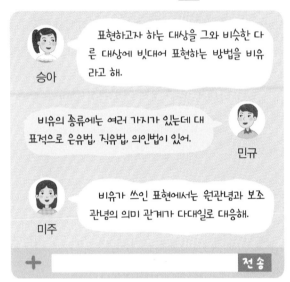

승아: 표현하고자 하는 대상을 그와 비슷한 다른 대상에 빗대어 표현하는 방법을 비유라고 해.

민규: 비유의 종류에는 여러 가지가 있는데 대표적으로 은유법, 직유법, 의인법이 있어.

미주: 비유가 쓰인 표현에서는 원관념과 보조 관념의 의미 관계가 다대일로 대응해.

전송

02 비유의 종류와 그에 대한 설명을 바르게 연결하시오.

(1) 직유법 · · ㉠ 사람이 아닌 대상을 사람인 것처럼 표현하는 방법

(2) 은유법 · · ㉡ 원관념을 보조 관념에 직접 빗대어 표현하는 방법

(3) 의인법 · · ㉢ 원관념과 보조 관념을 동일한 것처럼 표현하는 방법

03 다음 문장을 읽고 괄호 안에서 알맞은 말을 고르시오.

(1) (직유법/은유법)은 '~은/는 ~이다'와 같은 형식을 써서 비유하는 방법이다.

(2) (직유법/은유법)은 '~같이', '~처럼' 등의 표현을 써서 비유하는 방법이다.

04 다음 중 의인법이 쓰인 것을 <u>모두</u> 고르시오.

> ㄱ. 내 마음은 바다이다.
> ㄴ. 새들이 신나서 수다를 떤다.
> ㄷ. 그 사람은 여우처럼 교활하다.
> ㄹ. 장미는 부끄러워 얼굴을 붉히었다.
> ㅁ. 하늘에 쟁반같이 둥근 보름달이 떴다.

05 다음 글에서 용이가 두 팔을 내저으며 달리는 모습을 무엇에 빗대어 표현하였는지 찾아 쓰시오.

> 용이는 돌아서서, 햇빛이 눈부신 내리받이 길을 바라보았습니다. 이제는 단숨에 학교까지 뛰어갈 듯합니다. 하늘에는 하얀 구름 한 송이가 날고 있었습니다. 용이는 훌쩍 한번 뛰더니 마구 두 팔을 내저으면서 내리 달렸습니다. 그것은 마치 한 마리의 꿩이 소리치면서 하늘을 날아오르는 모습과도 같았습니다.
>
>
>
> – 이오덕, 〈꿩〉 천(노)

┌ 조건 ┐
25자 내외로 쓸 것

06 다음 문장의 빈칸에 들어갈 알맞은 말을 〈보기〉에서 골라 쓰시오.

> 보기
> 풍부한   정확한   객관적인   추상적인

(1) 상징은 (   ) 관념을 구체적인 사물로 나타내는 방법이다.

(2) 상징을 사용하면 대상에 상징적 의미를 부여함으로써 좀 더 (   ) 의미를 표현할 수 있다.

07 다음은 상징의 특징을 설명한 것이다. 잘못된 내용을 찾아 밑줄을 친 뒤, 바르게 고쳐 쓰시오.

> 상징은 원관념과 보조 관념이 모두 겉으로 드러난다. 그리고 원관념과 보조 관념 사이의 유사성을 바탕으로 성립하는 비유와 다르게 상징은 원관념과 보조 관념 사이에 유사성이 분명하지 않다.

08 다음 대화의 빈칸에 들어갈 알맞은 말을 순서대로 쓰시오.

개인이 독창적으로 창조해 낸 상징을 (   ) 상징이라고 해.

특정한 사회나 집단에서 오랫동안 널리 쓰여서 그 의미가 사회적으로 받아들여진 상징은 (   ) 상징이야.

09 다음 시조에서 화자가 긍정적으로 바라보는 대상을 찾고, 그 대상이 지닌 상징적 의미를 쓰시오.

> 꽃은 무슨 일로 피면서 쉬이 지고
> 풀은 어이하여 푸르는 듯 누르나니
> 아마도 변치 않는 건 바위뿐인가 하노라.
> – 윤선도, 〈오우가〉 천(박) 비 동

10 다음 글을 읽고, 물음에 답하시오.

> "아빠, 우린 해야 돼. 다음번엔 우승해야 돼. 선생님이 다 나으실 때까지 우린 누구 하나도 기죽을 수 없어."
> 막내는 이야기를 마치면서 이렇게 말했다. 나는 아무 말도 하지 못했다. 무슨 망국민의 독립운동사라도 읽은 것처럼 감동 비슷한 것이 가슴에 꽉 차오르는 것 같았다. 학교라는 데는 단순히 국어, 수학이나 가르치는 데가 아니구나 하는 생각도 들었다.
> 이튿날 밤 나는 늦게 돌아오는 막내의 방망이를 미더운 마음으로 소중하게 받아 주었다. 그때도 ㉠막내와 그 애의 친구 애들의 초롱초롱한 눈 같은 맑고 푸른 별이 두어 개 하늘에 떠 있었다. 나는 그때처럼 ㉡맑고 푸른 별을 일찍이 본 적이 없다.
> – 정진권, 〈막내의 야구 방망이〉 동

(1) ㉠에는 (직유법/은유법/의인법)이 사용되었다.

(2) ㉠에서 원관념은 (별/아이들의 눈), 보조 관념은 (별/아이들의 눈)이다.

(3) ㉡은 (아버지의 야구에 대한 애정/아이들의 맑고 순수한 마음)을 상징한다.

01 다음 시를 읽고 나눈 대화의 내용으로 적절하지 않은 것은?

나무들이 / 샤워하고 있다

저것 봐 / 저것 봐

진달래는 분홍 거품이 / 조팝나무는 하얀 거품이
영산홍은 빨강 거품이 / 보글보글 일고 있잖아

깨끗이 씻은 자리 / 씨앗 마중하려고
부지런히 목욕 중이야

온 산이 공중목욕탕처럼
색색의 거품으로 부글거리고 있어.

– 정현정, 〈나무들의 목욕〉 [천(박)]

> 민서: ①이 시의 4연에는 나무들이 꽃을 피우는 까닭이 드러나 있어.
> 형주: 오는 사람을 기다리는 마음으로 마중하는 것을 생각하면 ②'씨앗 마중'에는 씨앗이 생겨나기를 기다리는 마음이 담겨 있다고 볼 수 있겠네.
> 민서: 그렇지. ③꽃이 지면 나무들은 꽃이 피었던 자리에 씨앗을 품은 열매를 맺는대.
> 형주: 아하, 그렇다면 ④나무들은 그 씨앗을 맞이하려고 꽃을 피우는 것이구나. ⑤그럼 '깨끗이 씻은 자리'는 떨어진 꽃잎이 쌓이는 땅바닥을 뜻하겠군.

도움말

'마중하다'는 '❶ [오는] 사람을 나가서 맞이하다.'를 뜻해요. 예를 들어 '친구를 ❷ [마중] 하러 정류장에 갔다.'와 같이 쓸 수 있지요.

답 ❶오는 ❷마중

02 〈보기〉를 참고할 때, 다음 글의 제목인 '사막을 같이 가는 벗'의 의미로 가장 적절한 것은?

(가) 망망대해(茫茫大海)를 헤매는 듯한 인생의 항해는
_{한없이 크고 넓은 바다.}
신학기 잠시의 외로움을 극복하는 일 따위와는 비교도 할 수 없을 만큼 두려움 가득하고 힘들다. 삶은 고난투성이고 끝없는 인내를 요구하기만 하는데, 그러나 홀로 헤치는 파도는 높고 거칠기만 한 것이다.

바로 이때에 영혼을 함께 나눌 친구가 절실히 필요해진다. 인생이란 험난한 항해를 같이 겪고 있다는 동지애의 확인, 혹은 내 삶의 따뜻한 동반자라는 느낌이 전해져 오는 친구와 같이 있는 시간에는 이 세상도 한번 살아 볼 만하다는 용기가 솟는다.

(나) 누군가는 말했다. 친구 없이 사는 일만큼 무서운 사막은 없다고. 또 누군가는 말했다. 친구 없이 사는 것은 증인 없이 죽는 일이라고.

그 말들을 새기고 있으면 불현듯 마음이 찡해 온다. 나는 지금 무서운 사막을 홀로 걷고 있는 것은 아닌지, 지금 내 삶의 의미를 설명해 줄 단 한 사람의 증인도 없이 마음을 닫고 살아가는 것은 아닌지.

– 양귀자, 〈사막을 같이 가는 벗〉 [천(노)]

보기

> (가)의 '망망대해'와 (나)의 '사막'은 고난과 어려움이 가득한 삶, 고독한 삶을 의미한다고 볼 수 있어.

① 서로의 비밀을 모두 알고 있는 친구
② 선의의 경쟁을 통해 서로를 발전시키는 친구
③ 나와 성격이 달라서 내게 스트레스를 주는 친구
④ 험난한 인생의 어려움을 함께 나눌 수 있는 친구
⑤ 내게 좋은 일이 있을 때 진심으로 기뻐해 주는 친구

도움말

글쓴이가 ❶ [친구] 없이 사는 일을 ❷ [사막] 의 무서움에 빗대어 표현한 이유가 무엇인지, 글쓴이가 중요하게 생각하는 가치는 무엇인지 생각해 보세요.

답 ❶친구 ❷사막

03 다음 시의 ㉠과 ㉡을 〈보기〉와 같이 분류할 때, ⓐ와 ⓑ에 들어갈 알맞은 기호를 쓰시오.

아씨처럼 나린다 ⎤
보슬보슬 햇비 ⎦ ㉠
맞아 주자 다 같이
옥수숫대처럼 크게
닷 자 엿 자 자라게
해님이 웃는다 ⎤
나 보고 웃는다. ⎦ ㉡

– 윤동주, 〈햇비〉 ㉢

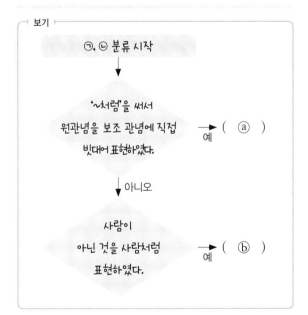

보기

㉠, ㉡ 분류 시작

↓

'~처럼'을 써서
원관념을 보조 관념에 직접
빗대어 표현하였다. → 예 → (ⓐ)

↓ 아니오

사람이
아닌 것을 사람처럼
표현하였다. → 예 → (ⓑ)

도움말

㉠과 ㉡에는 ❶[ ]이/가 쓰였어요. ㉠과 ㉡에 쓰인 비유의 ❷[ ]이/가 무엇인지 살펴보세요.

답 ❶ 비유 ❷ 종류

04 다음 시를 읽고, 학생들이 나눈 대화의 빈칸에 공통으로 들어갈 알맞은 말을 쓰시오.

밤하늘은
별들의 운동장
오늘따라 별들 부산하게 바자닌다.
운동회를 벌였나
아득히 들리는 함성,
먼 곳에서 아슴푸레 빈 우레 소리 들리더니
빗나간 야구공 하나
쨍그랑
유리창을 깨고
또르르 지구로 떨어져 구른다.

– 오세영, 〈유성〉 ㉣

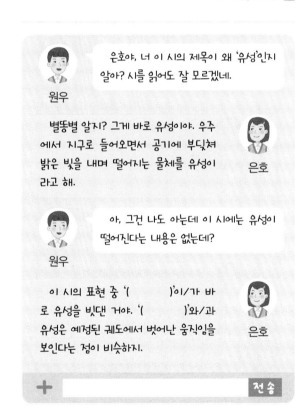

원우: 은호야, 너 이 시의 제목이 왜 '유성'인지 알아? 시를 읽어도 잘 모르겠네.

은호: 별똥별 알지? 그게 바로 유성이야. 우주에서 지구로 들어오면서 공기에 부딪쳐 밝은 빛을 내며 떨어지는 물체를 유성이라고 해.

원우: 아, 그건 나도 아는데 이 시에는 유성이 떨어진다는 내용은 없는데?

은호: 이 시의 표현 중 '( )'이/가 바로 유성을 빗댄 거야. '( )'와/과 유성은 예정된 궤도에서 벗어난 움직임을 보인다는 점이 비슷하지.

전송

도움말

이 시는 ❶[ ]들이 반짝거리는 밤하늘의 아름다운 모습과 밤하늘을 가로질러 떨어지는 ❷[ ]의 모습을 생동감 있게 표현하고 있어요.

답 ❶ 별 ❷ 유성

05 다음 글을 읽고, 용이와 나눈 가상 인터뷰의 빈칸에 들어갈 알맞은 말을 순서대로 쓰시오.

> "꼬공 꼬공, 푸드득!"
>
> 그것은 온 산골의 가라앉은 공기를 뒤흔들어 놓고 하늘을 날아오르는, 정말 살아 있는 생명의 소리였습니다.
> '야, 참 멋지다!' / 날개를 쫙 펴고 꽁지를 쭉 뻗고 아침 햇빛에 눈부신 모습으로 산을 넘어가는 꿩을 쳐다보는 용이의 온몸에 갑자기 어떤 힘이 마구 솟구쳤습니다. 용이는 그 자리에서 한번 훌쩍 뛰어올라 보았습니다. 하늘에라도 날아오를 듯합니다. 용이는 발에 채는 책 보퉁이를 하나를 집어 들었습니다. 그리고 그것을 하늘 위로 던졌습니다. [중략]
>
> 용이는 이제 하늘이 탁 트이고 가슴이 시원해져서, 저 건너 산을 보고 "하하하." 웃었습니다.
> 떠가는 구름을 따라 마구 날아갈 것 같았습니다.
>
> – 이오덕, 〈꿩〉 천(노)

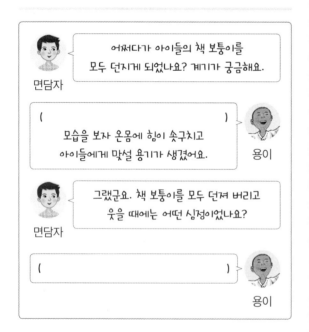

면담자: 어쩌다가 아이들의 책 보퉁이를 모두 던지게 되었나요? 게기가 궁금해요.

용이: ( ) 모습을 보자 온몸에 힘이 솟구치고 아이들에게 맞설 용기가 생겼어요.

면담자: 그랬군요. 책 보퉁이를 모두 던져 버리고 웃을 때에는 어떤 심정이었나요?

용이: ( )

도움말
용이가 다른 아이들의 ❶ □□□을/를 던져 버리기 전에 무엇을 보았는지 파악하고, 책 보퉁이를 던져 버린 뒤 용이의 모습을 바탕으로 웃고 있는 용이의 ❷ □□을/를 추측해 보세요.

답 ❶ 책 보퉁이 ❷ 속마음

06 〈보기〉를 참고하여 (가)와 (나)를 이해한 내용으로 적절하지 않은 것은?

(가) 까마귀 싸우는 골에 백로야 가지 마라.
　　성난 까마귀 흰빛을 시샘할세라.
　　청강(淸江)에 기껏 씻은 몸을 더럽힐까 하노라.
　　맑은 물이 흐르는 강.
　　　　　　– 영천 이씨, 〈까마귀 싸우는 골에〉 금

(나) 까마귀 검다 하고 백로야 웃지 마라.
　　겉이 검은들 속조차 검을쏘냐.
　　겉 희고 속 검은 것은 너뿐인가 하노라.
　　　　　　– 이직, 〈까마귀 검다 하고〉 금 교

보기
- (가)는 고려 말, 새 왕조를 일으키려던 이성계가 고려의 충신 정몽주를 자기 편으로 끌어들이려 하자 정몽주의 어머니가 아들이 변절자들에게 휩쓸릴까 염려하며 지은 시조로 알려져 있다.
- (나)를 지은 이직은 고려의 신하였지만 이성계를 도와 조선의 개국에 참여하여 높은 벼슬에 올랐다. 이직은 자신을 변절자로 여기는 고려 유신들에게 이 시조를 지어서 답했다고 알려져 있다.

① (가)의 까마귀는 변절자를 상징한다.
② (나)의 백로는 지은이인 이직을 상징한다.
③ (가)의 백로는 지조 있는 충신을 상징한다.
④ (가)에는 아들을 걱정하는 지은이의 마음이 담겨 있다.
⑤ (나)에는 자신의 행위를 변호하려는 지은이의 의도가 담겨 있다.

도움말
흔히 우리 문학 작품 속에서 ❶ □□은/는 고귀함을 상징하는 ❷ □□□인 대상으로 그려져 왔는데, (나)에서는 백로를 비판하고 있다는 점에서 참신하다고 할 수 있어요.

답 ❶ 백로 ❷ 긍정적

07 〈보기〉는 다음 시조에 나타난 소재들이다. 〈보기〉를 아래와 같이 분류할 때, ㉠과 ㉡에 들어갈 알맞은 소재를 쓰시오.

> 내 벗이 몇이나 하니 수석(水石)과 송죽(松竹)이라.
> 동산(東山)에 달 오르니 그 더욱 반갑고야.
> 두어라 이 다섯밖에 또 더하여 무엇하리.　　(제1수)
>
> 꽃은 무슨 일로 피면서 쉬이 지고
> 풀은 어이하여 푸르는 듯 누르나니
> 아마도 변치 않는 건 바위뿐인가 하노라.　　(제3수)
>
> 더우면 꽃 피고 추우면 잎 지거늘
> 솔아 너는 어찌 눈서리를 모르는다.
> 구천(九泉)에 뿌리 곧은 줄을 그로 하여 아노라.
> 　　　　　　　　　　　　　　　　　　　　(제4수)
>
> 나무도 아닌 것이 풀도 아닌 것이
> 곧기는 뉘 시키며 속은 어이 비었는가.
> 저렇고 사시에 푸르니 그를 좋아하노라.　　(제5수)
> 　　　　　　　　　　　　　– 윤선도, 〈오우가〉 [천(박)] [비] [동]

보기

꽃, 풀, 바위, 소나무, 대나무

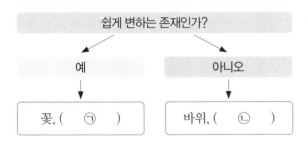

쉽게 변하는 존재인가?

예 → 꽃, (㉠)

아니오 → 바위, (㉡)

도움말

제3수에서는 쉽게 지는 ❶□□와/과 달리 변치 않는 ❷□□의 불변성을 예찬하고 있어요. 〈보기〉에 제시된 자연물 가운데 꽃처럼 쉽게 변하는 것, 바위처럼 변함없는 것이 무엇인지 찾아보세요.

　　　　　　　　　　　　답 ❶ 꽃 ❷ 바위

08 〈고무신〉의 줄거리를 참고할 때, 〈고무신〉을 읽고 나눈 대화 내용으로 적절하지 않은 것은?

소설 〈고무신〉의 줄거리

고요한 산기슭 마을, 식모로 일하는 남이가 주인집 아이인 영이와 윤이를 때리고 꼬집는 일이 벌어진다. 주인 내외가 사 준, 남이가 애지중지하는 옥색 고무신을 녀석들이 엿과 바꿔 먹었기 때문이다. 남이는 마을에 들어온 젊은 엿장수에게 당장 옥색 고무신을 돌려달라고 한다. 엿장수는 고무신이 어디에 있는지 확인해 보고 없으면 새 신이라도 사다 주겠노라고 남이를 안심시키더니, 남이의 옷섶에 붙은 벌을 쫓으려다 벌에 쏘인다. 그 후로 엿장수는 마음에 두고 있는 남이를 만나고 싶어 마을에 자주 나타난다. 어느 날, 남이의 아버지가 남이를 시집보내겠다고 주인집에 찾아오고, 남이는 떠나고 싶지 않지만 아버지의 뜻을 거스르지 못한다. 엿장수는 새 옥색 고무신을 신고 떠나는 남이를 울음 고개에서 멀거니 바라본다.

> 은지: ①남이가 아끼던 옥색 고무신을 영이와 윤이가 엿과 바꾸는 바람에 남이와 엿장수가 만나게 되었네. ②고무신이 만남과 사랑의 매개체라고 할 수 있겠어.
> 시현: ③남이가 신은 새 고무신은 엿장수가 남이에게 선물한 것 같아. ④그런 점에서 고무신은 애정을 상징하는 것 같아.
> 은지: 응. 그리고 ⑤남이가 마을을 떠날 때 그 고무신을 신고 있는 걸 보면 고무신은 아버지에 대한 고마움을 상징한다고 볼 수 있어.

도움말

자신의 뜻과 상관없이 마을을 떠나게 된 남이의 마음이 어땠을까요? ❶□□□이/가 사 준 새 ❷□□□을/를 신고 마을을 떠나는 남이의 심정을 떠올리며 고무신의 상징적 의미를 생각해 보세요.

　　　　　　　　　　　　답 ❶ 엿장수 ❷ 고무신

2^주 갈등

갈등이란 무엇일까?

개념 01 갈등의 개념

- **사전적 개념**: 칡과 등나무가 서로 얽히는 것과 같이, 개인이나 집단 사이에 목표나 이해관계가 달라 서로 적대시하거나 ❶ 함. 또는 그런 상태.
- **문학 속 개념**: 인물의 마음속에 여러 가지 생각이 얽혀 있거나 인물과 다른 대상이 ❷ 관계에 있음을 나타내는 말

답 ❶ 충돌 ❷ 대립

확인 01 인물의 마음속에 여러 생각이 얽혀 있거나 인물과 다른 대상이 대립 관계에 있음을 가리키는 말은?

① 문제 ② 배경 ③ 대화 ④ 갈등 ⑤ 시점

개념 02 갈등의 역할

사건의 전개	앞뒤 사건을 인과적으로 연관시켜 사건을 전개함.
작품의 주제 제시	갈등이 발생하고 해결되는 과정을 통해 ❶ 을/를 전달함.
인물의 성격 부각	갈등 과정에서 인물의 ❷ (이)나 태도가 드러남.
독자의 흥미 유발	긴장감을 조성하고 독자의 관심과 흥미를 불러일으킴.

답 ❶ 주제 ❷ 가치관

확인 02 다음 문장의 괄호 안에서 알맞은 말을 고르시오.

문학에서 갈등이 발생하고 해결되는 과정을 통해 작품의 (소재/주제)를 전달할 수 있다.

〈흥부전〉에서는 흥부와 갈등을 겪었던 놀부가 결국 벌을 받음으로써 권선징악의 주제가 드러나요.

개념 03 갈등의 유형 _ 내적 갈등

- **내적 갈등의 개념**: 한 인물의 ❶ 에서 두 가지 이상의 ❷ 이/가 동시에 일어나서 생기는 갈등
- **내적 갈등의 예**: 소설 〈보리 방구 조수택〉에서 짝을 바꿔 달라고 말할 것인지 말 것인지를 고민하는 윤희

답 ❶ 마음속 ❷ 욕구

확인 03 다음 중 내적 갈등에 해당하는 경우를 고르시오.

㉠ 시험공부를 할까, 텔레비전을 볼까 고민하는 '나'

㉡ 서로 좋아하는 프로그램을 보기 위해 동생과 다투는 '나'

개념 04 갈등의 유형 _ 외적 갈등

- **외적 갈등의 개념**: 한 인물과 다른 ❶ 또는 인물과 그 인물을 둘러싼 외부 환경 사이에서 일어나는 갈등
- **외적 갈등의 종류**

인물과 인물의 갈등	인물 간의 성격이나 태도, 가치관 등의 차이 때문에 일어나는 갈등
인물과 사회의 갈등	사회의 ❷ (이)나 관습 때문에 인물이 겪게 되는 갈등
인물과 운명의 갈등	인물이 자신의 타고난 운명 때문에 겪게 되는 갈등
인물과 자연의 갈등	인물이 거대한 힘을 가진 자연과 부딪쳐 싸우면서 겪는 갈등

답 ❶ 인물 ❷ 제도

확인 04 인물 간의 성격이나 태도, 가치관 등의 차이 때문에 일어나는 갈등은?

(인물과 인물의 갈등/인물과 자연의 갈등)

개념 05 **외적 갈등의 예**

종류	예
인물과 인물의 갈등	소설 〈나비를 잡는 아버지〉에서 바우네 참외밭을 헤집는 경환이와 이를 말리는 바우 사이의 갈등
인물과 ❶☐의 갈등	소설 〈명혜〉에서 의사를 꿈꾸는 명혜가, 여자는 좋은 곳에 시집가는 것이 최고 덕목이라고 생각하는 당시 사회의 고정 관념에 맞서 겪는 갈등
인물과 운명의 갈등	소설 〈역마〉에서 주인공이 '역마살'이라는 운명 때문에 겪는 갈등
인물과 ❷☐의 갈등	소설 〈노인과 바다〉에서 거센 바다와 사투하는 노인이 겪는 갈등

답 ❶ 사회 ❷ 자연

확인 05 다음 문장의 괄호 안에서 알맞은 말을 고르시오.

김동리의 소설 〈역마〉에서 주인공 성기는 떠돌이 삶을 살아야 하는 (사회 제도/운명) 때문에 갈등을 겪는다.

개념 06 **갈등을 파악하는 방법**

• 의견이 ❶☐ 되거나 서로 맞서서 미워하고 있는 등장인물이 누구인지 살펴봄.
• 갈등의 ❷☐ 이/가 되는 물건이나 사건 등이 무엇인지 찾아봄.
• 말과 행동을 통해 갈등 상황에 있는 등장인물들의 생각을 유추해 봄.

답 ❶ 대립 ❷ 원인

확인 06 다음 중 갈등을 파악하는 방법으로 적절하지 <u>않은</u> 것을 고르시오.

㉠ 주인공과 같은 의견을 가진 인물은 누구인가?
㉡ 갈등의 원인이 되는 물건이나 사건이 무엇인가?

문학 작품을 읽을 때 갈등의 진행과 해결 과정에 유의하여 읽으면 작품과 인간의 삶을 더 깊이 이해할 수 있어요.

개념 07 **갈등의 진행**

• 소설의 구성 단계에 따른 갈등의 진행 양상

갈등의 최고조

갈등의 고조·심화

갈등의 시작

갈등의 ❷☐

사건의 실마리		갈등의 고조·심화	해결의 실마리	갈등의 ❷☐
인물·배경 제시	사건의 구체화	사건 전환의 계기		인물의 운명 결정
발단	❶☐	위기	절정	결말

답 ❶ 전개 ❷ 해소/해결

확인 07 소설의 구성 단계 중 갈등이 최고조에 이르면서 갈등 해결의 실마리가 나타나는 부분은?

(발단/절정)

01 갈등에 대한 설명으로 적절하지 <u>않은</u> 것은?

① 갈등은 크게 내적 갈등과 외적 갈등으로 나뉜다.

② '인물과 인물의 갈등'은 한 인물과 다른 인물의 대립을 의미한다.

③ '내적 갈등'은 인물 간의 성격이나 태도 등의 차이 때문에 생기는 갈등이다.

④ '인물과 운명의 갈등'은 인물이 자신에게 주어진 운명 때문에 겪게 되는 갈등이다.

⑤ 갈등이란 인물의 마음속에 여러 가지 생각이 얽혀 있거나 인물과 다른 대상이 대립하는 것을 말한다.

문제 해결 전략

· 갈등은 인물의 **❶**〔　　〕에 여러 생각이 얽혀 있거나 인물과 다른 대상이 대립하는 것을 말한다.

· 갈등은 내적 갈등과 외적 갈등으로 나뉘는데, **❷**〔　　〕 갈등은 인물이 어떤 대상과 대립하느냐에 따라 다시 나눌 수 있다.

답 ❶ 마음속 **❷** 외적

02 다음 중 갈등의 유형이 <u>다른</u> 하나는?

① 학원을 갈지 콘서트를 갈지 고민하는 '나'

② 게임을 그만하라는 아빠와 더 하겠다는 누나

③ 전학을 갈지 먼 거리를 통학할지 고민하는 형

④ 점심으로 김치찌개를 먹을지 파스타를 먹을지 고민하는 아빠

⑤ 단역 배우를 계속해야 할지 회사에 취직해야 할지 고민하는 삼촌

문제 해결 전략

· 갈등은 한 인물의 마음속에서 일어나느냐, **❶**〔　　〕와/과 다른 대상 사이에서 일어나느냐에 따라 유형이 나뉜다.

· 한 인물의 마음속에서 두 가지 생각이 **❷**〔　　〕하고 있는지, 두 인물의 서로 다른 생각이 충돌하고 있는지 살펴본다.

답 ❶ 인물 **❷** 충돌

03 다음 글에서 갈등하고 있는 인물이 누구인지 쓰시오.

바우는 낯이 화끈 달았다.

"뭐, 인마." / 하고 대뜸 상대의 멱살을 잡고

"그래서 남의 참외밭 결딴내는* 거냐. 나빈 우리 집 참외밭에만 있구, 다른 덴 없어, 인마."

경환이는 멱살을 잡히고 이리저리 목을 저으며

"이게 유도 맛을 보지 못해 이래. 너 다 그랬니. 다 그랬어."

하고 으르다가 날래게 궁둥이를 들이대고 팔을 낚아 넘겨 치려 하나 그러나 원체 나무통처럼 버티고 섰는 바우의 몸은 호리호리한 경환의 허릿심으로는 꺾이지 않았다.

– 현덕, 〈나비를 잡는 아버지〉

　　
· **결딴내다** 어떤 일이나 물건 따위를 아주 망가져서 도무지 손을 쓸 수 없는 상태가 되게 하다.

문제 해결 전략

· 갈등하고 있는 인물을 파악하려면 의견이 **❶**〔　　〕되거나 서로 맞서서 미워하고 있는 인물이 누구인지 살펴본다.

· 이 글에서는 경환이가 **❷**〔　　〕네 집 참외밭을 망가뜨리면서 갈등이 시작되고 있다.

답 ❶ 대립 **❷** 바우

>> 정답과 해설 14쪽

04 다음 글에 나타난 주된 갈등의 유형으로 적절한 것은?

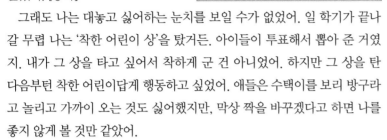

'보리 방구 조수택이 내 짝이 되다니……'

수택이 냄새보다 아이들이 킥킥대는 소리가 더 참기 힘들었지.

나는 바로 짝을 바꿔 달라고 말하고 싶었어. [중략]

그래도 나는 대놓고 싫어하는 눈치를 보일 수가 없었어. 일 학기가 끝나 갈 무렵 나는 '착한 어린이 상'을 탔거든. 아이들이 투표해서 뽑아 준 거였지. 내가 그 상을 타고 싶어서 착하게 군 건 아니었어. 하지만 그 상을 탄 다음부턴 착한 어린이답게 행동하고 싶었어. 애들은 수택이를 보리 방구라고 놀리고 가까이 오는 것도 싫어했지만, 막상 짝을 바꾸겠다고 하면 나를 좋지 않게 볼 것만 같았어.

– 유은실, 〈보리 방구 조수택〉

① '나'의 내적 갈등
② 수택이의 내적 갈등
③ '나'와 선생님의 외적 갈등
④ '나'와 수택이의 외적 갈등
⑤ 수택이와 반 아이들의 외적 갈등

문제 해결 전략

• 이 글에는 ❶ ☐☐☐ 이/가 수택이와 짝이 된 상황이 나타나 있다.

• '나'는 짝을 바꿔 달라고 말하고 싶지만 짝을 바꾸겠다고 하면 ❷ ☐☐☐ 이/가 자신을 좋지 않게 볼 것 같다고 생각하고 있다.

답 ❶ '나' ❷ 아이들

05 〈보기〉는 소설 〈역마〉에 대한 선생님과 학생의 대화이다. 빈칸에 들어갈 말로 적절한 것은?

┌─ 보기 ─┐

〈역마〉에서 성기는 한곳에 머무르지 못하고 여기저기 떠돌아다니며 사는 운명인 '역마살'을 타고나요. 성기의 엄마 옥화는 성기를 계연이와 혼인시켜 성기를 정착시키려 하지만 알고 보니 계연이는 옥화의 동생이었기에 둘의 혼인은 좌절됩니다. 계연이가 떠난 후 앓아누웠던 성기는 결국 엿판 하나를 메고 집을 떠나기로 해요.

그럼 결국 성기는 (   ) 떠돌아다니는 삶을 살게 되었군요.

① 운명을 거스르며
② 운명에 순응하여
③ 자연과 맞서 싸우며
④ 사회 제도를 거스르며
⑤ 사회 제도에 순응하여

문제 해결 전략

• 문학 작품 속의 인물은 자신의 타고난 ❶ ☐☐ 때문에 갈등을 겪기도 한다.

• 소설 〈역마〉의 성기가 집을 떠나는 것은 갈등이 ❷ ☐☐ 되었음을 의미한다.

답 ❶ 운명 ❷ 해소/해결

06 아래는 다음 글을 감상한 학생들의 대화이다. 빈칸에 들어갈 알맞은 말을 순서대로 쓰시오.

> 바로 그때 고기가 갑자기 요동치는 바람에 노인은 이물* 쪽으로 그만 고꾸라지고 말았다. 몸을 버티면서 줄을 조금 풀어 주지 않았더라면 하마터면 물속으로 끌려 들어갈 뻔했다.
>
> 갑자기 낚싯줄이 당겨지는 바람에 새가 하늘로 날아가 버렸지만, 노인은 새가 날아가는 것도 보지 못했다. 오른손으로 조심스럽게 낚싯줄을 만져 보다가 손에서 피가 흐르는 것을 알아챘다.
>
> "뭔가가 저놈의 고기를 아프게 했던 모양이로군." 노인은 큰 소리로 말하고 나서 고기의 방향을 바꿀 수 있는지 알아보려고 낚싯줄을 당겼다. 그러나 줄은 당장이라도 끊어질 것처럼 팽팽하게 당겨졌고 그는 그대로 줄을 꽉 걸머쥔* 채 뒤로 버텼다.
>
> "고기야, 너도 그걸 느끼고 있구나. 정말이지 나 역시 그렇단다." 그가 말했다.
>
> – 헤밍웨이, 〈노인과 바다〉
>
> ──────
> • **이물** 배의 앞부분.
> • **걸머쥐다** 등이나 어깨 따위에 걸치어 움켜잡다.

이 글에서 노인은 바다에서 홀로 (　　　)을/를 잡기 위해 사투를 벌이고 있어.

한 인물이 자연에 도전하면서 겪는 갈등인 인물과 (　　　)의 갈등을 그린 작품으로 볼 수 있군.

문제 해결 전략

• 소설에는 인물이 거대한 힘을 가진 **①** 와/과 부딪쳐 싸우면서 겪는 갈등도 나타난다.
• 이 글에서 **②** 이/가 누구와 맞서 싸우고 있는지 생각해 본다.

🗝 ❶ 자연 ❷ 노인

07 갈등의 역할에 대한 설명으로 적절하지 <u>않은</u> 것은?

① 앞뒤 사건을 인과적으로 연관시켜 사건을 전개한다.
② 작가의 의도를 숨겨 독자로 하여금 추론하는 재미를 느끼게 한다.
③ 갈등이 발생하고 해소되는 과정을 통해 주제를 분명하게 전달한다.
④ 소설의 사건 전개 과정에서 긴장감을 조성하고 독자의 흥미와 관심을 불러일으킨다.
⑤ 인물 간의 대립을 통해 나타나는 갈등 과정에서 인물의 성격이나 가치관, 태도가 드러난다.

문제 해결 전략

• 갈등은 **①** 을/를 전개하고 작품의 주제를 전달하는 역할을 한다.
• 갈등 과정에서 인물의 성격이 부각되며, **②** 의 흥미를 유발하기도 한다.

🗝 ❶ 사건 ❷ 독자

08 〈보기〉는 소설의 구성 단계에 따른 갈등의 진행 양상을 그림으로 나타낸 것이다. ㉠∼㉢ 부분에 대한 설명으로 적절하지 <u>않은</u> 것은?

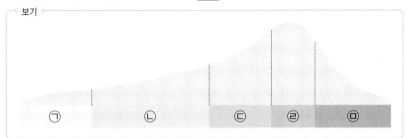

① ㉠: 사건의 실마리가 제시된다.
② ㉡: 갈등이 본격적으로 드러나면서 사건이 전개된다.
③ ㉢: 갈등이 점점 고조되고 심화된다.
④ ㉣: 갈등이 최고조에 이르고 사건 해결의 실마리가 제시된다.
⑤ ㉤: 갈등이 해소되고 새로운 사건이 시작된다.

문제 해결 전략

・소설 구성의 전개 원리는 **❶** 의 형성과 그 해결의 과정에 있다.
・갈등의 해결 과정은 '갈등 시작 → 갈등 고조 → 갈등의 **❷** → 갈등 해소' 순으로 진행된다.

🔑 ❶ 갈등 ❷ 최고조

---

09 다음은 소설 〈소음 공해〉의 갈등 해결 과정이다. 작가가 이와 같은 갈등 해결 과정을 통해 전달하고자 하는 주제로 적절한 것은?

발단	사건의 실마리	'나'는 위층에서 나는 소음 때문에 모처럼의 휴식을 망침.
전개	갈등의 시작	소음에 시달리다 경비원을 통해 간접적으로 항의함.
위기	갈등의 고조	경비원을 통해 해결이 되지 않자 인터폰으로 위층 여자에게 직접 항의함.
절정	갈등의 최고조	슬리퍼를 들고 위층으로 올라갔다가 위층 여자가 휠체어를 탄 장애인임을 알게 됨.
결말	갈등의 해소	위층 여자의 처지를 알고 부끄러움을 느낌.

① 층간 소음 문제에 대한 해결 방안 촉구
② 도시에서의 삶과 농촌에서의 삶의 비교
③ 이웃에 무관심한 현대인의 삶에 대한 비판
④ 사회적 약자를 고려하지 않는 사회 분위기 비판
⑤ 물질적 이익만 추구하는 현대인의 삶에 대한 비판

문제 해결 전략

・갈등이 발생하고 해결되는 과정을 통해 작품의 **❶** 이/가 전달되기도 한다.
・소설 〈소음 공해〉의 '나'는 위층 여자의 처지를 제대로 알지 못하고 항의를 한 것에 **❷** 을/를 느끼고 있다.

🔑 ❶ 주제 ❷ 부끄러움

[1] 다음 글을 읽고, 물음에 답하시오.

앞부분 줄거리 | 문기는 고깃간에 심부름을 갔다가 주인의 실수로 거스름돈을 더 받는다. 집에 오는 길에 수만이를 만난 문기는 수만이의 꼬임에 넘어가 고깃간 주인에게 돈을 돌려주지 않고 쓰고 만다. 그러다 더 받은 거스름돈으로 산 물건을 삼촌에게 들킨다.

가 삼촌은 상 밑에 있는 그 공을 굴려 내며,

"이거 웬 공이냐?" / "수만이가 준 공예요." / "이것두?"

하고 삼촌은 무릎 밑에서 쌍안경을 꺼내 들었다. / "네." [중략]

문기는 고개를 숙이고 앉아 말이 없다. 삼촌은 숭늉을 마시고 상을 물렸다.

"네 입으로 수만이가 줬다니 네 말이 옳겠지. 설마 네가 날 속이기야 하겠니. 하지만 남이 준다고 아무것이고 덥적덥적 받는다는 것두 좀 생각해 볼 일이거든."

나 문기는 아랫방에 내려와 혼자 되자 삼촌 앞에서보다 갑절 얼굴이 달아올랐다. 지금까지 될 수 있는 대로 생각지 않으려고 힘을 써 오던 그편에 정면으로 제 몸을 세워 놓고 보지 않을 수 없었다. 그러자 자기라는 몸은 벌써 삼촌의 이른바 나쁜 데 빠지고 만 것이었다. 그야 자기는 수만이가 시켜서 한 일이니까 잘못이 없다는 것이지만 당초에 그것은 제 허물을 남에게 밀려는 얄미운 구실이 아니고 뭐냐. 그리고 문기는 이미 삼촌을 속였다. 또 써서는 아니 될 돈을 쓰고 말았다. 아아, 일찍이 어머니를 여의고, 아버지란 사람은 일상 천냥만냥 하고 허한 ^(튼튼하지못하고빈틈이있다.) 소리만 하면서 남루한 주제에 거처가 없이 시골, 서울로 돌아 ^(옷따위가낡아해지고차림새가너저분하다.) 다니는 사람이고, 어려서부터 문기를 길러 낸 사람이 삼촌이었다. [중략] 그 삼촌의 기대에 어그러지지 않는 인물이 되어 보이겠다고 엊그제도 주먹을 쥐고 결심하던 문기가 아니냐. 생각할수록 낯이 뜨거워지는 일이다.

– 현덕, 〈하늘은 맑건만〉 천(박) 천(노) 미 창 지

이 작품은 한 소년이 가게 주인의 실수로 거스름돈을 더 받고 나서 겪는 내적 갈등과 외적 갈등을 그린 소설입니다.

대표 유형 ① 갈등 유형 파악하기_내적 갈등

1 이 글에 주로 나타난 갈등의 유형으로 적절한 것은?

① 문기의 내적 갈등

② 삼촌의 내직 갈등

③ 문기와 수만이의 외적 갈등

④ 수만이와 삼촌의 외적 갈등

⑤ 삼촌과 문기 아버지의 외적 갈등

유형 해결 전략

갈등의 유형에는 한 인물의 ❶ [   ] 에서 일어나는 내적 갈등과, 인물과 그를 둘러싼 외부 환경 사이에서 생기는 ❷ [   ] 갈등이 있다.

답 ❶ 마음속 ❷ 외적

1-1 다음을 참고할 때 이 글에서 문기가 갈등을 겪게 된 까닭으로 적절한 것은?

삼촌

> 네 입으로 수만이가 줬다니 네 말이 옳겠지. 설마 네가 날 속이기야 하겠니.

① 삼촌에게 거짓말을 했기 때문이다.

② 어머니와 아버지가 보고 싶기 때문이다.

③ 자신을 혼내는 삼촌이 원망스럽기 때문이다.

④ 수만이의 협박으로 공과 쌍안경을 샀기 때문이다.

⑤ 수만이와의 약속을 지키지 못할까 봐 걱정되기 때문이다.

도움말

공과 쌍안경의 출처를 묻는 ❶ [   ] 에게 문기가 어떻게 대답했는지 생각해 보세요. 삼촌은 문기에게 "네가 날 속이기야 하겠니."라고 말하며 ❷ [   ] 을/를 믿고 있어요. 삼촌의 말을 들은 문기가 어떤 기분일지 생각해 보세요.

답 ❶ 삼촌 ❷ 문기

[2] 다음 글을 읽고, 물음에 답하시오.

앞부분 줄거리 | 문기는 삼촌에게 꾸중을 들은 뒤 남은 돈을 고깃집 안마당에 던지고 집으로 돌아오는 길에 수만이를 만난다. 수만이는 문기에게 환등 틀을 사러 가자고 하며 걸음을 재촉한다.

"난 싫다."

수만이는 어리둥절해 쳐다본다.

"뭐 말야? 환등 틀 사기 싫단 말야?"

"난 인제 돈 가진 것 없다."

"뭐?" / 하고 수만이는 의외라는 듯 눈이 둥그레지다가는 금세 ㉠능청스러운 웃음을 지으며

"너 혼자 두고 쓰잔 말이지? 그러지 말구 어서 가자."

"정말 없어. 지금 고깃간 집 안마당으로 던져 주고 오는 길야. 공두 쌍안경두 버리구."

하고 문기는 중거를 보이느라고 이쪽저쪽 주머니를 털어 보이는 것이나 수만이는 흥 하고 코웃음을 친다.

"누군 너만 못 약을 줄 아니?" / 그리고 연신 빈정댄다.

"고깃간 집 마당으로 던졌다? 아주 펑계가 됐거든."

"거짓말 아니다. 참말야."

할 뿐, 문기는 어떻게 변명할 줄을 몰라 쳐다보기만 하다가 고개를 떨어뜨리고 울상을 한다.

"오늘 작은아버지에게 막 꾸중 듣구. 그리고 나두 인젠 그런 건 안 헐 작정이다."

"그래도 나하고 약조헌 건 실행해야지. 싫으면 너는 빠져도 좋아. 그럼 돈만 이리 내." / 하고 턱 밑에 손을 내민다.

"정말 없대두 그래."

수만이는 내밀었던 손으로 대뜸 멱살을 잡는다.

"이게 그래두 느물거려."

<small>말이나 행동을 자꾸 능글맞게 하다.</small>

이런 때 마침 기침을 하며 이웃집 사람이 골목으로 들어서자 수만이는 슬며시 물러선다. 그러나,

"낼은 안 만날 테냐, 어디 두고 보자."

하고 피해 가는 문기 등을 향해 소리쳤다.

– 현덕, 〈하늘은 맑건만〉 천(박) 천(노) 미 창 지

---

2 이 글에 나타난 갈등 양상으로 적절한 것은?

① 남은 돈을 어떻게 처리할지 고민하는 문기의 내적 갈등

② 수만이에게 사실을 말할지 말지 고민하는 문기의 내적 갈등

③ 남은 돈을 혼자 쓰려는 문기와 남은 돈을 나눠 쓰자는 수만이의 외적 갈등

④ 남은 돈을 돌려주어 돈이 없다는 문기와 이를 믿지 않는 수만이의 외적 갈등

⑤ 수만이와 어울리지 말라고 하는 삼촌과 수만이와 계속 친하게 지내고 싶은 문기의 외적 갈등

유형 해결 전략

한 인물의 마음속에서 일어나는 갈등인지, **❶ ☐☐** 와/과 인물 사이에서 일어나는 갈등인지를 먼저 파악한다. 그리고 갈등하게 된 **❷ ☐☐** 이/가 무엇인지 생각해 본다.

답 ❶ 인물 ❷ 원인

2-1 ㉠에 담긴 수만이의 속마음으로 적절한 것은?

문기가 왜 돈이 없다고 하지? 아!

수만

① 문기가 삼촌에게 크게 꾸중을 들었나 보군.

② 문기가 돈을 혼자 쓰려고 거짓말을 하고 있군.

③ 문기가 아닌 척하지만 환등 틀을 몹시 갖고 싶나 보군.

④ 문기가 나에게 잘 보이려고 환등 틀을 사 주려나 보군.

⑤ 남은 돈을 내가 혼자 쓰려고 한 것을 문기가 눈치 챘나 보군.

[3] 다음 글을 읽고, 물음에 답하시오.

② 그때 길동은 서당에서 글을 읽다가 문득 책상을 밀치고 탄식하기를,

"대장부가 세상에 나서 공맹(孔孟)을 본받지 못할 바에야,
　　　　　　　　　　　공자와 맹자를 아울러 이르는 말.
차라리 병법이라도 익혀 대장인을 허리춤에 비스듬히 차고
　　　　군사를 지휘하여 전쟁하는 방법.　　　대장이 가지던 도장.
동정서벌하여 나라에 큰 공을 세우고 이름을 만대에 빛내는
동쪽을 정복하고 서쪽을 친다는 뜻으로, 이리저리로 여러 나라를 정벌함을 이르는 말.
것이 장부의 통쾌한 일이 아니겠는가. 나는 어찌하여 일신
　　　　　　　　　　　　　　　　　　　　　　　　자기 한 몸.
(一身)이 적막하고, 부형이 있는데도 아버지를 아버지라 부르지 못하고 형을 형이라 부르지 못하니 심장이 터질지라, 이 어찌 통탄할 일이 아니겠는가!"

하고, 말을 마치며 뜰에 내려와 검술을 익히고 있었다.

그때 마침 공이 또한 달빛을 구경하다가, 길동이 서성거리
　　　　홍길동의 아버지 홍 판서를 가리킴.
는 것을 보고 즉시 불러 물었다.

"너는 무슨 흥이 있어서 밤이 깊도록 잠을 자지 않느냐?"

④ 길동이 절하고 말씀드리기를,

"소인이 평생 설워하는 바는, 소인이 대감 정기를 받아 당당한 남자로 태어났고, 또 낳아 길러 주신 부모님의 은혜를 입었음에도 불구하고, 아버지를 아버지라 못 하옵고 형을 형이라 못 하오니, 어찌 사람이라 하겠습니까?"

하고, 눈물을 흘리며 적삼을 적셨다. 공이 듣고 나자 비록 불쌍하다는 생각은 들었으나, 그 마음을 위로하면 마음이 방자해
　　　　　　　　　　　어려워하거나 조심스러워하는 태도가 없이 무례하고 건방지다.
질까 염려되어, 크게 꾸짖어 말했다.

"재상 집안에 천한 종의 몸에서 태어난 자식이 너뿐이 아닌데, 네가 어찌 이다지 방자하냐? 앞으로 다시 이런 말을 하면 내 눈앞에 서지도 못하게 하겠다."

이렇게 꾸짖으니 길동은 감히 한마디도 더 하지 못하고, 다만 땅에 엎드려 눈물을 흘릴 뿐이었다. 공이 물러가라 하자, 그제서야 길동은 침소로 돌아와 슬퍼해 마지않았다. 길동이 본
　　　　　　　　　　　　　　　사람이 잠을 자는 곳.
래 재주가 뛰어나고 도량이 활달한지라, 마음을 가라앉히지
　　　　　　　너그럽게 받아들이고 깊게 이해할 수 있는 마음과 생각.
못해 밤이면 잠을 이루지 못하곤 했다.

－ 허균, 〈홍길동전〉 천(박) 비 지

───────
이 작품은 불합리한 현실에 맞서 싸우는 홍길동의 모습을 통해 갈등의 진행과 해결 과정을 잘 보여 주는 고전 소설입니다.

대표 유형 ③ 갈등의 원인 파악하기

3 이 글에서 길동이 갈등을 겪게 된 근본적인 원인으로 적절한 것은?

① 재주가 뛰어나지 못한 것

② 검술을 익히지 못하게 한 것

③ 자신을 낳은 부모에게 사랑받지 못한 것

④ 천한 종의 몸에서 태어난 탓에 차별을 받는 것

⑤ 나라에 큰 공을 세우지 못해 이름을 빛낼 수 없는 것

유형 해결 전략

외적 갈등은 인물을 둘러싼 **❶** □□ 의 제도나 관습 때문에 일어나기도 한다. 길동이 사회의 어떤 모습 때문에 **❷** □□ 을/를 겪고 있는지 생각해 본다.

답 ❶ 사회 ❷ 갈등

3-1 다음은 이 글의 갈등 양상을 정리한 표이다. [A]에 들어갈 내용으로 가장 거리가 먼 것은?

길동의 바람	길동이 처한 현실
• 나라에 공을 세워 이름을 빛내고 싶음. • 아버지를 아버지라 부르고 싶고 형을 형이라 부르고 싶음.	• 천하게 태어나 벼슬을 할 수 없음. • 아버지를 아버지라 부를 수 없고, 형을 형이라 부를 수 없음.

↕

당시 시대 상황

[A]

① 본처 외에 첩을 두는 제도가 있었다.

② 부패한 관리가 많아 사회가 매우 혼란스러웠다.

③ 개인의 능력보다는 출생 신분에 따라 살아야 했다.

④ 첩에게서 태어난 서자들은 자식 대우를 받지 못했다.

⑤ 첩에게서 태어난 서자들은 문관 벼슬길에 나설 수 없었다.

[4] 다음 글을 읽고, 물음에 답하시오.

앞부분 줄거리 | 슬픔 때문에 집을 나가려던 길동은 어머니의 만류로 마음을 돌린다. 그러나 집안에 자신을 해치려는 흉악한 계략이 있어 이를 물리친 뒤 집을 나가기로 마음먹는다.

공은 길동임을 알고 불러 말했다.
홍길동의 아버지 홍 판서를 가리킴.
"밤이 깊었거늘 네 어찌 자지 않고 이렇게 방황하느냐?"

길동은 땅에 엎드려 아뢰었다.

"소인이 일찍 부모님께서 낳아 길러 주신 은혜를 만분의 일이나마 갚을까 하였더니, 집안에 옳지 못한 사람이 있어 상공께 참소하고 소인을 죽이고자 하기에, 겨우 목숨은 건졌
남을 헐뜯어서 죄가 있는 것처럼 꾸며 윗사람에게 고하여 바치다.
으나 상공을 모실 길이 없기로 오늘 상공께 하직을 고하옵니다."

하기에, 공이 크게 놀라 물었다.

"너는 무슨 일이 있어서 어린아이가 집을 버리고 어디로 가겠다는 거냐?"

길동이 대답했다.

"날이 밝으면 자연히 아시게 되려니와, 소인의 신세는 뜬구름과 같사옵니다. 상공의 버린 자식이 어찌 갈 곳이 있겠습니까?"

길동이 두 줄기의 눈물을 감당하지 못해 말을 이루지 못하자, 공은 그 모습을 보고 불쌍한 마음이 들어 타일렀다.

"내가 너의 품은 한을 짐작하겠으니, 오늘부터는 아버지를 아버지라 부르고 형을 형이라 불러도 좋다."

길동이 절하고 아뢰었다.

"소자의 한 가닥 지극한 한(恨)을 아버지께서 풀어 주시니 죽어도 한이 없습니다. 엎드려 바라옵건대, 아버지께서는 만수무강하십시오."

이렇게 말하고 하직하니, 공이 붙잡지 못하고 다만 무사하기만을 당부하더라.

– 허균, 〈홍길동전〉 천(박) 비 지

---

4 〈보기〉는 길동과 홍 판서의 갈등이다. 이 글을 참고할 때 〈보기〉에 나타난 갈등의 해결 과정으로 적절한 것은?

> ┌ 보기 ┐
> 길동: 아버지를 아버지라 못 하옵고, 형을 형이라 못 하오니, 어찌 사람이라 하겠습니까?
> 홍 판서: 재상 집안에 천한 종의 몸에서 태어난 자식이 너뿐이 아닌데, 네가 어찌 이다지 방자하냐?

① 홍 판서가 길동에게 글공부하는 것을 허락함.
② 홍 판서가 길동에게 집을 나가는 것을 허락함.
③ 홍 판서가 적서 차별 제도를 없애자고 조정에 건의함.
④ 홍 판서가 길동에게 어머니와 같이 사는 것을 허락함.
⑤ 홍 판서가 길동에게 아버지를 아버지라 부르고 형을 형이라 부르는 것을 허락함.

유형 해결 전략

이 글에는 길동과 ❶〔　　　〕 사이의 갈등 해결, 즉 인물과 인물의 갈등 해결이 나타나고 있는데, 이것이 곧 인물과 ❷〔　　　〕의 갈등 해결로 이어지는 것은 아니다.

답 ❶ 홍 판서 ❷ 사회

4-1 홍 판서와의 갈등이 해결되었는데도 길동이 집을 떠난 까닭이 무엇인지 생각해 보고, 빈칸에 들어갈 알맞은 말을 쓰시오.

호부호형은 허락받았지만 (　　　　　) 문제는 여전히 해결되지 않았기 때문이야.

도움말

홍 판서는 길동을 불쌍히 여겨 ❶〔　　　〕을/를 허락했어요. 하지만 홍 판서가 개인적으로 호부호형을 허락한다고 해서 길동이 사회에서 받는 ❷〔　　　〕 대우가 완전히 사라질지 생각해 보세요.

답 ❶ 호부호형 ❷ 차별

[01~02] 다음 글을 읽고, 물음에 답하시오.

가 으슥한 곳에서 단둘이 만나는 때면 수만이는,

"너, 네 맘대루만 허지. 나두 내 맘대루 헐 테다. 내 안 풍길 줄 아니? 풍길 테야." / 하고 손을 들어 꼽는다.

여기서는 '소문내다.'를 뜻함.

"풍기기만 하면 첫째, 학교에서 쫓겨날 것이요, 둘째, 너희 집에서 쫓겨날 것이요, 그리고 남의 걸 훔친 거나 일반이니까 또 그런 곳으로 붙들려 갈 것이요," / 하고는 또, / "풍길 테다."

나 그러나 수만이는 그것으로 그만두지 않았다. 학교를 파해 거리로 나와서는 한층 심했다. 두어 간 문기를 앞세워 놓고 따라오면서 연해 수만이는,

"앞에 가는 아이는 공공공했다지."

그리고 점점 더해 나중엔 도적질을 거꾸로 붙여서,

"앞에 가는 아이는 질적도 했다지."

하고 거리거리 외며 따라오는 것이다.

문기 집 가까이 이르렀다. 수만이는 문기 앞으로 다가서며 작은 음성으로 조졌다.

"너, 지금으로 가지고 나오지 않으면 낼은 가만 안 둔다. 도적질했다 하구 똑바루 써 놀 테야."

다 문기는 여전히 못 들은 척 걸음만 옮긴다. 자기 집 마당엘 들어섰다. 숙모는 뒤꼍에서 화초 모종을 하는지 여기 심어라, 저기 심어라 하고 아랫집 심부름을 하는 아이와 이야기하는 소리가 날 뿐 집 안엔 아무도 없다.

그리고 눈앞에 보이는 붙장 안 앞턱에 잔돈 얼

부엌 벽의 안쪽이나 바깥쪽에 붙여 만든 장.

마와 지전 몇 장이 놓여

종이에 인쇄를 하여 만든 화폐.

있다. 그리고 문밖엔 지금 수만이가 돈을 가지고 나오기를 기다리고 섰다.

여기서 문기는 두 번째 허물을 범하고 말았다.

"진작 듣지." / 하고 빙그레 웃는 수만이 얼굴에다 **뺨**을 때리듯 돈을 던져 주고 문기는 달아났다.

— 현덕, 〈하늘은 맑건만〉 천(박) 천(노) 미 창 지

01 이 글에 대한 감상으로 적절하지 **않은** 것은?

① 미주: 문기는 수만이에게 돈을 내놓으라는 협박을 받고 있군.

② 윤서: 수만이가 문기를 괴롭히는 강도가 점점 심해지고 있어.

③ 한솔: 문기를 계속 쫓아다니며 괴롭히는 것을 보니 수만이는 집요하고 비열한 성격 같아.

④ 민규: 문기는 지금 무척 괴롭고 불안한 심정일 거야.

⑤ 승아: 그래도 수만이에게 돈을 주자 수만이가 웃는 걸 보고는 문기의 기분이 좋아졌어.

02 (다)에서 문기가 갈등을 해결하기 위해 한 행동이 무엇인지 쓰시오.

┌ 조건 ┐
• '두 번째 허물'의 의미를 고려할 것
• '문기는 갈등을 해결하기 위해 ~ 주었다.' 형식의 한 문장으로 쓸 것

도움말

'허물'은 '❶ [   ] 저지른 실수'를 뜻해요. ❷ [   ]의 괴롭힘에서 벗어나기 위해 문기가 어떤 잘못된 행동을 했는지 생각해 보세요.

답 ❶ 잘못 ❷ 수만이

[03~05] 다음 글을 읽고, 물음에 답하시오.

가 학교엘 갔다. 첫 시간은 <u>수신</u> 시간, 그리고 공교로이 제목
바른 품성을 기르려고 만든 과목을 가리킴. 지금의 도덕 과목.
이 '정직'이다. 선생님은 뒷짐을 지고 교단 위를 왔다 갔다 하
며 거짓이라는 것이 얼마나 악한 것이고 정직이 얼마나 귀하
고 중한 것인가를 누누이 말씀한다. 그리고 안경 쓴 선생님의
그 눈이 번쩍하고 문기 얼굴에 머물렀다 가고 가고 한다.

그럴 때마다 문기는 가슴이 뜨끔뜨끔해진다. 문기는 자기
한 사람에게만 들리기 위한 정직이요 수신 시간인 듯싶었다.

나 ㉠<u>언제나 다름없이 하늘은 맑고 푸르건만 문기는 어쩐지
그 하늘조차 쳐다보기가 두려워졌다.</u> 자기는 감히 떳떳한 얼
굴로 그 하늘을 쳐다볼 만한 사람이 못 된다 싶었다.

언제나 다름없이 여러 아이들은 넓은 운동장에서 마음대로
뛰고 마음대로 지껄이고 마음대로 즐기건만 문기 한 사람만은
어둠과 같이 컴컴하고 무거운 마음에 잠겨 고개를 들지 못한
다. 무엇보다도 문기는 전날처럼 맑은 하늘 아래서 아무 거리
낌 없이 즐길 수 있는 마음이 갖고 싶다. 떳떳이 하늘을 쳐다볼
수 있는, 떳떳이 남을 대할 수 있는 마음이 갖고 싶었다.

중간 부분 줄거리 | 자신의 잘못을 담임 선생님께 고백하려 하지
못한 문기는 죄책감과 두려움이 더욱 커진다. 그러다 집으로 돌아가
는 길에 교통사고를 당한다.

다 "저는 마땅히 받아야 할 벌을 받은 거예요."
하고 문기는 눈을 감으며 한 마디 한 마디 그러나 똑똑하게
처음서부터 끝까지 먼저 고깃간 주인이 일 원을 십 원으로 알
고 거슬러 준 것, 그 돈을 써 버린 것, 그리고 또 붙장 안의 돈
을 자기가 훔쳐 낸 것, 이렇게 하나하나 숨김없이 자백을 하자
이때까지 겹겹으로 몸을 싸고 있던 허물이 한 꺼풀 한 꺼풀 벗
어지면서 따라 마음속의 어둠도 차차 사라지며 맑아 가는 것
을, 문기는 확실히 깨달을 수 있었다. 마음이 맑아지며 따라 몸
도 가뜬해진다.

내일도 해는 뜨고 하늘은 맑아지리라. 그리고 ㉡<u>문기는 그
하늘을 떳떳이 마음껏 쳐다볼 수 있을 것이다.</u>

– 현덕, 〈하늘은 맑건만〉 천(박) 천(노) 미 창 지

03 이 글의 주제로 적절한 것은?
① 친구를 잘 사귀어야 한다.
② 수업 시간에 집중해야 한다.
③ 공부뿐만 아니라 운동도 열심히 해야 한다.
④ 양심을 속이지 말고 정직하게 살아야 한다.
⑤ 친구 사이의 갈등이 커지지 않도록 문제를 원만
하게 해결해야 한다.

도움말
'수신'은 지금의 '**①**　　　과목'을 말해요. 수업 시간에 선생님
은 **②**　　　이/가 중요함을 강조하고 있어요.
답 ❶ 도덕 ❷ 정직

04 ㉠과 ㉡에 담긴 문기의 심리가 바르게 짝지어진 것은?

	㉠	㉡
①	설렘	분노
②	슬픔	괴로움
③	후련함	비통함
④	죄책감	홀가분함
⑤	홀가분함	안타까움

05 다음 학생이 설명하는 것을 (나)~(다)에서 찾아 두 글자
로 쓰시오.

이것은 맑고 깨끗한 마음,
양심을 상징해. 부끄러움과
죄책감이 없는 마음 상태로
볼 수 있지.

[06~08] 다음 글을 읽고, 물음에 답하시오.

㉮ 길동은 이 도둑의 무리를 '활빈당'이라 하고는 조선 팔도를
가난한 사람들을 살리는 무리.
돌아다니며 각 읍의 관리 가운데 부정한 방법으로 재물을 얻
은 사람이 있으면 그 재물을 빼앗고, 혹 집안이 가난한 사람이
있으면 도왔다. 그는 백성의 재물은 털끝 하나도 건드리지
않았으며, 나라의 재물 또한 손대지 않았다. [중략]

길동은 자신과 일곱 명의 길동을 팔도(八道)에 하나씩 흩어
지게 하고, 각각 수백 명을 거느리고 다니게 하였다. 그러니 어
느 길동이 진짜 길동인지 알아낼 도리가 없었다. 이들 여덟 명
의 길동이 팔도를 돌아다니며 요술로 바람과 비를 불러일으키
고, 각 읍의 곡식을 하룻밤 사이에 종적도 없이 사라지게 하며,
없어지거나 떠난 뒤에 남는 자취나 형상.
서울로 가는 봉물을 보이는 대로 뺏으니 온 나라가 홍길동 이
예전에, 지방에서 중앙으로 올리던 물품.
야기로 떠들썩하게 되었다.

㉯ 임금이 장계를 보고 크게 놀라 말하
지방에 있는 신하가 관리 지역의 중요한
기를,   일을 왕에게 보고하던 문서.

"이 도둑의 용맹과 술법은 옛날 치우도
중국 고대 전설에 나오는 인물로, 용맹하고 싸움에 능함.
당하지 못하겠구나. 아무리 신기한

놈인들 어찌 한 몸이 팔도에서 한날한시

에 도둑질을 하겠는가? 이는 보통 도둑이

아니니 잡기가 어려우리라."

하고 좌우 포도청 군사들을 함께 내보내 도

둑을 잡으라 하였다.

㉰ 홍인형은 자수(自首)를 권유하는 글을 곳곳에 붙여
홍길동의 형.
놓고 길동이 찾아오기만을 기다리고 있었다. 그러던 어느 날
수십 명의 하인을 거느린 한 소년이 나귀를 타고 영문 밖에 와
서 감사 뵙기를 청하였다. / 감사가 혹시나 하는 마음으로 들
조선 시대에 둔, 각 도의 으뜸 벼슬.
어오게 하니 길동이 머리를 숙여 인사하였다.

"제가 여기까지 오게 된 것은 아버지와 형을 위태함에서 구

하고자 함입니다. 생각건대, 제가 아버지를 아버지라 하고

형을 형이라 부를 수 있었다면 어찌 이 지경에 이르렀겠습

니까? 그러나 이제 와서 지난 일을 말하여 무엇하겠습니까.

이제는 제 몸을 묶어 서울로 올려 보내소서."

– 허균, 〈홍길동전〉 천(박) 비 지

06 다음 질문에 대한 답으로 적절한 것은?

〈홍길동전〉은 '영웅 소설'로도 볼 수
있는데, 이 글에는 '영웅 소설'의
어떤 특징이 나타나 있을까요?

① 주인공이 비범한 능력을 지니고 있다.
② 주인공이 '꿈–현실–꿈'을 오가며 사건이 전개된다.
③ 작품이 창작된 당시의 시대 상황이 반영되어 있다.
④ 외부 이야기와 내부 이야기로 이루어진 액자식
구성을 취하고 있다.
⑤ 동물을 인간처럼 표현하여 그들의 행동을 통해
교훈을 전달하고 있다.

도움말

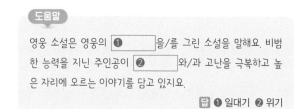

영웅 소설은 영웅의 ❶ [   ]을/를 그린 소설을 말해요. 비범
한 능력을 지닌 주인공이 ❷ [   ]와/과 고난을 극복하고 높
은 자리에 오르는 이야기를 담고 있지요.

답 ❶ 일대기 ❷ 위기

07 이 글에 나타난 주된 갈등의 유형으로 적절한 것은?
① 임금의 내적 갈등
② 길동의 내적 갈등
③ 길동과 조정의 외적 갈등
④ 임금과 신하들의 외적 갈등
⑤ 길동과 활빈당의 외적 갈등

08 다음 내용이 잘 드러나는 문장을 (다)에서 찾아 쓰시오.

홍길동의 행동이 호부호형(呼父呼兄)을 하지
못하는 데서 오는 설움과 원통함에서 비롯되었음
이 구체적으로 드러나 있다.

[09~10] 다음 글을 읽고, 물음에 답하시오.

가 팔도에서 다 길동을 잡아 올려, 서울에 잡혀 온 길동이 여덟 명이나 되었다. 여덟 길동은 임금 앞에서 서로 다투어 말하였다.

"네가 진짜 길동이라. 나는 아니라."

이에 임금이 길동의 부친 홍 판서를 불러 진짜 길동을 알아보게 하였다. 홍 판서가 여덟 길동을 꾸짖으니 여덟 길동이 임금에게 아뢰었다.

"신은 본래 천비 소생이오라 아비를 아비라 못 하옵고, 형을
    신분이 천한 여자 종이 낳은 자식을 이르는 말.
형이라 부르지 못하오니, 평생 원한(怨恨)이 마음속에 맺혀 집을 버리고 도둑 무리의 우두머리가 되었사오나 백성은 추호도 범치 않았사옵고, 탐관오리들이 백성의 고혈을 빨아서 모은 재물을 빼앗았사오나, 이제 십 년만 지나오면 떠나갈 곳이 있으니 바라옵건대 성상(聖上)께서는 걱정하지 마시
    살아 있는 자기 나라의 임금을 높여 이르는 말.
고 소인을 풀어 주시옵소서."

말을 끝낸 여덟 길동이 일시에 넘어지면서 짚으로 만든 제웅
    짚으로 만든 사람 모양의 물건.
으로 변하였다.

길동은 사대문에 방을 붙여 자신에게 병조 판서를 내리면 잡히겠다고 하였다. 임금은 고심(苦心) 끝에 길동에게 병조 판서 벼슬을 내렸다. 이에 길동은 임금에게 감사 인사를 드리고는 공중으로 사라졌다.

나 길동은 삼천 명의 도적 무리를 거느리고 벼 천 석을 실은 배를 몰아 남경 땅 제도 섬으로 들어갔다. 수천 채의 집을 지어 들어 살 곳이 정해지자 함께 힘써 농사를 짓고 무술을 익혔다. 얼마 지나지 않아 창고마다 재물이 가득 쌓이게 되어 가난하게 사는 사람이 한 사람도 없을 정도가 되었다.

마침내 길동은 잘 훈련한 무리를 이끌고 오랫동안 마음에 두었던 율도국 정벌에 나섰다. 율도국 군사들이 힘껏 맞서 싸웠으나 끝내는 져서 길동에게 항복하였다. 길동이 율도국의 왕이 되어 나라를 다스린 지 삼 년이 되자 산에는 도적이 없어지고 길에는 떨어진 물건을 주워 가는 이가 없게 되었다. ㉠율도국 백성은 태평성대(太平聖代)를 누리며 행복하게 살았다.

– 허균, 〈홍길동전〉 [천(박)] [비] [지]

---

09 다음은 길동과 조정의 갈등 해결 과정을 정리한 것이다. 빈칸에 들어갈 내용으로 적절한 것은?

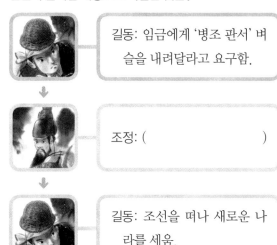

길동: 임금에게 '병조 판서' 벼슬을 내려달라고 요구함.

↓

조정: (   )

↓

길동: 조선을 떠나 새로운 나라를 세움.

① 길동의 부모와 형을 잡아들임.
② 길동에게 조선의 왕위를 물려줌.
③ 길동에게 병조 판서 벼슬을 내림.
④ 조선의 신분 차별 제도를 철폐함.
⑤ 백성을 괴롭힌 탐관오리들을 처벌함.

---

10 ㉠에 드러난 고전 소설의 특징으로 적절한 것은?
① 우연한 사건 전개
② 주인공이 행복해지는 결말
③ 막연한 시간적·공간적 배경
④ 현실에서 일어나기 어려운 사건
⑤ 이야기의 처음부터 끝까지 성격이 변하지 않는 인물

도움말

고전 소설은 일대기적 구성, **❶**   이고 평면적인 인물, 우연적 사건 전개, **❷**   내용, 행복한 결말 등의 특징을 가지고 있어요.

답 ❶ 전형적 ❷ 비현실적

[1] 다음 글을 읽고, 물음에 답하시오.

앞부분 줄거리 | 며칠 전 점순이가 '나'에게 감자를 내밀었지만, '나'는 생색내는 듯한 점순이의 말에 마음이 상해 감자를 거절한다. 그러자 점순이는 얼굴이 빨개지고 눈물까지 어리더니 빠르게 자리를 뜬다.

눈물을 흘리고 간 그담 날 저녁나절이었다. 나무를 한 짐 잔뜩 지고 산을 내려오려니까 어디서 닭이 죽는 소리를 친다. 이거 뉘 집에서 닭을 잡나 하고 점순네 울 뒤로 돌아오다가 나는 고만 두 눈이 뚱그레졌다. 점순이가 즈 집 봉당에 홀로 걸터앉았는데, 아 이게 치마 앞에다 우리 씨암탉을 꼭 붙들어 놓고는

울타리.
안방과 건넌방 사이의 마루를 놓을 자리에 마루를 놓지 않고 흙바닥 그대로 둔 곳.

㉠"이놈의 닭! 죽어라, 죽어라."

요롷게 암팡스레 패 주는 것이 아닌가. 그것도 대가리나 치면 모른다마는 아주 알도 못 낳으라고 그 볼기짝께를 주먹으로 콕콕 쥐어박는 것이다.

몸은 작아도 아무지고 다부진 면이 있게.

나는 눈에 쌍심지가 오르고 사지가 부르르 떨렸으나 사방을 한번 휘돌아보고야 그제서 점순이 집에 아무도 없음을 알았다. 잡은 참 지게막대기를 들어 울타리의 중턱을 후려치며

"이놈의 계집애! 남의 닭 알 못 낳으라구 그러니?"
하고 소리를 빽 질렀다.

그러나 점순이는 조금도 놀라는 기색이 없고 그대로 의젓이 앉아서 제 닭 가지고 하듯이 또 죽어라, 죽어라 하고 패는 것이다. 이걸 보면 내가 산에서 내려올 때를 겨냥해 가지고 미리부터 닭을 잡아 가지고 있다가 너 보란 듯이 내 앞에 쥐지르고 있음이 확실하다. / 그러나 나는 그렇다고 남의 집에 뛰어 들어가 계집애하고 싸울 수도 없는 노릇이고 형편이 썩 불리함을 알았다. ㉡그래 닭이 맞을 적마다 지게막대기로 울타리나 후려칠 수밖에 별도리가 없다.

주먹으로 힘껏 내지르다.

– 김유정, 〈동백꽃〉 비 동

이 작품은 농촌을 배경으로 하여 집안의 배경이 서로 다른 소년과 소녀의 애정을 해학적으로 그린 소설입니다.

---

1 〈보기〉를 참고할 때 ㉠에 담긴 점순이의 속마음으로 적절한 것은? (정답 2개)

> **보기**
>
> 언제 구웠는지 아직도 더운 김이 홱 끼치는 굵은 감자 세 개가 손에 뿌듯이 쥐였다.
> "느 집엔 이거 없지?" / 하고 생색 있는 큰소리를 하고는 제가 준 것을 남이 알면은 큰일 날 테니 여기서 얼른 먹어 버리란다. 그리고 또 하는 소리가
> "너 봄 감자가 맛있단다."
> "난 감자 안 먹는다, 니나 먹어라."
> 나는 고개도 돌리지 않고 일하던 손으로 그 감자를 도로 어깨 너머로 쑥 밀어 버렸다.

① '나'를 좋아하는 것을 들켜 부끄러움.
② 닭을 괴롭혀서 '나'의 관심을 끌고 싶음.
③ '나'의 닭이 자신네 수탉을 괴롭혀 분함.
④ 감자를 거절한 '나'에게 분풀이를 하고 싶음.
⑤ '나'와 만나지 못하게 하는 부모가 원망스러움.

유형 해결 전략

점순이는 ❶ [____]에게 ❷ [____]을/를 주었다가 거절당한다. 점순이가 감자를 어떤 마음으로 주었을지, 그리고 거절당했을 때 어떤 기분이었을지 생각해 본다.

답 ❶ '나' ❷ 감자

1-1 '나'가 ㉡과 같이 행동하는 까닭이 무엇인지 〈보기〉를 참고하여 한 문장으로 쓰시오.

> **보기**
>
> 그렇잖아도 즈이는 마름이고 우리는 그 손에서 배재를 얻어 땅을 부치므로 일상 굽실거린다. 우리가 이 마을에 처음 들어와 집이 없어서 곤란으로 지낼 제 집터를 빌리고 그 위에 집을 또 짓도록 마련해 준 것도 점순네의 호의였다.

• 마름 땅 주인을 대신하여 농지를 관리하는 사람.
• 배재 마름과 소작인이 주고받는 소작권 위임 문서.

[2] 다음 글을 읽고, 물음에 답하시오.

앞부분 줄거리 | 점순이는 계속해서 닭싸움을 붙인다. '나'는 자기 집 수탉이 점순네 수탉에게 매번 당하는 것이 속상해서 고추장을 먹인 뒤 싸움을 붙이지만, 또다시 패하고 만다.

가 가까이 와 보니 과연 나의 짐작대로 우리 수탉이 피를 흘리고 거의 빈사지경에 이르렀다. 닭도 닭이려니와 그러함에도
　거의 죽게 된 처지나 형편.
불구하고 눈 하나 깜짝 없이 고대로 앉아서 호드기만 부는 그
　　　　　　　　　　　　　　버드나무 껍질이나 밀짚 토막 따위로 만든 피리.
꼴에 더욱 치가 떨린다. 동리에서도 소문이 났거니와 나도 한때는 걱실걱실히 일 잘하고 얼굴 예쁜 계집애인 줄 알았더니
　성질이 너그러워 말과 행동을 시원스럽게 하는 모양.
시방 보니까 그 눈깔이 꼭 여우 새끼 같다.

나는 대뜸 달려들어서 나도 모르는 사이에 큰 수탉을 단매
　　　　　　　　　　　　　　　　　　단 한번 때리는 매.
로 때려 엎었다. 닭은 푹 엎어진 채 다리 하나 꼼짝 못 하고 그대로 죽어 버렸다. 그리고 나는 멍하니 섰다가 점순이가 매섭게 눈을 흡뜨고 닥치는 바람에 뒤로 벌렁 나자빠졌다.
　눈알을 위로 굴리고 눈시울을 위로 치뜨다.
"이놈아! 너 왜 남의 닭을 때려죽이니?"

"그럼 어때?" / 하고 일어나다가
　　　　　　　　　　　　남의 몸이나 어떤 물체 따위를 힘을 주어 밀다.
"뭐 이 자식아! 누 집 닭인데?" / 하고 복장을 떼미는 바람에
　　　　　　　　　　　　　　　　　가슴의 한복판.
다시 벌렁 자빠졌다. 그리고 나서 가만히 생각을 하니 분하기도 하고 무안스럽기도 하고 또 한편 일을 저질렀으니 인젠 땅이 떨어지고 집도 내쫓기고 해야 될는지 모른다.

나 나는 비슬비슬 일어나며 소맷자락으로 눈을 가리고는 얼김
　　　　　　　　　　　　　어떤 일이 벌어지는 바람에 자기도 모르게 정신이 얼떨떨한 상태.
에 엉 하고 울음을 놓았다. 그러다 점순이가 앞으로 다가와서

"그럼, 너 이담부턴 안 그럴 테냐?"

하고 물을 때에야 비로소 살길을 찾은 듯싶었다. 나는 눈물을 우선 씻고 뭘 안 그러는지 명색도 모르건만

"그래!" / 하고 무턱대고 대답하였다.

"요담부터 또 그래 봐라, 내 자꾸 못살게 굴 테니."

"그래그래, 인젠 안 그럴 테야!"

"닭 죽은 건 염려 마라. 내 안 이를 테니."

그리고 뭣에 떠다밀렸는지 나의 어깨를 짚은 채 그대로 픽 쓰러진다. 그 바람에 나의 몸뚱이도 겹쳐서 쓰러지며 한창 피어 퍼드러진 노란 동백꽃 속으로 폭 파묻혀 버렸다.

― 김유정, 〈동백꽃〉 [비][동]

대표 유형 ❷ 소설 구성 단계에 따른 갈등 진행 양상 파악하기

2 (가)와 (나)에 해당하는 소설 구성 단계의 특징을 찾아 바르게 묶은 것은?

> ㄱ. 갈등이 사라지고 인물의 운명이 결정된다.
> ㄴ. 갈등이 고조·심화되며 위기감이 조성된다.
> ㄷ. 인물과 배경이 소개되고 사건의 실마리가 드러난다.
> ㄹ. 갈등과 대립이 시작되며 본격적으로 사건이 시작된다.
> ㅁ. 갈등이 최고조에 이르며 사건 해결의 실마리가 제시된다.

① (가): ㄱ, (나): ㄴ　　② (가): ㄴ, (나): ㄷ
③ (가): ㄷ, (나): ㄹ　　④ (가): ㄹ, (나): ㅁ
⑤ (가): ㅁ, (나): ㄱ

유형 해결 전략

소설 구성 단계 중 '발단'에서는 사건의 실마리가 제시되고, '전개'에서는 갈등이 시작되며, '위기'에서 갈등이 심화되다가, '절정'에서 갈등이 **❶**에 이른다. '결말'에서는 갈등이 **❷**된다.

📋 ❶ 최고조 ❷ 해소/해결

2-1 아래는 소설 전개에 따른 갈등의 정도를 나타낸 것이다. (가)와 (나) 중 ㉠에 해당하는 문단이 무엇인지 그 까닭과 함께 쓰시오.

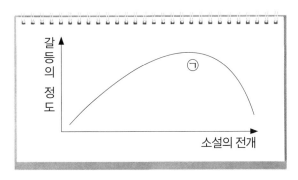

도움말

㉠은 소설 전개상 **❶**　　　이/가 **❷**　　　에 이르는 부분이에요.

📋 ❶ 갈등 ❷ 최고조

[3] 다음 글을 읽고, 물음에 답하시오.

앞부분 줄거리 | 수남이는 고향을 떠나 서울 청계천 세운 상가에 있는 전기용품 도매상에서 일하고 있다. 바람이 세차게 불던 날 배달을 갔다가 수남이의 자전거가 바람에 쓰러져 신사의 차에 부딪힌다. 수남이는 신사에게 계속 사과하지만 신사는 차 수리비를 요구하며 수남이의 자전거에 자물쇠를 채워 두고 사라진다.

수남이는 바보가 돼 버린 아이처럼 조용히 멍청히 서 있었다. 누군가가 나직이 속삭였다.

"토껴라 토껴. 그까짓 것 갖고 토껴라."

그것은 악마의 속삭임처럼 은밀하고 감미로웠다. 수남이의 가슴은 크게 뛰었다. 이번에는 좀 더 점잖고 어른스러운 소리가 나섰다.

"그래라, 그래. 그까짓 거 들고 도망가렴. 뒷일은 우리가 감당할게."

그러자 모든 구경꾼이 수남이의 편이 되어 와글와글 외쳐 댔다.

"도망가라, 어서어서 자전거를 번쩍 들고 도망가라, 도망가라."

수남이는 자기편이 되어 준 이 많은 사람들을 도저히 배반할 수 없었다. 이상한 용기가 솟았다. ㉠수남이는 자전거를 마치 검부러기처럼 가볍게 옆구리에 끼고 질풍같이 달렸다.
가느다란 마른 나뭇가지, 마른 풀, 낙엽 따위의 부스러기.

정말이지 조금도 안 무거웠다. 타고 달릴 때보다 더 신나게 달렸다. 달리면서 마치 오래 참았던 오줌을 시원스레 내갈기는 듯한 쾌감까지 느꼈다.

— 박완서, 〈자전거 도둑〉 비금교

이 작품은 시골에서 상경한 순진한 소년인 수남이가 서울의 이기적이고 속물적인 어른들과 부딪히며 생긴 도덕적 갈등을 그린 소설입니다.

3 이 글에 나타난 수남이의 갈등 해결 방식에 관한 대화 내용으로 적절하지 <u>않은</u> 것은?

① 유주: 수남이는 자전거를 들고 도망침으로써 신사와의 갈등에서 벗어나고 있어.

② 지수: 나라면 차 주인인 신사에게 용서해 달라고 계속 빌었을 거야.

③ 이혁: 사과를 계속했는데도 받아들이지 않으니까 도망간 게 아닐까? 수남이로서도 어쩔 수 없는 행동이었던 것 같아.

④ 인규: 주변에서 구경하던 어른들이 말렸음에도 도망간 건 잘못된 행동 같아.

⑤ 윤영: 신사가 용서해 주지 않는다고 자전거를 들고 도망친 수남이의 행동은 잘못됐다고 생각해.

유형 해결 전략

갈등의 해결 방식과 과정은 **①**〔　　　〕의 성격이나 **②**〔　　　〕 상태와 연관되어 있다. 수남이가 갈등을 해결하기 위해 어떤 행동을 했는지, 왜 그렇게 했는지 생각해 본다.

　답 **①** 인물 **②** 심리

3-1 ㉠에 대한 설명으로 적절하지 <u>않은</u> 것은?

① 수남이는 자전거를 끼고 달리면서 쾌감을 느낀다.

② 차 수리비를 물어 주지 않으려고 수남이가 한 행동이다.

③ 신사에 대한 죄책감과 막막함에 무의식적으로 한 행동이다.

④ 구경꾼들이 도망가라고 부추기는 소리가 계기가 되어 한 행동이다.

⑤ 수남이가 자전거를 끼고 달림으로써 수남이와 신사의 갈등은 해소된다.

도움말

수남이가 ㉠과 같은 행동을 하게 만든 **①**〔　　　〕은/는 무엇인지, ㉠을 통해 수남이와 **②**〔　　　〕 사이의 갈등 상황이 어떻게 바뀌었는지 생각해 보세요.　답 **①** 계기 **②** 신사

[4] 다음 글을 읽고, 물음에 답하시오.

⑦ 낮에 내가 한 짓은 옳은 짓이었을까? 옳을 것도 없지만 나쁠 것은 또 뭔가. 자가용까지 있는 주제에 나 같은 아이에게 오천 원을 우려내려고 그렇게 간악하게 굴던 신사를 그 정도 골려 준 것이 뭐가 나쁜가? 그런데도 왜 무섭고 떨렸던가. 그때의 내 꼴이 어땠으면, 주인 영감님까지 "네놈 꼴이 꼭 도둑놈 꼴이다."라고 하였을까.

그럼 내가 한 짓은 도둑질이었단 말인가. 그럼 나는 도둑질을 하면서 그렇게 기쁨을 느꼈더란 말인가.

수남이는 몸을 부르르 떨면서 낮에 자전거를 갖고 달리면서 맛본 공포와 함께 그 까닭 모를 쾌감을 회상한다. 마치 참았던 오줌을 내깔길 때처럼 무거운 억압이 갑자기 풀리면서 전신이 날아갈 듯이 가벼워지는 그 상쾌한 해방감 ─ 한번 맛보면 도저히 잊힐 것 같지 않은 그 짙은 쾌감, 아아 도둑질하면서도 나는 죄책감보다는 쾌감을 더 짙게 느꼈던 것이다.

중간 부분 줄거리 | 수남이는 도둑질을 했던 형과, 도둑질만은 하지 말라던 아버지를 떠올린다.

④ 그런데 도둑질을 하고 만 것이다. 하지만 수남이는 스스로 그것을 결코 도둑질이 아니었다고 변명을 한다.

그런데 왜 그때, 그렇게 떨리고 무서우면서도 짜릿하니 기분이 좋았던 것인가? 문제는 그때의 그 쾌감이었다. 자기 내부에 도사린 부도덕성이었다. 오늘 한 짓이 도둑질이 아닐지 모르지만 앞으로 도둑질을 할지도 모르겠다는 생각이 들었다. 형의 일이 자기와 정녕 무관한 일이 아니란 생각이 들었다.

⑤ 소년은 아버지가 그리웠다. 도덕적으로 자기를 견제해 줄 어른이 그리웠다. 주인 영감님은 자기가 한 짓을 나무라기는커녕 손해 안 난 것만 좋아서 "오늘 운 텄다."라고 좋아하지 않았던가.

수남이는 짐을 꾸렸다. 아아, 내일도 바람이 불었으면. 바람이 물결치는 보리밭을 보았으면.

마침내 결심을 굳힌 수남이의 얼굴은 누런 똥빛이 말끔히 가시고, 소년다운 청순함으로 빛났다.

─ 박완서, 〈자전거 도둑〉 비 금 교

대표 유형 ④ 갈등 해결 과정에 담긴 주제 파악하기

4 (다)는 이 글의 결말이다. 이 결말을 통해 글쓴이가 전달하려는 의도로 적절한 것은? (정답 2개)

① 도덕성과 양심 회복의 필요성 강조
② 물질적 이익만을 추구하는 현대인 비판
③ 모범을 보일 만한 어른이 없는 세태 비판
④ 교육의 기회가 균등하게 주어지지 않는 현실 비판
⑤ 청소년 범죄를 줄이기 위해 사회·환경적 제도 개선의 필요성 부각

유형 해결 전략

갈등이 발생하고 ❶ ▢▢▢▢ 되는 과정에서 작가가 전달하려는 주제가 드러난다. 수남이가 도덕적으로 자신을 견제해 줄 수 있는 어른인 ❷ ▢▢▢ 에게 돌아가는 것이 무엇을 의미하는지 생각해 본다.

답 ❶ 해소/해결 ❷ 아버지

4-1 이 글에 나타난 갈등의 원인과 해결에 관한 대화 내용으로 적절하지 <u>않은</u> 것은?

지호: 수남이는 자전거를 들고 도망친 자신의 행동이 도덕적으로 옳았는지 고민하고 있어. ········ ①

수빈: 응, 도둑질을 한 사실이 남들에게 알려질까 봐 두려운 것이 갈등의 근본 원인이겠지. ········ ②

준현: 수남이는 자신의 내적 갈등을 해결하기 위해 짐을 꾸리는 거야. ········ ③

수빈: 맞아. 도덕적으로 자신을 견제해 줄 아버지 곁으로 가기로 한 거지. ········ ④

지호: 이런 수남이의 모습을 통해 도덕성과 양심 회복의 필요성을 이야기하고 있는 것 같아. ········ ⑤

전송

[01~02] 다음 글을 읽고, 물음에 답하시오.

㉮ 오늘도 또 우리 수탉이 막 쪼이었다. 내가 점심을 먹고 나무를 하러 갈 양으로 나올 때이었다. 산으로 올라서려니까 등 뒤에서 푸드덕푸드덕하고 닭의 횃소리가 야단이다. 깜짝 놀라며

날짐승이 크게 날갯짓을 하면서 탁탁 치는 소리.

고개를 돌려 보니 아니나 다르랴, 두 놈이 또 얼리었다. [중략]

둘 이상의 사람이나 짐승이 한데 섞여 어우러지다.

대뜸 지게막대기를 메고 달려들어 점순네 닭을 후려칠까 하다가 생각을 고쳐먹고 헛매질로 떼어만 놓았다.

이번에도 점순이가 쌈을 붙여 놨을 것이다. 바짝바짝 내 기를 올리느라고 그랬음에 틀림없을 것이다.

㉠고놈의 계집애가 요새로 들어서서 왜 나를 못 먹겠다고 그렇게 아르렁거리는지 모른다.

나흘 전 감자 쪼간만 하더라도 나는 저에게 조금도 잘못한

어떤 사건이나 일.

것은 없다.

㉯ 게다가 조금 뒤에는 즈 집께를 할금할금 돌아다보더니 행

곁눈으로 살그머니 계속 할겨보는 모양.

주치마의 속으로 꼈던 바른손을 뽑아서 나의 턱 밑으로 불쑥

오른손.

내미는 것이다. 언제 구웠는지 아직도 더운 김이 홱 끼치는 굵은 감자 세 개가 손에 뿌듯이 쥐였다.

"느 집엔 이거 없지?" / 하고 생색 있는 큰소리를 하는 제

다른 사람 앞에 당당히 나설 수 있거나 자랑할 수 있는 체면.

가 준 것을 남이 알면은 큰일 날 테니 여기서 얼른 먹어 버리란다. 그리고 또 하는 소리가

"너 봄 감자가 맛있단다."

"난 감자 안 먹는다, 니나 먹어라."

나는 고개도 돌리지 않고 일하던 손으로 그 감자를 도로 어깨 너머로 쑥 밀어 버렸다.

그랬더니 그래도 가는 기색이 없고, 그뿐만 아니라 쌔근쌔근하고 심상치 않게 숨소리가 점점 거칠어진다. 이건 또 뭐야 싶어서 그때에야 비로소 돌아다보니 나는 참으로 놀랐다. 우리가 이 동리에 들어온 것은 근 삼 년째 되어 오지만 여지껏 가무잡잡한 점순이의 얼굴이 이렇게까지 홍당무처럼 새빨개진 법이 없었다. 게다 눈에 독을 올리고 한참 나를 요렇게 쏘아보더니 나중에는 눈물까지 어리는 것이 아니냐.

눈에 눈물이 조금 괴다.

– 김유정, 〈동백꽃〉 비 동

01 이 글에 대한 설명으로 적절한 것끼리 바르게 묶은 것은?

> ㄱ. 농촌을 배경으로 하고 있다.
> ㄴ. 현재와 과거를 오가며 사건이 전개되고 있다.
> ㄷ. 풍경 묘사를 통해 서정적 분위기를 자아내고 있다.
> ㄹ. 인물의 생김새를 묘사함으로써 인물의 성격을 드러내고 있다.

① ㄱ, ㄴ   ② ㄱ, ㄷ   ③ ㄱ, ㄹ
④ ㄴ, ㄷ   ⑤ ㄷ, ㄹ

02 점순이가 ㉠과 같이 '나'에게 화가 난 까닭이 무엇인지 (나)의 내용을 참고하여 쓰시오.

조건

'감자'에 담긴 점순이의 마음을 밝힐 것

도움말

(나)에서 '나'는 ❶ [   ] 내는 듯한 점순이의 말에 마음이 상해 점순이가 준 ❷ [   ] 을/를 거절하고 있어요.

답 ❶ 생색 ❷ 감자

[03~05] 다음 글을 읽고, 물음에 답하시오.

㉮ 가까이 와 보니 과연 나의 짐작대로 우리 수탉이 피를 흘리고 거의 빈사지경에 이르렀다. 닭도 닭이려니와 그러함에도 불구하고 눈 하나 깜짝 없이 고대로 앉아서 호드기만 부는 그 꼴에 더욱 치가 떨린다. 동리에서도 소문이 났거니와 나도 한때는 걱실걱실히 일 잘하고 얼굴 예쁜 계집애인 줄 알았더니 시방 보니까 그 눈깔이 꼭 여우 새끼 같다.

나는 대뜸 달려들어서 나도 모르는 사이에 큰 수탉을 단매로 때려 엎었다. 닭은 푹 엎어진 채 다리 하나 꼼짝 못 하고 그대로 죽어 버렸다. 그리고 나는 멍하니 섰다가 점순이가 매섭게 눈을 흡뜨고 닥치는 바람에 뒤로 벌렁 나자빠졌다.

"이놈아! 너 왜 남의 닭을 때려죽이니?"

"그럼 어때?" / 하고 일어나다가

"뭐 이 자식아! 누 집 닭인데?" / 하고 복장을 떼미는 바람에 다시 벌렁 자빠졌다. 그리고 나서 가만히 생각을 하니 분하기도 하고 무안스럽기도 하고, 또 한편 일을 저질렀으니 인젠 땅이 떨어지고 집도 내쫓기고 해야 될는지 모른다.

㉯ 나는 비슬비슬 일어나며 소맷자락으로 눈을 가리고는 얼김에 엉 하고 울음을 놓았다. 그러다 점순이가 앞으로 다가와서

"그럼, 너 이담부텀 안 그럴 테냐?"

하고 물을 때에야 비로소 살길을 찾은 듯싶었다. 나는 눈물을 우선 씻고 뭘 안 그러는지 명색도 모르건만

"그래!" / 하고 무턱대고 대답하였다.

"요담부터 또 그래 봐라, 내 자꾸 못살게 굴 테니."

"그래그래, 인젠 안 그럴 테야!"

"닭 죽은 건 염려 마라. 내 안 이를 테니."

그리고 뭣에 떠다밀렸는지 나의 어깨를 짚은 채 그대로 픽 쓰러진다. 그 바람에 나의 몸뚱이도 겹쳐서 쓰러지며 한창 피어 퍼드러진 노란 동백꽃 속으로 폭 파묻혀 버렸다.

알싸한 그리고 향긋한 그 냄새에 나는 땅이 꺼지는 듯이 온
<u>매운맛이나 독한 냄새 따위로 콧속이나 혀끝이 알알하다.</u>
정신이 고만 아찔하였다.

– 김유정, 〈동백꽃〉 비 동

---

03 (가)와 (나)에 대해 잘못 이해한 사람은?

민규 | (가)에서 '나'와 점순이의 갈등이 최고조에 이르고 있어.

한솔 | (가)의 '닭싸움'은 갈등 해소의 실마리가 되기도 해.

윤서 | (가)를 통해 '나'가 전에는 점순이를 좋게 생각했었음을 알 수 있어.

미주 | (나)에서 '나'와 점순이가 화해를 하며 둘 사이의 갈등이 해소되고 있어.

준우 | (나)에서 '나'는 '나'를 좋아하는 점순이의 마음을 눈치채고 점순이와 화해를 해.

① 민규 ② 한솔 ③ 윤서 ④ 미주 ⑤ 준우

---

04 (가)에 나타난 '나'의 심리 변화가 바르게 짝지어진 것은?

	점순네 수탉을 죽이기 전	점순네 수탉을 죽인 뒤
①	분함.	실망함.
②	고소함.	아쉬움.
③	겁이 남.	약이 오름.
④	화가 남.	겁이 남.
⑤	약이 오름.	고소함.

---

05 이 글에서 '나'와 점순이의 화해와 사랑을 후각적 심상을 활용하여 감각적으로 표현한 문장을 찾아 쓰시오.

도움말

'나'와 점순이의 ❶ [   ] 이/가 해소되며 둘이 함께 ❷ [   ]
속으로 파묻히고 있어요.   답 ❶ 갈등 ❷ 동백꽃

[06~08] 다음 글을 읽고, 물음에 답하시오.

가 "인마, 꼼짝 말고 있어."

　신사의 말이 아니더라도 꼼짝하려야 할 수 있을 처지가 아니다. 꼼짝은커녕 숨도 제대로 쉴 수 없을 만큼 수남이의 뒷덜미는 신사의 손에 잔뜩 움켜쥐어져 있다.

　"인마, 네놈의 자전거가 쓰러지면서 내 차를 들이받았단 말이야. 이런 고급 차를 말이야. 이런 미련한 놈, 왜 눈은 째려, 째리긴. 그러니 내 차에 흠이 안 나고 배겼겠냐. 내 차는 인마, 여자들 손톱만 살짝 닿아도 생채기가 나는 고급 차야 인마, 알간?"

　<u>참기 어려운 일을 잘 참고 견디다.</u>

　그러고는 거울처럼 티 하나 없이 번들대는 차체를 면밀히 훑어보더니 "그러면 그렇지." 하고 환성을 질렀다. 아마 생채기를 찾아낸 모양이다.

나 꼭 오늘 재수 옴 붙은 일이 날 것 같더라만 이런 끔찍한 일이 일어나고 말았구나. 울음이 왈칵 솟구친다. 그러자 제 얼굴도, 차체의 흠도 아무것도 안 보이고 온 세상이 부옇게 흐려 보일 뿐이다. [중략]

　"울긴 짜아식, 할 수 없다. 너나 나나 오늘 재수 옴 붙은 걸로 치고 반반씩 손해 보자. 오천 원만 내."

　수남이는 너무 놀라 울음까지 끄르륵 삼키고 신사를 쳐다본다.

다 "아저씨, 그러시지 말고 한 번만 봐주셔요. 네, 아저씨."

　수남이는 주머니에 든 만 원을 생각하면 얼굴이 화끈대고 공연히 무섭기까지 하다. 그렇지만 주인 영감님을 위해 그 돈만은 죽기를 무릅쓰고 지킬 각오를 단단히 한다.

　"아니 욘석이 이제 보니 이런 큰일을 저지르고 그냥 내뺄 심사 아냐? 요런 악질 녀석 같으니라고."

　신사의 표정은 은은히 감돌던 연민이 싹 가시고 점잖게 무표정해진다. / 그러고는 옆에 섰던 운전사인 듯한 남자에게,

　"안 되겠네. 요런 악질 깡패 녀석하고 시비해 봤댔자 공연히

　<u>옳고 그름을 따지는 말다툼을 하다.</u>

시간만 낭비니, 자네 자물쇠 하나 마련해다 주게. 이 녀석 자전걸 잡아 놓기로 하세. 언제든지 오천 원 가져와서 찾아가라고."

　　　　　　　　　　　　　　　– 박완서, 〈자전거 도둑〉[비]금교]

---

06 이 글의 신사에 대한 설명으로 적절하지 <u>않은</u> 것은?

① 말과 행동이 경박하다.

② 인정이 없고 냉정하다.

③ 손해 보는 것을 싫어한다.

④ 수남이를 계속 불쌍히 여기고 있다.

⑤ 고급 차를 소유할 정도로 경제적으로 풍족하다.

07 이 글에 나타난 수남이의 심리로 적절하지 <u>않은</u> 것은?

① 놀람　　　② 두려움　　　③ 막막함

④ 불쾌함　　⑤ 당황스러움

08 다음 대화를 참고하여 이 글에서 수남이와 신사가 갈등을 겪게 된 원인을 〈조건〉에 맞게 쓰시오.

 수남이

> 아저씨, 그러시지 말고 한 번만 봐주셔요. 네, 아저씨.

> 이 녀석 자전걸 잡아 놓기로 하세. 언제든지 오천 원 가져와서 찾아가라고.

 신사

┌─ **조건** ─

・수남이와 신사 사이에 일어난 사건을 구체적으로 밝힐 것

・'수남이의 자전거가 ~ 갈등이 일어나고 있다.' 형식의 한 문장으로 쓸 것

[09~10] 다음 글을 읽고, 물음에 답하시오.

가 "도망가라, 어서어서 자전거를 번쩍 들고 도망가라, 도망가라."

수남이는 자기편이 되어 준 이 많은 사람들을 도저히 배반할 수 없었다. 이상한 용기가 솟았다. 수남이는 자전거를 마치 검부러기처럼 가볍게 옆구리에 끼고 질풍같이 달렸다.

정말이지 조금도 안 무거웠다. 타고 달릴 때보다 더 신나게 달렸다. 달리면서 마치 오래 참았던 오줌을 시원스레 내깔기는 듯한 쾌감까지 느꼈다.

나 다 듣고 난 주인 영감님은 무엇이 그리 좋은지 무릎을 치면서 통쾌해한다.

"잘했다, 잘했어. 만날 촌놈인 줄만 알았더니 제법인데, 제법이야."

그러고는 가게에서 쓰는 드라이버니 펜치를 가지고 자전거에 채운 자물쇠를 분해하기 시작한다. 엎드려서 그 짓을 하고 있는 주인 영감님이 수남이의 눈에 흡사 도둑놈 두목 같아 보여 속으로 정이 떨어진다. 주인 영감님 얼굴이 누런 똥빛인 것조차 지금 깨달은 것 같아 속이 메스껍다.

다 아아 도둑질하면서도 나는 죄책감보다는 쾌감을 더 짙게 느꼈던 것이다.

혹시 내 피 속에 도둑놈의 피가 흐르고 있기 때문이 아닐까. 순간 수남이는 방바닥에서 송곳이라도 치솟은 듯이 후다닥 일어서서 안절부절못하고 좁은 방안을 헤맸다.

수남이의 눈앞에는 수갑을 차고, 순경들에게 끌려와 도둑질 흉내를 그대로 내보이던 형의 얼굴이 환히 떠오른다. 그리고 서울 가서 무슨 짓을 하든지 도둑질만은 하지 말라고 신신당부하던 아버지의 얼굴도 떠오른다.

– 박완서, 〈자전거 도둑〉[비][금][교]

09 다음 글에 나타난 갈등과 같은 유형의 갈등을 (가)~(다)에서 바르게 찾은 사람은?

> 나는 오르막길을 걷기 시작했어요. 오늘은 절대로 피시방에 가지 않겠다고 단단히 마음먹으면서 말입니다. 하지만 피시방이 가까워질수록 단단했던 마음이 흔들리기 시작했습니다.
>
> – 이금이, 〈촌놈과 떡장수〉[교]

① 수현: 도둑질을 한 형과 도둑질만은 하지 말라는 아버지의 갈등
② 휘경: 자전거를 들고 도망치는 내내 되돌아가야 하나를 고민하는 수남이의 갈등
③ 미송: 수남이를 칭찬하는 주인 영감님과 이런 모습을 못마땅하게 여기는 수남이의 갈등
④ 성은: 수남이에게 자전거를 들고 도망치라는 사람들과 도망치면 안 된다고 말하는 사람들의 갈등
⑤ 해인: 자전거를 들고 뛰면서 쾌감을 느낀 것 때문에 자신에게 도둑의 피가 흐르는 것은 아닌지 고민하는 수남이의 갈등

도움말

제시된 글에서 '나'가 겪는 갈등이 '나'의 **❶** 속에서 일어난 것인지 '나'와 외부의 대상이 **❷** 하여 일어난 것인지 생각해 보세요.

답 ❶ 마음 ❷ 대립

10 (나)와 (다)에 나타난 주인 영감님과 아버지의 가치관 차이를 〈조건〉에 맞게 쓰시오.

조건
• 각 인물이 중요시하는 것을 밝힐 것
• '주인 영감님은 ~을/를 중요시하지만, 아버지는 ~을/를 중요시한다.' 형식의 한 문장으로 쓸 것

01 다음 대화의 빈칸에 들어갈 알맞은 말을 순서대로 쓰시오.

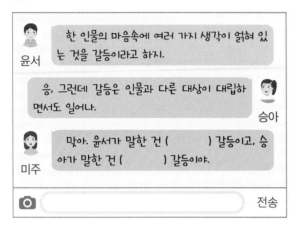

윤서
> 한 인물의 마음속에 여러 가지 생각이 얽혀 있는 것을 갈등이라고 하지.

승아
> 응, 그런데 갈등은 인물과 다른 대상이 대립하면서도 일어나.

미주
> 맞아. 윤서가 말한 건 (   ) 갈등이고, 승아가 말한 건 (   ) 갈등이야.

전송

02 다음 글에 나타난 갈등의 유형을 〈보기〉에서 고르시오.

> 나는 멍하니 섰다가 점순이가 매섭게 눈을 흡뜨고 닥치는 바람에 뒤로 벌렁 나자빠졌다.
> "이놈아! 너 왜 남의 닭을 때려죽이니?"
> "그럼 어때?" / 하고 일어나다가
> "뭐 이 자식아! 누 집 닭인데?"
> – 김유정, 〈동백꽃〉 비 동

┌ 보기 ────────────────
  내적 갈등   인물과 인물의 갈등
        인물과 자연의 갈등
└──────────────────────

03 문학 작품에서 갈등의 역할을 모두 고르시오.

> ㉠ 인물의 성격, 가치관 등을 드러낸다.
> ㉡ 사건을 전개하고 긴장감을 조성한다.
> ㉢ 갈등의 해결 과정을 통해 주제를 드러낸다.
> ㉣ 시간과 공간을 구체적으로 제시해 사실성을 부여한다.

04 다음 글에 나타난 갈등의 유형을 쓰시오.

> 낮에 내가 한 짓은 옳은 짓이었을까? 옳을 것도 없지만 나쁠 것은 또 뭔가. 자가용까지 있는 주제에 나 같은 아이에게 오천 원을 우려내려고 그렇게 간악하게 굴던 신사를 그 정도 골려 준 것이 뭐가 나쁜가? 그런데도 왜 무섭고 떨렸던가. 그때의 내 꼴이 어땠으면, 주인 영감님까지 "네놈 꼴이 꼭 도둑놈 꼴이다."라고 하였을까.
> 그럼 내가 한 짓은 도둑질이었단 말인가. 그럼 나는 도둑질을 하면서 그렇게 기쁨을 느꼈더란 말인가.
> – 박완서, 〈자전거 도둑〉 비 금 교

05 다음 글에 나타난 문기의 심리로 적절한 것은?

> "너 혼자 두고 쓰잔 말이지? 그러지 말구 어서 가자."
> "정말 없어. 지금 고깃간 집 안마당으로 던져 주고 오는 길야. 공두 쌍안경두 버리구."
> 하고 문기는 증거를 보이느라고 이쪽저쪽 주머니를 털어 보이는 것이나 수만이는 흥 하고 코웃음을 친다.
> "누군 너만 못 약을 줄 아니?"
> 그리고 연신 빈정댄다.
> "고깃간 집 마당으로 던졌다? 아주 핑계가 됐거든." / "거짓말 아니다. 참말야."
> 할 뿐, 문기는 어떻게 변명할 줄을 몰라 쳐다보기만 하다가 고개를 떨어뜨리고 울상을 한다.
> – 현덕, 〈하늘은 맑건만〉 천(박) 천(노) 미 창 지

① 분노 　　② 답답함 　　③ 의아함
④ 즐거움 　　⑤ 후련함

06 소설의 구성 단계와 그에 따른 갈등의 진행 양상을 바르게 연결하시오.

(1) 발단 •

(2) 전개 •

(3) 위기 •

(4) 절정 •

(5) 결말 •

• ㉠ 갈등이 심화되고 위기감이 고조됨.

• ㉡ 인물과 배경이 소개되고 사건의 실마리가 제시됨.

• ㉢ 갈등이 해소되고 인물의 운명이 결정됨.

• ㉣ 갈등이 최고조에 이르고 사건 해결의 실마리가 제시됨.

• ㉤ 갈등이 시작됨.

07 다음 글을 참고할 때 길동이 갈등을 겪게 된 근본적인 원인을 〈보기〉에서 고르시오.

"신은 본래 천비 소생이오라 아비를 아비라 못 하옵고, 형을 형이라 부르지 못하오니, 평생 원한(怨恨)이 마음속에 맺혀 집을 버리고 도둑 무리의 우두머리가 되었사오나 백성은 추호도 범치 않았사옵고, 탐관오리들이 백성의 고혈을 빨아서 모은 재물을 빼앗았사오나, 이제 십 년만 지나오면 떠나갈 곳이 있으니 바라옵건대 성상(聖上)께서는 걱정하지 마시고 소인을 풀어 주시옵소서."

– 허균, 〈홍길동전〉 천(박) 비 지

┌ 보기 ─────────────
㉠ 서자에 대한 차별
㉡ 탐관오리가 백성을 괴롭히는 현실
└───────────────

08 다음 글을 읽고, 괄호 안에서 알맞은 말을 골라 순서대로 쓰시오.

소년은 아버지가 그리웠다. 도덕적으로 자기를 견제해 줄 어른이 그리웠다. 주인 영감님은 자기가 한 짓을 나무라기는커녕 손해 안 난 것만 좋아서 "오늘 운 텄다."라고 좋아하지 않았던가.

수남이는 짐을 꾸렸다. 아아, 내일도 바람이 불었으면. 바람이 물결치는 보리밭을 보았으면.

마침내 결심을 굳힌 수남이의 얼굴은 누런 똥빛이 말끔히 가시고, 소년다운 청순함으로 빛났다.

– 박완서, 〈자전거 도둑〉 비 금 교

수남이가 도덕적으로 자신을 견제해 줄 (아버지/주인 영감님)이/가 있는 곳으로 가기로 결심하며 갈등이 (고조/해소)되고 있어.

09 다음은 소설 〈하늘은 맑건만〉의 줄거리를 정리한 것이다. 갈등 진행 양상을 고려하여 ㉠~㉤을 순서대로 나열하시오.

㉠ 병원에서 깨어난 문기는 삼촌에게 모든 사실을 고백한다.

㉡ 문기는 고깃간에 심부름을 갔다가 거스름돈을 더 받게 된다.

㉢ 문기는 수만이의 협박에 숙모의 돈을 훔치고, 자신 때문에 점순이가 누명을 쓴 걸 알고 괴로워한다.

㉣ 문기는 선생님께 사실을 고백하려고 찾아가지만 말하지 못하고 죄책감과 두려움이 더욱 커진다. 그리고 돌아오는 길에 교통사고를 당한다.

㉤ 문기는 수만이의 꼬임에 넘어가 거스름돈으로 물건을 사고, 그 물건을 삼촌에게 들켜 꾸중을 듣는다. 문기는 남은 돈을 고깃집 안마당에 던지지만 수만이는 이를 믿지 않는다.

㉡ ➡ (   ) ➡ (   ) ➡ (   ) ➡ (   )

2주 창의·융합·코딩 전략 1

01 다음 글에 나타난 인물들의 관계를 아래와 같이 정리할 때, ㉠에 들어갈 알맞은 말을 쓰시오.

(가) "고길 사러 갔는데 말야. 난 일 원짜리로 알구 냈는데 십 원으로 거슬러 주니 말야."

"정말야? 어디 봐."

문기는 손바닥을 펴 돈과 또 고기를 보였다.

수만이는 잠시 눈을 끔벅끔벅 무슨 궁리를 하는 듯 문기 얼굴을 보고 섰더니, / "너 이렇게 해 봐라." [중략]

수만이가 있던 좋은 일이란 다른 것이 아니었다. 거리에서 보고 지내던 온갖, 가지고 싶고 해 보고 싶은 가지가지를 한번 모조리 돈으로 바꾸어 보자는 것이다.

(나) 문기는 벌겋게 얼굴이 달아 수그리고 앉았다. 삼촌은 잠시 묵묵히 건너다만 보고 있더니 음성을 고쳐 엄한 어조로,

"어머님은 어려서 돌아가시구 아버지는 저 모양이시구, 앞으로 집안을 일으킬 사람은 너 하나야. 성실치 못한 아이들하고 얼려 다니다 혹 나쁜 데 빠지거나 하면 첫째 네 꼴은 뭐구, 내 모양은 뭐냐? 난 너 하나는 어디까지든지 공부도 시키구 사람을 만들어 주려구 애쓰는데 너두 그 뜻을 받아 주어야 사람이 아니냐."

– 현덕, 〈하늘은 맑건만〉 천(박) 천(노) 미 창 지

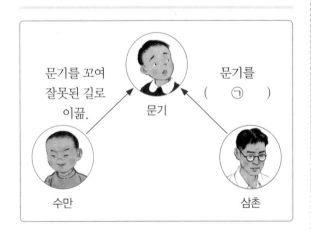

문기를 꼬여 잘못된 길로 이끎.　문기를 (㉠)

수만　문기　삼촌

수만이는 문기를 ❶　　　된 길로 이끌지만, 삼촌은 이와 ❷　　　방향으로 문기를 이끌려고 해요.

답 ❶ 잘못 ❷ 반대

02 다음 글의 문기가 쓴 일기 내용으로 적절하지 않은 것은?

(가) 그리고 눈앞에 보이는 붙장 안 앞턱에 잔돈 얼마와 지전 몇 장이 놓여 있다. 그리고 문밖엔 지금 수만이가 돈을 가지고 나오기를 기다리고 섰다.

여기서 문기는 두 번째 허물을 범하고 말았다.

"진작 듣지." / 하고 빙그레 웃는 수만이 얼굴에다 뺨을 때리듯 돈을 던져 주고 문기는 달아났다.

(나) "학교서 지금 오는 애가 알겠니. 참, 점순이 고년 앙큼헌 년이드라. 낮에 내가 뒤껼에서 화초 모종을 내고 있는데 집을 간다고 나가더니 글쎄, 돈을 집어 갔구나."

문기는 잠잠히 듣기만 했다. 그러나 속으로는 갚으면 고만이지 소리를 또 한 번 외어 본다. / 그날 밤이었다. 아랫방 들창 밑에서 훌쩍훌쩍 우는 어린아이 울음소리가 났다. 아랫집 심부름하는 아이 점순이 음성이었다. 숙모가 직접 그 집에 가서 무슨 말을 한 것은 아니로되 자연 그 말이 한 입 건너 두 입 건너 그 집에까지 들어갔고, 그리고 그 집 주인 여자는 점순이를 때려 쫓아낸 것이다. 먼저는 동네 아이들이 모여 지껄지껄하더니 차차 하나 가고 둘 가고 훌쩍훌쩍 우는 그 소리만 남는다. 방 안의 문기는 그 밤을 뜬눈으로 새웠다.

– 현덕, 〈하늘은 맑건만〉 천(박) 천(노) 미 창 지

① 수만이의 협박에 붙장 안 돈을 훔치고 말았다. ② 수만이에게 돈을 던져 주었지만 괴로움은 끝이 아니었다. ③ 점순이가 나 때문에 누명을 썼다는 걸 들었다. ④ 돈을 갚으면 그만이라고 애써 죄책감을 떨쳐 보려고 했지만 소용없었다. ⑤ 내가 범인임을 점순이가 아는 것 같아 뜬눈으로 밤을 새웠다.

수만이에게 ❶　　　을/를 준 문기의 심리가 어떠한지, 문기가 왜 ❷　　　(으)로 밤을 새웠는지 생각해 보세요.

답 ❶ 돈 ❷ 뜬눈

03 다음은 소설 〈홍길동전〉에서 길동이 한 말이다. 이를 바탕으로 ㉠과 ㉡에 들어갈 알맞은 말을 쓰시오.

"어머니께서는 소자와 전생에 귀중한 인연이 있어 오늘날 모자지간이 되었습니다. 낳아 주시고 길러 주신 은혜는 하늘보다 더 큽니다. 사내대장부가 세상에 한번 태어났으면, 모름지기 입신양명한 후 조상을 섬기고 부모의 은혜를 만분의 일이라도 갚아야 할 것입니다. 그
_{출세하여 이름을 세상에 떨치다.}
런데 이 몸은 팔자가 사나운 까닭에 천하게 태어나 남의 천대나 받게 되었습니다. 하지만 대장부가 어찌 구차하게 근본에 얽매여 후회를 하겠습니까? 이 몸이 당당하게 조선국 병조 판서 대장인을 차고 이름난 장군이 되지 못할 바에야, 차라리 산중에 들어가 세상 영욕을
_{영예와 치욕을 아울러 이르는 말}
모르는 채 지내고자 합니다. 옛날 장충의 아들 길산은 소자보다 더한 천생이었습니다. 하지만 열세 살에 그 어미와 이별하고 운봉산에 들어가 도를 닦아, 아름다운 이름을 후세에 전하였습니다. 소자도 그를 본받아 세상을 벗어나려 하옵니다. 감히 바라옵건대, 어머니께서는 소자의 사정을 살피어 아주 버린 듯이 잊고 계십시오. 훗날 소자가 돌아와 은혜를 갚을 날이 있을 것입니다."

– 허균, 〈홍길동전〉 천(박) 비 지

길동이 겪는 갈등	길동은 (㉠)을/를 꿈꾸지만 천하게 태어나 꿈을 펼칠 기회조차 없음.

↓

갈등의 원인	적서 차별 제도

↓

갈등 해결을 위해 길동이 한 행동	(㉡)

(도움말)
이 글의 배경은 **①** ▢▢▢▢ 시대인데, 이때에는 신분 제도가 엄격하고 **②** ▢▢▢ 차별이 있었어요. 길동이 겪는 갈등을 이런 사회 모습과 관련지어 생각해 보세요.

답 ① 조선 ② 적서

04 아래는 다음 글에 나타난 길동의 선택에 대한 학생들의 의견이다. 의견이 적절하지 않은 학생을 고르시오.

"신이 전하를 받들어 만세를 모실까 하였사오나, 천비 소생이라 벼슬길이 막혔는지라. 이러므로 사방에 제멋대로 놀아 관청에 폐단을 일으키고 조정에 죄를 얻음은 전하께 알게 하려 함이더니, 신의 소원을 풀어 주옵시니 전하를 하직하고 조선을 떠나가오니, 엎드려 바라옵건대, 전하는 만수무강하옵소서."

말을 마치고 공중으로 사라지거늘, 이후로는 길동의 폐단이 없으매, 사방이 태평하였다. [중략]

마침내 길동은 잘 훈련한 무리를 이끌고 오랫동안 마음에 두었던 율도국 정벌에 나섰다. 율도국 군사들이 힘껏 맞서 싸웠으나 끝내는 져서 길동에게 항복하였다. 길동이 율도국의 왕이 되어 나라를 다스린 지 삼 년이 되자 산에는 도적이 없어지고 길에는 떨어진 물건을 주워 가는 이가 없게 되었다.

– 허균, 〈홍길동전〉 천(박) 비 지

민채: 길동 개인 차원에서의 문제 해결만 있을 뿐, 사회 전체로는 변화가 없어 아쉬워.

진수: 세상을 바로잡겠다는 큰 뜻을 임금에게 보이고 조정으로 들어가 그 뜻을 이루고자 노력하는 길동의 모습이 인상적이야.

은호: 신분 차별이 잘못되었다고 여기면서도 사회 제도를 바꾸려고 하지 않고 그냥 나라를 떠난 점이 길동의 한계라고 생각해.

연재: 모순된 사회 제도에 저항했던 길동이라도 충효를 중시하는 유교 사회에서 임금에게 끝까지 맞서기는 어려웠을 거야.

(도움말)
길동이 임금에게 병조 판서 벼슬을 받은 뒤 **①** ▢▢▢을/를 떠난 것, 새로운 나라의 왕이 된 것을 어떻게 **②** ▢▢ 할 수 있을지 생각해 보세요.

답 ① 조선 ② 평가

05 아래는 다음 글을 읽은 학생이 메모한 내용이다. 적절하지 않은 것은?

언제 구웠는지 아직도 더운 김이 홱 끼치는 굵은 감자 세 개가 손에 뿌듯이 쥐었다.

"느 집엔 이거 없지?" / 하고 생색 있는 큰소리를 하고는 제가 준 것을 남이 알면은 큰일 날 테니 여기서 얼른 먹어 버리란다. 그리고 또 하는 소리가

"너 봄 감자가 맛있단다."

"난 감자 안 먹는다, 니나 먹어라."

나는 고개도 돌리지 않고 일하던 손으로 그 감자를 도로 어깨 너머로 쑥 밀어 버렸다.

그랬더니 그래도 가는 기색이 없고, 그뿐만 아니라 쌔근쌔근하고 심상치 않게 숨소리가 점점 거칠어진다. 이건 또 뭐야 싶어서 그때에야 비로소 돌아다보니 나는 참으로 놀랐다. 우리가 이 동리에 들어온 것은 근 삼 년째 되어 오지만 여지껏 가무잡잡한 점순이의 얼굴이 이렇게까지 홍당무처럼 새빨개진 법이 없었다. 게다 눈에 독을 올리고 한참 나를 요렇게 쏘아보더니 나중에는 눈물까지 어리는 것이 아니냐.

– 김유정, 〈동백꽃〉 [비] [동]

• '나'가 감자를 받지 않은 까닭
  – 점순이가 감자로 생색을 낸다고 생각해서 ⋯⋯ ①
  – 점순이가 자신을 좋아하는 것이 부담스러워서 ②
• 점순이의 얼굴이 빨개진 까닭: 호의를 거절당해 자존심이 상하고 상처를 받아서⋯⋯⋯⋯⋯⋯⋯⋯ ③
• 감자의 의미와 역할: '나'에 대한 점순이의 최초의 애정 표현 ⋯⋯⋯⋯⋯⋯⋯⋯⋯⋯⋯⋯⋯⋯ ④
• 앞으로의 사건 전개: 점순이가 마음에 상처를 입어 둘 사이의 갈등이 시작될 것임. ⋯⋯⋯⋯⋯⋯ ⑤

도움말

점순이가 '나'에게 어떤 심정으로 **❶** 을/를 주었을지, '나'의 거절에 **❷** 의 기분이 어떠할지 생각해 보세요.

답 ❶ 감자 ❷ 점순이

06 아래는 다음 글에 나타난 '나'의 심리 변화를 정리한 것이다. '나'의 심리가 변하는 데 영향을 준 점순이의 말을 이 글에서 찾아 [A]와 [B]에 써넣으시오.

나는 대뜸 달려들어서 나도 모르는 사이에 큰 수탉을 단매로 때려 잊혔다. [중략] 그리고 나는 멍하니 섰다가 점순이가 매섭게 눈을 흡뜨고 닥치는 바람에 뒤로 벌렁 나자빠졌다.

"이놈아! 너 왜 남의 닭을 때려죽이니?"

"그럼 어째?" / 하고 일어나다가

"뭐 이 자식아! 누 집 닭인데?"

하고 복장을 떼미는 바람에 다시 벌렁 자빠졌다. 그러고 나서 가만히 생각을 하니 분하기도 하고 무안스럽기도 하고, 또 한편 일을 저질렀으니 인젠 땅이 떨어지고 집도 내쫓기고 해야 될는지 모른다. [중략]

"그럼, 너 이담부텀 안 그럴 테냐?"

하고 물을 때에야 비로소 살길을 찾은 듯싶었다. 나는 눈물을 우선 씻고 뭘 안 그러는지 명색도 모르건만

"그래!" / 하고 무턱대고 대답하였다.

"요담부터 또 그래 봐라, 내 자꾸 못살게 굴 테니."

"그래그래, 인젠 안 그럴 테야!"

– 김유정, 〈동백꽃〉 [비] [동]

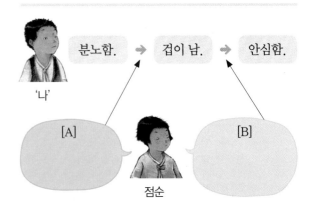

'나'

분노함. → 겁이 남. → 안심함.

[A]   [B]

점순

도움말

'나'의 집은 소작인이어서 **❶** 인 점순네 집의 눈치를 볼 수밖에 없어요. 그런데 '나'는 분노로 이성을 잃어 점순네 **❷** 을/를 죽이고 말았죠. 이런 '나'에게 현실을 일깨워 준 말이 무엇인지 생각해 보세요.

답 ❶ 마름 ❷ 수탉

07 다음 글에 나타난 갈등을 아래와 같이 정리할 때, 빈칸에 들어갈 알맞은 말을 쓰시오.

> "아유, 오늘 더럽게 장사 안 된다."
>
> ××상회 주인은 니코틴이 새까맣게 달라붙은 이빨 안쪽을 드러내고 크게 하품을 한다. 돈을 빨리 안 주는 변명 같기도 하고, '인석아, 하루 종일 기다려 봐라, 누가 돈을 호락호락 내줄 줄 아니.' 하는 공갈 같기도 하다.
>
> 그러나 수남이는 들은 척도 안 하고 장승처럼 버티고 서 있다. 저런 수에 넘어가 호락호락 물러가면 주인 영감님에게 야단맞는 것도 맞는 거려니와, 앞으로 열 번도 넘게 헛걸음을 해야 수금을 끝마칠 수 있기 때문이다.
> _{받을 돈을 거두어들임.}
> 그것도 목돈이 아니라 오백 원, 천 원씩 푼돈을 녹여서 말이다.
>
> 이럴 때 수남이는 이 세상에 장사꾼처럼 징그러운 족속이 또 있을까 싶은 생각이 나서 한숨이 절로 난다. 그러면서도 자기도 어느 틈에 장사꾼다운 징그러운 수를 쓰고 만다.
>
> "오늘 물건 대금은 꼭 결제해 주셔야 돼요. 은행 막을 돈이란 말예요."
>
> – 박완서, 〈자전거 도둑〉 [비][금][교]

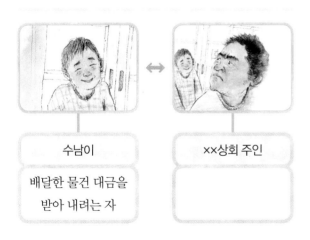

수남이	↔	××상회 주인
배달한 물건 대금을 받아 내려는 자		

도움말

수남이는 배달한 물건 **❶**[　　　]을/를 받아야 해요. 이런 수남이가 ××상회 주인과 어떤 점에서 **❷**[　　　]하고 있는지 생각해 보세요.

답 ❶ 대금 **❷** 대립

08 다음 글에 나타난 수남이의 내적 갈등 양상을 아래와 같이 정리할 때, ㉠과 ㉡에 들어갈 알맞은 말을 쓰시오.

> 낮에 내가 한 짓은 옳은 짓이었을까? 옳을 것도 없지만 나쁠 것은 또 뭔가. 자가용까지 있는 주제에 나 같은 아이에게 오천 원을 우려내려고 그렇게 간악하게 굴던 신사를 그 정도 골려 준 것이 뭐가 나쁜가? 그런데도 왜 무섭고 떨렸던가. 그때의 내 꼴이 어땠으면, 주인 영감님까지 "네놈 꼴이 꼭 도둑놈 꼴이다."라고 하였을까.
>
> 그럼 내가 한 짓은 도둑질이었단 말인가. 그럼 나는 도둑질을 하면서 그렇게 기쁨을 느꼈더란 말인가.
>
> 수남이는 몸을 부르르 떨면서 낮에 자전거를 갖고 달리면서 맛본 공포와 함께 그 까닭 모를 쾌감을 회상한다. [중략] 아아 도둑질하면서도 나는 죄책감보다는 쾌감을 더 짙게 느꼈던 것이다. / 혹시 내 피 속에 도둑놈의 피가 흐르고 있기 때문이 아닐까.
>
> – 박완서, 〈자전거 도둑〉 [비][금][교]

자전거를 들고 도망침.

↓

㉠

↓

그런데도 왜 무섭고 떨렸던가.

↓

내가 한 짓은 도둑질이었단 말인가.

↓

㉡

↓

내 피 속에 도둑놈의 피가 흐르고 있기 때문이 아닐까.

도움말

이 글에는 수남이의 **❶**[　　　] 갈등이 나타나 있어요. 갈등 상황에서 수남이가 어떤 **❷**[　　　]을/를 하고 있는지 생각해 보세요.

답 ❶ 내적 **❷** 고민

3^주 성장과 성찰

성찰이란 무엇일까?

개념 01 성찰의 뜻

- 성찰이란 자신의 ❶[　　　]을/를 돌아보며 어떻게 살 아왔는지 살피고 ❷[　　　]하는 일을 뜻함.
- 자신이 지금 어떻게 살고 있는지 살펴봄으로써 앞으 로 어떻게 살아야 할지를 생각해 보는 것임.

답 ❶ 삶 ❷ 반성

확인 01 다음 빈칸에 들어갈 알맞은 말을 쓰시오.

> 사람이 지난 일이나 자기 자신의 삶을 반성하고 깊이 살 피는 것을 (　　　　)(이)라고 한다.

성찰할 때에는 솔직한 심정으로 자신을 돌아보고, 성찰이 자신의 성장에 도움이 될 수 있다는 긍정적인 태도를 지니는 것이 중요해요.

개념 02 성찰을 하면 좋은 점

- 자신을 돌아보고 좋은 점을 발견하면 그것을 계속 지켜 나 가며 ❶[　　　]시킬 수 있음.
- 자신을 돌아보고 좋지 않은 점을 발견하면 그것을 반성하 고 고쳐 나갈 수 있음.

↓

성찰은 과거를 돌아볼 뿐만 아니라 ❷[　　　]을/를 계획하 는 일로, 궁극적으로 자신의 성장에 도움이 됨.

답 ❶ 발전 ❷ 미래

확인 02 성찰에 대한 설명으로 적절하지 않은 것을 고르시오.

> ㉠ 성찰을 통해 과거를 돌아보고 미래를 계획할 수 있다.
> ㉡ 성찰을 할 때에는 과거에 저지른 잘못은 잊고 좋았던 기 억만 떠올려야 한다.

개념 03 문학 작품 감상을 통한 삶의 성찰 과정

①	독자는 문학 작품을 읽고, 작품에 담긴 다양한 삶의 모습을 ❶[　　　](으)로 경험하고 이해한다.

↓

②	독자는 문학 작품을 통해 간접적으로 경험한 다양한 삶의 모습을 자신의 삶과 관련지어 감상한다.

↓

③	독자는 감상 과정에서 얻은 ❷[　　　]을/를 바탕으 로 자신의 삶을 성찰할 수 있다.

답 ❶ 간접적 ❷ 깨달음

확인 03 다음 문장의 괄호 안에서 알맞은 말을 고르시오.

> 독자는 문학 작품 감상을 통해 다양한 삶을 (직접적으 로/간접적으로) 경험할 수 있고, 이를 자신의 삶과 관련지 어 감상하며 자신의 삶을 성찰할 수 있다.

개념 04 문학 작품을 읽고 성찰할 때 고려할 점

- 작품 속 인물 또는 시의 화자(말하는 이) 또는 글쓴이 등과 비슷한 상황에 처했거나 비슷한 ❶[　　　]을/를 한 적이 있는가?
- 비슷한 상황에서 자신은 어떻게 반응하였는가?
- 작품을 통해 어떤 삶의 ❷[　　　]을/를 지녀야겠다고 생각하는가?

답 ❶ 경험 ❷ 태도

확인 04 문학 작품을 읽고 자신의 삶을 성찰하는 방법으로 적절 하지 않은 것을 고르시오.

> ㉠ 자신이 작품 속 인물이라면 같은 상황에서 자신은 어떻 게 행동할지 생각해 본다.
> ㉡ 작품 속 인물에게서 본받을 점보다는 그의 부족한 점이 나 고쳐야 할 점이 무엇인지만 생각한다.

개념 05 시를 읽고 자신의 삶 성찰하기

①	시의 화자가 처한 **❶** 을/를 파악한다(어디에 있는지, 무엇을 하고 있는지 등).
	⬇
②	화자가 자신이 처한 상황을 대하는 **❷** 이/가 어떠한지, 시 속의 대상을 바라보는 태도가 어떠한지를 파악한다.
	⬇
③	시의 내용과 관련하여 자신의 삶을 성찰해 본다.

답 ❶ 상황 ❷ 태도

확인 05 다음 빈칸에 들어갈 알맞은 말을 쓰시오.

시를 읽고 자신의 삶을 성찰하기 위해서는 먼저 시의 화자가 어떤 (   )에 처해 있는지를 파악해야 한다.

시, 수필, 소설 등을 읽고 그 안에 담긴 의미와 가치를 자신의 삶과 관련지어 생각해 봄으로써 작품을 깊이 있게 감상할 수 있어요.

개념 06 수필을 읽고 자신의 삶 성찰하기

①	글에 글쓴이의 경험, 생각이나 느낌 등이 솔직하게 드러나므로 이를 통해 글쓴이의 **❶** 을/를 파악해 본다.
	⬇
②	글쓴이의 경험, 생각, 가치관과 관련지어 자신의 삶을 **❷** 해 본다.

답 ❶ 가치관 ❷ 성찰

확인 06 다음 빈칸에 들어갈 알맞은 말을 쓰시오.

수필에는 글쓴이의 (   ), 생각이나 느낌 등이 솔직하게 드러나므로 이를 통해 글쓴이의 가치관을 파악하고 이와 관련지어 자신의 삶을 성찰해 볼 수 있다.

개념 07 소설을 읽고 자신의 삶 성찰하기

①	작품 속 인물이 겪는 **❶** 을/를 파악한다.
	⬇
②	작품 속 인물이 갈등을 **❷** 하는 과정에서 어떻게 성장했는지 살펴본다.
	⬇
③	자신이라면 비슷한 상황에서 어떻게 했을지 생각해 보고, 인물의 경험과 관련지어 자신의 삶을 성찰해 본다.

답 ❶ 갈등 ❷ 해결

확인 07 소설을 읽고 자신의 삶을 성찰할 때 고려할 점으로 적절하지 <u>않은</u> 것을 고르시오.

ⓒ 작품 속 인물은 실제로 존재하는 인물인가?
ⓛ 작품 속 인물과 비슷한 상황에 처한다면 자신은 어떻게 반응할 것인가?

개념 08 성장을 다룬 소설 읽기

• **성장 소설**: 주인공이 어린 시절부터 어른이 되기까지 자신의 인격을 완성해 가는 **❶** 과정을 그린 소설을 말함.

• **성장 소설 읽기의 의의**
  • 인물의 성장을 다룬 소설을 읽는 과정에서 소설 속 인물의 삶을 살펴볼 뿐만 아니라 **❷** 의 삶을 성찰할 수 있음.
  • 바람직하고 가치 있는 삶에 관해 탐구할 수 있음.

답 ❶ 성장 ❷ 자신

확인 08 다음 문장의 괄호 안에서 알맞은 말을 고르시오.

주인공이 어린 시절부터 어른이 되기까지의 성장 과정을 그린 소설을 (역사 소설/성장 소설)이라고 한다.

01 다음 빈칸에 들어갈 알맞은 말을 쓰시오.

자신의 삶을 돌아보며 어떻게 살아왔는지 살피고 반성하는 일을 (　　)(이)라고 하지.

문제 해결 전략

• 지나간 일이나 자신의 마음을 되돌아 보고 ❶　　　하며 살피는 것을 성찰이라고 한다.

• 자신이 지금 어떻게 살고 있는지 살펴 봄으로써 앞으로 어떻게 살아야 할지 를 생각해 보는 것도 ❷　　　(이)라 고 할 수 있다.

답 ❶ 반성 ❷ 성찰

02 성찰을 하면 좋은 점으로 적절하지 <u>않은</u> 것은?

① 자신의 성장에 도움이 된다.

② 자신의 좋은 점을 발전시킬 수 있다.

③ 자신의 과거를 보기 좋게 미화할 수 있다.

④ 자신의 삶을 돌아보고 미래를 계획할 수 있다.

⑤ 자신의 좋지 않은 점을 반성하고 고쳐 나갈 수 있다.

문제 해결 전략

• 성찰은 과거를 돌아볼 뿐만 아니라 ❶　　　을/를 계획하는 일이다.

• 성찰은 궁극적으로 자신의 ❷　　　 에 도움이 된다.

답 ❶ 미래 ❷ 성장

03 문학 작품 감상에 대한 설명으로 적절하지 <u>않은</u> 것은?

① 문학 작품을 감상하며 다양한 삶의 모습을 간접적으로 경험하고 이해할 수 있다.

② 문학 작품을 감상하고 바람직한 삶의 가치에 대해 생각해 봄으로써 성장 할 수 있다.

③ 문학 작품을 감상하는 과정에서 얻은 깨달음을 바탕으로 자신의 삶을 성 찰할 수 있다.

④ 문학 작품을 감상하며 자신의 삶을 성찰하는 과정은 작품의 내용을 파악 하는 것과 관련이 없다.

⑤ 문학 작품에 담긴 의미와 가치를 자신의 삶과 관련지어 생각해 보면서 작품을 깊이 있게 감상할 수 있다.

문제 해결 전략

• 독자는 문학 작품에 나타난 다양한 삶 의 모습을 통해 인간이 성장하는 과정 에서 겪는 여러 가지 어려움과 고민 을 ❶　　　(으)로 경험할 수 있다.

• 문학 작품을 자신의 ❷　　　와/과 관련지어 감상하면서 바람직한 삶의 태도에 대해 생각해 볼 수 있다.

답 ❶ 간접적 ❷ 삶

04 시를 읽고 자신의 삶을 성찰한다고 할 때, 그 과정에 따라 〈보기〉의 기호를 순서대로 나열하시오.

보기

ㄱ. 시의 화자가 처한 상황을 파악한다.

ㄴ. 비슷한 상황에서 자신은 어떻게 반응하였는지 생각해 본다.

ㄷ. 자신이 화자와 비슷한 상황에 처했던 경험이 있는지 생각해 본다.

ㄹ. 시를 읽고 느낀 점을 바탕으로 어떤 삶의 태도를 지녀야 할지 생각해 본다.

ㅁ. 화자가 자신이 처한 상황을 대하는 태도가 어떠한지, 시 속의 대상을 바라보는 태도가 어떠한지를 파악한다.

(   ) ➡ ㅁ ➡ (   ) ➡ (   ) ➡ ㄹ

문제 해결 전략

· 시를 읽고 자신의 삶을 성찰하려면 먼저 시의 화자가 처한 **❶** , 화자의 태도 등 시의 내용을 파악해야 한다.

· 그다음, 시의 내용과 관련해 자신의 삶을 돌아보며 바람직한 삶의 **❷** 에 대해 생각해 본다.

답 ❶ 상황 ❷ 태도

05 다음 시를 감상한 독자들의 반응으로 적절하지 <u>않은</u> 것은?

말은 / 힘이 세지,
정말 힘이 세지.

짐수레를 끌고
따각따각 달리는 말보다
말은 / 힘이 더 세지.

"미안해." 한마디면
서운했던 생각이 멀어지고
화난 마음 살살 녹지.

"잘할 수 있어." 한마디에
가슴이 따뜻해지고 / 없던 힘도 불끈 솟지.

- 정진아, 〈참 힘센 말〉 천(박)

① 채영: 앞으로는 듣는 사람의 마음을 헤아리며 말하기로 다짐했어.

② 현욱: 내가 친구에게 힘을 줄 수 있는 말이 무엇일까 생각하게 됐어.

③ 혜미: 한마디의 말은 듣는 사람에게 별다른 영향을 미치지 못하는구나.

④ 소진: 이 시를 읽고, 친구에게 부정적인 말을 했던 일을 반성하게 됐어.

⑤ 원희: 친구가 "너를 믿어."라고 말해 줘서 용기를 얻었던 일이 생각나네.

문제 해결 전략

· 이 시는 한마디의 **❶** 이/가 듣는 사람의 기분을 변하게 할 만큼 힘이 세다는 내용을 노래하고 있다.

· 독자는 이 시를 감상하면서 얻은 감동과 **❷** 을/를 바탕으로 자신의 삶을 성찰할 수 있고, 바람직한 삶의 태도는 무엇일지 생각해 볼 수 있다.

답 ❶ 말 ❷ 깨달음

06 다음 시를 감상한 독자들이 나눈 대화를 읽고, 괄호 안에서 알맞은 말을 골라 순서대로 쓰시오.

> 친구가 원수보다 더 미워지는 날이 많다
> 티끌만 한 잘못이 맷방석만 하게
> 동산만 하게 커 보이는 때가 많다
> 그래서 세상이 어지러울수록
> 남에게는 엄격해지고 내게는 너그러워지나 보다
> 돌처럼 잘아지고 굳어지나 보다
>
> 멀리 동해 바다를 내려다보며 생각한다
> 넓따란 바다처럼 너그러워질 수는 없을까 [후략]
>
> ― 신경림, 〈동해 바다〉 천(박)

이 시의 화자는 남에게는 (너그러워지고/엄격해지고) 자신에게는 (너그러워지는/엄격해지는) 자신의 모습을 반성하고 있어.

응, 화자는 그런 자신의 모습을 '(돌/티끌)'에 빗대어 표현하고 있어. 이 시를 읽고 나니 내 삶도 돌아보게 되네.

문제 해결 전략

- 이 시에는 화자가 ❶ [　　　]을/를 바라보며 자신을 성찰하는 상황이 나타나 있다.
- 이 시의 화자는 다른 사람의 사소한 잘못을 큰 잘못으로 여기는 자신의 태도를 돌아보고 옹졸했던 ❷ [　　　]의 모습을 반성하고 있다.

답 ❶ 동해 바다 ❷ 자신

07 다음은 소설을 읽고 자신의 삶을 성찰하는 방법이다. 그 내용이 적절하지 <u>않은</u> 것은?

- 등장인물이 겪는 갈등을 파악한다. ································· ①
- 등장인물이 갈등을 해결하는 과정을 파악한다. ················· ②
- 등장인물과 비슷한 경험을 한 적이 있는지 생각해 본다. ········ ③
- 등장인물과 같은 상황에 처한다면 등장인물의 갈등 해결 방법을 무조건 따른다. ···························· ④
- 등장인물에게서 본받을 점뿐만 아니라 등장인물의 부족하거나 고쳐야 할 점도 함께 생각해 본다. ····················· ⑤

문제 해결 전략

- 성찰할 때에는 잘한 점이나 칭찬할 만한 점뿐만 아니라 ❶ [　　　]한 점이나 고치고 싶은 점도 함께 생각해 보는 것이 좋다.
- 성찰할 때에는 솔직한 심정으로 자신을 돌아보고, ❷ [　　　]이/가 자신의 성장에 도움이 될 수 있다는 긍정적인 태도를 지녀야 한다.

답 ❶ 부족 ❷ 성찰

>> 정답과 해설 23쪽

08 다음 대화를 읽고 괄호 안에서 알맞은 말을 고르시오.

수필에는 글쓴이의 경험, 생각, 느낌 등이 솔직하게 드러나 있어서 글쓴이의 (미래 / 가치관)을/를 파악할 수 있지.

그럼 수필을 읽고 글쓴이의 경험, 생각 등과 관련지어 내 삶을 성찰해 볼 수도 있겠네.

문제 해결 전략

• 수필은 글쓴이의 경험이나 생각을 정해진 ❶ [ ] 없이 자유롭게 쓴 글이다.

• 수필에는 삶에 대한 글쓴이의 깊이 있는 사색이 담겨 있어 ❷ [ ] (으)로 하여금 감동을 느끼고 자신의 삶을 성찰할 수 있게 한다.

🔑 ❶ 형식 ❷ 독자

09 다음 문장의 빈칸에 들어갈 알맞은 말을 쓰시오.

주인공이 어린 시절부터 어른이 되기까지 자신의 인격을 완성해 가는 성장 과정을 그린 소설을 (   )(이)라고 한다. 주인공의 성장을 다룬 소설을 읽는 과정에서 작품 속 인물의 삶을 살펴볼 뿐만 아니라 자신의 삶을 성찰할 수 있고, 가치 있는 삶이란 무엇인지 생각해 볼 수 있다.

문제 해결 전략

• 성장 소설에는 주인공이 ❶ [ ] 과정에서 겪는 여러 어려움과 고민이 나타난다.

• 성장은 육체적으로 자라는 것뿐만 아니라 ❷ [ ] 인 성숙을 의미하기도 한다.

🔑 ❶ 성장 ❷ 정신적

10 다음은 소설 〈공작나방〉의 줄거리이다. 하인리히가 밑줄 친 부분과 같이 행동한 까닭으로 가장 적절한 것은?

소설 〈공작나방〉의 줄거리

어느 날 '나'는 친구 하인리히에게 나비 수집 상자를 보여 준다. 그러나 그것을 보는 하인리히의 표정은 그다지 밝지 않다. 하인리히는 그 이유를 설명하기 위해 자신의 어린 시절의 이야기를 들려준다.

나비 수집을 좋아했던 하인리히는 이웃집에 사는 에밀이 공작나방을 잡았다는 소문을 듣게 된다. 하인리히는 에밀의 공작나방을 몰래 훔치려고 주머니에 넣었다가 공작나방을 망가뜨리게 되고, 용기를 내어 에밀에게 잘못을 고백하지만 에밀은 하인리히를 경멸하며 용서해 주지 않는다. 이를 통해 하인리히는 한번 저지른 일은 바로잡을 수 없음을 깨닫고 자책하며 자신이 수집한 나비들을 손끝으로 비벼 망가뜨린다.

① 새로운 나비들을 수집하기 위해서
② 공작나방이 아니라면 수집할 가치가 없다고 생각해서
③ 에밀의 공작나방을 온전히 훔쳐 오지 못한 것이 아쉬워서
④ 양심을 지키지 못한 자신은 나비를 가질 자격이 없다고 생각해서
⑤ 에밀이 자신에게 복수하기 전에 나비를 미리 망가뜨려야겠다고 생각해서

문제 해결 전략

• 소설 〈공작나방〉은 ❶ [ ] 수집에 열정적이던 소년 하인리히가 자신의 잘못을 반성하며 정신적으로 성숙해 가는 과정을 그린 성장 소설이다.

• 하인리히는 이웃에 사는 ❷ [ ] 와/과 갈등을 겪으며, 한번 저지른 일은 돌이킬 수 없음을 깨닫는다.

🔑 ❶ 나비 ❷ 에밀

[1] 다음 시를 읽고, 물음에 답하시오.

㉠바다가 가까워지자 ㉡어린 강물은 엄마 손을 더욱 꼭 그러쥔 채 놓지 않았습니다. 그러다가 그만 ㉢거대한 파도의 배 속으로 뛰어드는 꿈을 꾸다 엄마 손을 아득히 놓치고 말았습니다. 그래 잘 가거라 내 아들아. 이제부터는 크고 다른 삶을 살아야 된단다. ㉣엄마 강물은 새벽 강에 시린 몸을 한번 뒤채

엎어진 것을 젖혀 놓거나 자빠진 것을 엎어 놓다. 규범에 맞는 표기는 '뒤치다'임.

고는 오리처럼 곧 순한 머리를 돌려 반짝이는 은어들의 길을 따라 ㉤산골로 조용히 돌아왔습니다.

– 이시영, 〈성장〉 금 교

이 작품은 성장의 과정을 바다로 흘러가는 강물에 빗대어 표현한 시입니다.

대표 유형 1 작품의 내용 이해하기

1 다음은 ㉠~㉤의 의미를 정리한 것이다. 적절한 것끼리 바르게 묶은 것은?

> ㉠: 어린 강물이 나아갈 크고 넓은 세상
> ㉡: 곧 어른이 될, 성장기의 자식
> ㉢: 새로운 세상에서 겪는 시련
> ㉣: 자식을 자기 품에서 떠나보내지 않으려 하는 부모
> ㉤: 어린 강물이 새롭게 나아간 곳

① ㉠, ㉡, ㉢   ② ㉠, ㉡, ㉤   ③ ㉠, ㉢, ㉣
④ ㉡, ㉣, ㉤   ⑤ ㉢, ㉣, ㉤

유형 해결 전략

시에 쓰인 언어는 일상어와 크게 다르지 않지만, 일상에서 쓰이는 사전적 의미뿐만 아니라 시인이 부여한 ❶ ☐☐☐ 인 의미도 지닌다. 이를 고려하여 시의 제목인 '❷ ☐☐'와/과 관련지어 각 시어에 담긴 의미를 파악해 보도록 한다.

답 ❶ 상징적 ❷ 성장

1-1 이 시의 제목이 '성장'임을 고려할 때, 이 시에 대한 설명으로 적절한 것은?

① 거친 바다가 주는 황홀한 모습이 나타난다.
② 아이를 잃어버린 부모의 애타는 심정이 드러난다.
③ 강물은 위에서 아래로 흐른다는 자연의 섭리를 부정한다.
④ 새로운 세상이 두렵지만 그래도 나아가려는 모습이 드러난다.
⑤ 더 넓은 세상을 경험한 뒤 느끼는 기쁨과 만족감이 엿보인다.

[2] 다음 시를 읽고, 물음에 답하시오.

죽는 날까지 하늘을 우러러

한 점 부끄럼이 없기를,

잎새에 이는 바람에도

나는 괴로워했다.

별을 노래하는 마음으로

모든 죽어 가는 것을 사랑해야지.

그리고 나한테 주어진 길을

걸어가야겠다.

오늘 밤에도 별이 바람에 스치운다.

– 윤동주, 〈서시(序詩)〉 지
책의 첫머리에 서문 대신 쓴 시.

이 작품은 살면서 겪는 현실의 어려움을 고백하며 그것을 극복하려는
간절한 소망과 의지를 노래한 시로, 일제 강점기 지식인으로 살아가던
시인의 고뇌가 잘 나타나 있습니다.

대표 유형 2 작품에 나타난 삶의 태도 파악하기

2 이 시에 나타난 화자의 태도로 적절하지 <u>않은</u> 것은?

① 떳떳한 삶을 추구한다.

② 양심을 지키는 순결한 삶을 살고자 한다.

③ 고통스러운 현실에 절망하지 않으려 한다.

④ 미래에 대한 의지를 갖고 살아가고자 한다.

⑤ 현실과 타협하고 조화를 이루며 살고자 한다.

유형 해결 전략

화자의 태도는 시적 대상이나 시적 ❶ [   ]에 보이는 심리적인
자세나 대응 방식을 말한다. 이 시의 화자가 처한 상황이 무엇인지
먼저 생각해 본 뒤, 화자가 그 상황에 어떻게 대응하고 있는지, 어
떤 ❷ [   ]을/를 살아가고자 하는지 생각해 본다.

답 ❶ 상황 ❷ 삶

2-1 이 시에 대한 설명으로 적절하지 <u>않은</u> 것은?

① 자신을 성찰하고 고백하는 태도가 드러나 있다.

② 자연물을 활용하여 상징적 의미를 전달하고 있다.

③ 타인의 잘못을 비판하는 내용으로 이루어져 있다.

④ '과거–미래–현재'의 순서로 시상을 전개하고 있다.

⑤ 떳떳한 삶에 대한 화자의 간절한 소망과 의지가
엿보인다.

도움말

이 시는 1연의 1~4행에서 화자 자신이 살아온 삶에 대한 생각,
5~8행에서 앞으로 살아갈 삶에 대한 ❶ [   ]을/를 드러낸 뒤
에 2연에서는 ❷ [   ] 상황에 대해 이야기하고 있어요.

답 ❶ 의지 ❷ 현실

[3] 다음 시를 읽고, 물음에 답하시오.

나는 어릴 때부터 그랬다.
조금이라도 일이 있기만 하면 곧.
칠칠치 못한 나는 걸핏하면 넘어져
성질이나 일 처리가 반듯하고 야무지다.
무릎에 딱지를 달고 다녔다.

그 흉물 같은 딱지가 보기 싫어

손톱으로 득득 긁어 떼어 내려고 하면

아버지는 그때마다 말씀하셨다.

딱지를 떼어 내지 말아라 그래야 낫는다.

아버지 말씀대로 그대로 놓아두면

까만 고약 같은 딱지가 떨어지고
주로 헐거나 곪은 데에 붙이는 끈끈한 약.
딱정벌레 날개처럼 하얀 새살이

돋아나 있었다.

지금도 칠칠치 못한 나는

사람에 걸려 넘어지고 부딪히며

마음에 딱지를 달고 다닌다.

그때마다 그 딱지에 아버지 말씀이

얹혀진다.

딱지를 떼지 말아라 딱지가 새살을 키운다.

– 이준관, 〈딱지〉 천(노)

이 작품은 시련을 극복하고 성장해 가는 인생의 과정을 딱지가 생기고 떨어지면서 상처가 회복되는 과정을 통해 나타낸 시입니다.

---

3 이 시에서 궁극적으로 말하고자 하는 바로 적절한 것은?

① 인간은 다른 사람과 관계를 맺고 살아야 한다.
② 인간은 누구나 환경에 맞게 자신을 변화시킬 수 있다.
③ 인간은 마음에 거짓이나 꾸밈이 없이 바르게 살아야 한다.
④ 인간은 상처를 입고 회복하는 과정에서 더욱 성장할 수 있다.
⑤ 인간은 위인들의 행동을 본받음으로써 인격을 수양할 수 있다.

유형 해결 전략

이 시에서 아버지가 '나'에게 ❶ [   ]을/를 떼어 내지 말라고 말한 이유를 생각해 보고, 현재의 '❷ [   ]'이/가 아버지의 말씀을 통해 깨달은 점이 무엇인지 생각해 본다.

답 ❶ 딱지 ❷ 나

3-1 이 시의 주제와 그 의미가 가까운 속담으로 적절한 것은?

① 웃는 낯에 침 못 뱉는다
② 비 온 뒤에 땅이 굳어진다
③ 가지 많은 나무가 잠잠할 적 없다
④ 좋은 농사꾼에게는 나쁜 땅이 없다
⑤ 바다는 메워도 사람의 욕심은 못 채운다

도움말

이 시의 화자는 몸에 생긴 딱지가 ❶ [   ]을/를 아물게 하는 것처럼 마음에 생긴 딱지 역시 우리가 더욱 ❷ [   ]해질 수 있도록 도와준다는 것을 깨닫고 있어요.

답 ❶ 상처 ❷ 성숙

[4] 다음 시를 읽고, 물음에 답하시오.

친구가 원수보다 더 미워지는 날이 많다

티끌만 한 잘못이 맷방석만 하게
_{맷돌을 쓸 때 밑에 까는, 짚으로 만든 방석.}
동산만 하게 커 보이는 때가 많다

그래서 세상이 어지러울수록

남에게는 엄격해지고 내게는 너그러워지나 보다

돌처럼 잘아지고 굳어지나 보다

멀리 동해 바다를 내려다보며 생각한다

널따란 바다처럼 너그러워질 수는 없을까

깊고 짙푸른 바다처럼

감싸고 끌어안고 받아들일 수는 없을까

스스로는 억센 파도로 다스리면서

제 몸은 맵고 모진 매로 채찍질하면서

– 신경림, 〈동해 바다〉_{천(박)}

────────
_{이 작품은} 바다를 바라보며 자신을 돌아보고 반성하는 내용의 시입니다.

대표 유형 ④ 문학 작품을 읽고 성찰하기

4 이 시를 읽은 독자의 반응으로 적절하지 않은 것은?

① 제 흉 열 가지 가진 놈이 남의 흉 한 가지를 본다는 속담이 떠오르네.

② 양심에 찔리네. 나도 다른 사람의 작은 실수 하나를 그냥 넘어가는 법이 없거든.

③ 나도 이제부터 남에게는 너그럽고 자신에게는 엄격한 바다와 같은 삶을 살겠어.

④ 남들에게 지적을 당하지 않도록 평소에 완벽한 삶을 살아야 해. 그래야 다른 사람의 잘못을 매섭게 질책할 수 있지.

⑤ 요즘 인터넷 댓글을 보면 사람들이 남에게 지나치게 엄격하다는 생각이 들어. 남 탓만 하고, 자기 잘못을 반성하고 사과하는 사람은 거의 없거든. 다 같이 생각해 볼 문제야.

유형 해결 전략

이 시의 화자가 자신의 어떤 모습을 되돌아보고 있는지, 그리고 ❶ ☐☐☐ 을/를 통해 어떤 삶의 태도를 갖기를 바라는지 생각해 본다. 이 시의 화자는 바다를 바라보며 다른 사람을 대하던 자신의 ❷ ☐☐☐ 을/를 반성하고 있다.

답 ❶ 성찰 ❷ 태도

4-1 이 시의 화자가 반성하고 있는 모습을 〈조건〉에 맞게 쓰시오.

┌ 조건 ┐
• 1연에 나타난 화자의 모습을 바탕으로 할 것
• '남', '자신'이라는 단어를 포함할 것
• '~(하)는 모습'의 형식으로 쓸 것

[01~02] 다음을 읽고, 물음에 답하시오.

가 바다가 가까워지자 어린 강물은 엄마 손을 더욱 꼭 그러쥔 채 놓지 않았습니다. 그러다가 그만 거대한 파도의 배 속으로 뛰어드는 꿈을 꾸다 엄마 손을 아득히 놓치고 말았습니다. 그래 잘 가거라 내 아들아. 이제부터는 크고 다른 삶을 살아야 된단다. 엄마 강물은 새벽 강에 시린 몸을 한번 뒤채고는 오리처럼 곧 순한 머리를 돌려 반짝이는 은어들의 길을 따라 산골로 조용히 돌아왔습니다.

- 이시영, 〈성장〉 금교

나 수남이는 지금도 그날 밤 일이 생생하다. 그날 밤 형의 누런 똥빛 얼굴은 정말로 못 잊겠다. 꼭 악몽 같다.

다음 날 형은 읍내에서 온 순경한테 수갑이 채워져 붙들려 갔다.

형은 악을 써서 변명을 하며 갔다.

"2년 만에 빈손으로 집에 들어갈 수는 없었단 말야. 도저히 그럴 수는 없었단 말야." [중략]

아버지는 화병으로 몸져눕고 집안 형편은 말이 아니었다. 수남이는 드디어 어느 날 형이 그랬던 것처럼 서울 가서 돈 벌어 오겠다고 집을 나섰다. 아버지는 말리지 않았다. 문지방을 짚고 일어나 앉아서 띄엄띄엄 수남이를 타일렀다.

"무슨 짓을 하든지 그저 도둑질을 하지 마라, 알았쟈."

그런데 도둑질을 하고 만 것이다. 하지만 수남이는 스스로 그것을 결코 도둑질이 아니었다고 변명을 한다.

그런데 왜 그때, 그렇게 떨리고 무서우면서도 짜릿하니 기분이 좋았던 것인가? 문제는 그때의 그 쾌감이었다. 자기 내부에 도사린 부도덕성이었다. 오늘 한 짓이 도둑질이 아닐지 모르지만 앞으로 도둑질을 할지도 모르겠다는 생각이 들었다. 형의 일이 자기와 정녕 무관한 일이 아니란 생각이 들었다.

소년은 아버지가 그리웠다. 도덕적으로 자기를 견제해 줄 어른이 그리웠다. 주인 영감님은 자기가 한 짓을 나무라기는 커녕 손해 안 난 것만 좋아서 "오늘 운 텄다."라고 좋아하지 않았던가.

수남이는 짐을 꾸렸다. 아아, 내일도 바람이 불었으면. 바람이 물결치는 보리밭을 보았으면.

마침내 결심을 굳힌 수남이의 얼굴은 누런 똥빛이 말끔히 가시고, 소년다운 청순함으로 빛났다.

- 박완서, 〈자전거 도둑〉 비금교

---

01 **(가)의 엄마 강물과 (나)의 아버지의 공통점으로 적절한 것은?**

① 떠난 아들을 보고 슬픔에 젖는다.

② 있던 곳을 떠나려는 아들을 붙잡는다.

③ 아들이 경제적으로 성공하기를 바란다.

④ 새로운 세상으로 가는 아들에게 당부를 한다.

⑤ 아들이 다른 세상으로 나아가는 것을 받아들이지 못한다.

02 **다음 대화의 ㉠과 ㉡에 들어갈 알맞은 말을 (나)에서 찾아 쓰시오.**

'누런 똥빛'은 (㉠)을/를 의미하는 것 같아. 도둑질한 물건을 들고 고향 집에 돌아온 (㉡)의 얼굴빛이 '누런 똥빛'이라고 했거든.

그러면 자신을 도덕적으로 견제해 줄 아버지에게 돌아가기로 결심한 수남이의 얼굴에서 '누런 똥빛'이 가셨다는 것은 수남이 마음속의 (㉠)이/가 사라지는 것을 나타낸 것 같아.

도움말

(나)는 ❶ ▢▢▢ 인 이익만을 추구하는 현대인의 모습을 비판하고 도덕성과 ❷ ▢▢ 회복의 필요성을 전달하는 소설이에요.

답 ❶ 물질적 ❷ 양심

[03~04] 다음을 읽고, 물음에 답하시오.

가 죽는 날까지 하늘을 우러러

한 점 부끄럼이 없기를,

잎새에 이는 바람에도

나는 괴로워했다.

별을 노래하는 마음으로

모든 죽어 가는 것을 사랑해야지.

그리고 ㉠나한테 주어진 길을

걸어가야겠다.

오늘 밤에도 별이 바람에 스치운다.

– 윤동주, 〈서시(序詩)〉[지]

나 내가 계속 신문을 도로 제 서랍에 넣는데도 수택이는 하루도 빠짐없이 내 책상 서랍 속에 신문을 넣어 두었어. 소문은 점점 퍼져 가고 말이야.

"다시는 나한테 신문 주지 마!" [중략]

나는 두 손으로 있는 힘껏 신문을 구겨서 공처럼 만들었어. 그러고는 아이들 보란 듯이 신문을 난로 속에 던져 버렸단다.

신문에는 금세 불이 붙었어. 내 가슴은 쿵쾅쿵쾅 뛰기 시작했어. 교실은 숨소리도 들릴 만큼 조용했고, 나는 난로 뚜껑을 덮고 교실 밖으로 나가 버렸지. 그리고 다시는…… 다시는 말이야, 수택이 얼굴을 똑바로 보지 못했어.

다시 보지 못한 건 수택이 얼굴뿐이 아니었어. 바들바들 떨던 어깨도, 어깨를 축 늘어뜨린 뒷모습도 제대로 볼 수 없었어. 곧 겨울 방학이 되었고, 수택이는 방학 때 시골 친척 집으로 이사를 가 버리고 말았거든. [중략]

나는 육 학년이 되어서도 자꾸 태워 버린 신문 생각이 났어. 신문을 접거나 구길 때면 그날 구겨 버린 신문 생각이 났지. 초등학교를 졸업한 뒤에도 몇 년 동안 난로 속에 뭐를 집어넣는 것만 봐도, 신문 재가 목구멍을 꽉 막고 있는 것처럼 답답했어.

그리고 시간이 많이 흐른 지금도 이렇게 겨울 부츠 속에 신문지를 구겨 넣을 때면, 봄 신발을 꺼내 구겨 넣었던 신문지를 빼낼 때면, 나는 한참씩 수택이 생각에 잠긴단다. 수택이는 지금 어디서 어떻게 살까 궁금해지기도 하지.

어디서 무얼 했으면 좋겠냐고? 음…… 어디서 무얼 하든…… 그날이 생각나지 않았으면…… 생각나더라도 너무 아프지 않았으면…… 그랬으면, 내 친구 수택이가 꼭 그랬으면 좋겠어.

– 유은실, 〈보리 방구 조수택〉[미]

03 다음은 (가)를 창작한 시인에 대한 설명이다. 이를 참고하여 ㉠의 의미를 〈조건〉에 맞게 쓰시오.

윤동주는 일제 강점기였던 1917년에 북간도에서 태어나, 연희 전문학교를 거쳐 일본에 건너가 대학에 다녔다. 1943년 독립운동 혐의로 일본 경찰에 검거되어 옥살이를 하던 중 형무소에서 사망하였다. 윤동주는 죽을 때까지 시대적 양심을 잃지 않은 시인이자 독립운동가로 살았으며, 그의 시를 통해 일제 강점기 지식인으로서 그가 겪어야 했던 고뇌를 느낄 수 있다.

┌─ 조건 ─
• 시대적 배경을 고려하여 쓸 것
• '~(으)로서의 삶'의 형식으로 쓸 것

04 (나)에 나타난 '나'의 모습으로 적절하지 <u>않은</u> 것은?

① 자신의 잘못을 솔직하게 고백한다.

② 어린 시절을 떠올리며 마음 아파한다.

③ 자신의 과거 행동을 인정하지 못한다.

④ 수택이와의 옛일을 지금까지 잊지 못하고 있다.

⑤ 수택이에게 '그날' 일이 마음의 큰 상처로 남아 있지 않기를 바란다.

도움말

(나)에는 어린 시절 수택이에게 **❶** 을/를 준 뒤 오랫동안 이를 잊지 못하고 미안해하는 '**❷** '의 모습이 드러나 있어요.

답 ❶ 상처 ❷ 나

[05~07] 다음 시를 읽고, 물음에 답하시오.

가 나는 어릴 때부터 그랬다.

칠칠치 못한 나는 걸핏하면 넘어져

무릎에 딱지를 달고 다녔다.

그 흉물 같은 딱지가 보기 싫어

손톱으로 득득 긁어 떼어 내려고 하면

아버지는 그때마다 말씀하셨다.

딱지를 떼어 내지 말아라 그래야 낫는다.

아버지 말씀대로 그대로 놓아두면

까만 고약 같은 딱지가 떨어지고

딱정벌레 날개처럼 하얀 새살이

돋아나 있었다.

지금도 칠칠치 못한 나는

사람에 걸려 넘어지고 부딪히며

마음에 딱지를 달고 다닌다.

그때마다 그 딱지에 아버지 말씀이

얹혀진다.

㉠딱지를 떼지 말아라 딱지가 새살을 키운다.

– 이준관, 〈딱지〉 [천(노)]

나 풀잎에도 상처가 있다

꽃잎에도 상처가 있다

너와 함께 걸었던 들길을 걸으면

들길에 앉아 저녁놀을 바라보면

상처 많은 풀잎들이 손을 흔든다

상처 많은 꽃잎들이

가장 향기롭다

– 정호승, 〈풀잎에도 상처가 있다〉 [비]

05 (가)에 대한 설명으로 적절하지 <u>않은</u> 것은?

① 과거에 했던 행동에 대한 후회가 드러난다.

② 어린 시절의 경험을 통해 얻은 깨달음이 담겨 있다.

③ 시각적 심상, 청각적 심상, 촉각적 심상이 나타난다.

④ 일상에서 쉽게 접할 수 있는 소재를 중심으로 시상을 전개한다.

⑤ 시련을 극복하고 성장해 가는 과정을 딱지가 생기고 상처가 회복되는 과정을 통해 나타냈다.

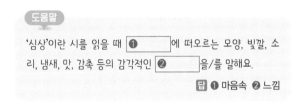

'심상'이란 시를 읽을 때 **❶** 에 떠오르는 모양, 빛깔, 소리, 냄새, 맛, 감촉 등의 감각적인 **❷** 을/를 말해요.

답 ❶ 마음속 **❷** 느낌

06 다음 글을 참고하여 ㉠과 비슷한 의미를 전달하는 시구를 (나)에서 찾아 쓰시오.

> ㉠은 몸에 생긴 딱지가 상처를 아물게 하고 새살을 돋게 하는 것처럼 인간은 상처를 입고 회복하는 과정에서 더욱 성장할 수 있다는 보편적인 삶의 가치를 전달하고 있다.

07 (가)와 (나)를 읽은 감상으로 적절하지 <u>않은</u> 것은?

① 초아: 이 시를 읽고 나에게는 어떤 상처들이 있었는지 떠올려 보게 됐어.

② 효정: 마음에 상처를 입고 힘들어하는 사람이 있으면 이 시들을 추천해 주고 싶어.

③ 지호: 타인의 상처를 먼저 치료해 주어야 내 마음속의 상처가 회복될 수 있음을 깨달았어.

④ 수림: 고통을 겪고 그 고통을 이겨 나가는 과정을 통해 비로소 성장할 수 있음을 깨닫게 되었어.

⑤ 승희: '상처' 하면 부정적인 감정만 떠올랐는데 긍정적으로 바라볼 수도 있다는 점이 흥미로웠어.

[08~09] 다음을 읽고, 물음에 답하시오.

가 친구가 원수보다 더 미워지는 날이 많다

티끌만 한 잘못이 맷방석만 하게
동산만 하게 커 보이는 때가 많다
그래서 세상이 어지러울수록
㉠남에게는 엄격해지고 내게는 너그러워지나 보다
돌처럼 잘아지고 굳어지나 보다

멀리 동해 바다를 내려다보며 생각한다
㉡널따란 바다처럼 너그러워질 수는 없을까
깊고 짙푸른 바다처럼
감싸고 끌어안고 받아들일 수는 없을까
㉢스스로는 억센 파도로 다스리면서
제 몸은 맵고 모진 매로 채찍질하면서

– 신경림, 〈동해 바다〉천(박)

나 "중학교 가서 꼴등 하면 안 되니까 지금부터 공부 열심히
해 둬."

왜 중학교까지 미리 걱정해야 하는지 이해가 안 가는 나는
요즘 '멋 내기'라는 심오한 학문에 푹 빠져 있다. 정확히 말하면
'어른 흉내 내기'라고 해야 할 것이다. ㉣내가 장담하는데 이건
우리를 성공적인 삶으로 이끈다는 공부보다 훨씬 재미있다.

나는 맘에 드는 엄마 허리띠를 몰래 차고 다닌다거나 엄마
샌들을 끌고 학교에 가기도 한다. [중략]

"할머니, ㉤나도 얼른 어른이 되면 좋겠어. 어디든 맘대로
가고 내 맘대로 다 해 볼 거야."

그러자 할머니는 웃으며 말했다.

"암, 그래야지. 우리 예린이는 잘할 수 있을 거야. 할머니는
우리 예린이를 믿어요. 무엇이든 하고 싶은 것은 다 해 보고
세상을 돌아다녀 보렴. 그런데 예린아, ⓐ사과는 오랫동안
충분히 익어야 달고 맛있단다. 햇빛도 맘껏 쬐고 별빛도 맘
껏 받고 비도 맞고 바람도 받고 이슬도 먹고, 먹고……."

– 김옥, 〈야, 춘기야〉창

08 ㉠~㉤에 대한 감상으로 적절하지 <u>않은</u> 것은?

 윤서
> ㉠을 보니 나도 친구를 돕지 않으면서 친구가 나를 도와주지 않는다고 화를 냈던 내 모습이 부끄럽네.

 미주
> ㉡의 널따란 바다처럼 나도 마음이 너그러운, 포용력 있는 사람이 되고 싶어.

 민규
> ㉢은 《명심보감》에 나오는 '자신을 용서하는 마음으로 남을 용서하라.'라는 말과 같네.

 한솔
> ㉣처럼 공부하기 싫은 마음은 이해하지만 나는 매번 재미만 좇으며 살 수는 없다고 생각해.

 준우
> 나도 ㉤과 같은 생각을 가끔 해. 어른들이 우리의 답답한 마음을 알아줬으면 좋겠어.

① 윤서 ② 미주 ③ 민규 ④ 한솔 ⑤ 준우

09 ⓐ에 담긴 할머니의 의도를 〈조건〉에 맞게 쓰시오.

조건
• ⓐ에 담긴 속뜻을 쓸 것
• '~을/를 말하고자 하였다.' 형식의 한 문장으로
쓸 것

도움말

사과 농사를 짓는 예린이의 할머니는 빨리 어른이 되고 싶다고 말
하는 예린이에게 ❶□□이/가 맛있어지려면 오랫동안 충분
히 익어야 한다고 말하고 있어요. ❷□□이/가 되는 것을 사
과가 익는 것에 빗대어 표현하고 있지요.

답 ❶ 사과 ❷ 어른

[1] 다음 글을 읽고, 물음에 답하시오.

앞부분 줄거리 | 영국 북동부의 어느 가난한 탄광 마을. 열한 살 소년 빌리는 아버지 몰래 권투 대신 발레를 배우러 다닌다. 발레에 빠져든 빌리는 어느 날 발레를 배우는 것을 아버지에게 들키고 만다.

가 빌리의 집(아침)

아버지 발레가 뭐냐? / 빌리 발레가 어때서요?

아버지 발레가 어떠냐고? / 빌리 뭐가 이상한데요?

아버지 뭐가 이상하냐고?

할머니 나도 한때 발레를 하러 다녔는걸. / 빌리 봐요.

아버지 그래, 할머니한테는 그렇지. 여자들에겐 정상적이지만 남자는 아니야. 빌리, 남자들은 축구나 권투나 레슬링을 하는 거야. 발레는 남자는 안 해. [중략]

빌리 (인상을 쓰며) 아빠가 미워요! 정말 미워요!

나 차 안(낮)

빌리 (차에서 내렸다가 몸을 돌려) 선생님, 저는 어떻게 해야 하죠?

윌킨슨 선생님 이상하게 들리겠지만, 빌리야…… 난 그동안 왕립 발레 학교를 생각해 봤는데 말이야. [중략]

빌리 전 실력이 안 돼요. 발레에 대해 아는 것도 없잖아요.

윌킨슨 선생님 네가 얼마나 잘하는지를 보는 게 아니야. 그건 학교에서 가르쳐 줄 거야. 그러니까 발레 학교지. 중요한 건 너의 동작이 어떻고, 스스로를 어떻게 표현하느냐 하는 거야.

빌리 뭘 표현해요?

윌킨슨 선생님 내가 보기에 넌 충분히 자질이 있어.

– 리 홀, 〈빌리 엘리엇〉 천(박) 금

━━━
이 작품은 발레 무용수가 되고 싶은 한 소년이 갈등과 역경을 극복하고 자신의 꿈을 이루어 나가는 과정을 그린 영화 시나리오입니다.

대표 유형 ❶ 작품의 내용 이해하기

1 이 글의 내용과 일치하지 않는 것은?

① 빌리의 할머니는 과거에 발레를 한 경험이 있다.

② 윌킨슨 선생님은 빌리가 발레에 소질이 있다고 생각한다.

③ 빌리는 발레 배우는 것을 아버지가 반대하자 속상해한다.

④ 윌킨슨 선생님은 빌리가 더 좋은 곳에서 발레를 배울 수 있도록 도와주려 한다.

⑤ 아버지는 빌리를 권투 선수로 키우고자 하는 욕심 때문에 빌리가 발레 배우는 것을 반대한다.

유형 해결 전략

문학 작품을 읽고 자신의 삶을 성찰하려면 우선 문학 작품의 ❶ [ ] 을/를 파악해야 한다. 이 글에서는 주인공 빌리가 처한 상황, 빌리와 주변 인물의 관계, 빌리가 ❷ [ ] 하는 까닭 등을 파악하며 작품의 내용을 이해하도록 한다.

답 ❶ 내용 ❷ 갈등

1-1 (가)와 (나)에 나타난 인물들의 관계를 다음과 같이 정리할 때, ㉠과 ㉡에 들어갈 알맞은 인물을 쓰시오.

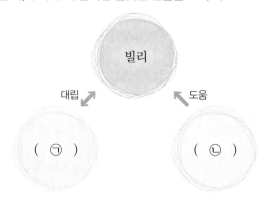

[2] 다음 글을 읽고, 물음에 답하시오.

　나는 오전에 자전거를 끌고 사람이 없는 운동장으로 갔다. 시멘트 계단 옆에 자전거를 세운 뒤 안장에 올라가서 발로 연단을 차는 힘으로 자전거의 주차 장치가 풀리면서 앞으로 나가도록 했다. 바퀴가 두 번도 구르기 전에 자전거는 멈췄고 나는 넘어졌다. 같은 식의 시행착오가 수백 번 거듭되었다. 정강이와 허벅지에 멍 자국이 생겨났고 팔과 손의 피부가 벗겨졌다. 나중에는 자전거를 일으키는 일조차 힘이 들었다. [중략]

　동네로 돌아오는 길에는 오십 미터쯤 되는 오르막이 있었다. 오르막에 올라서서 숨을 고르다가 문득 내리막을 달려 내려가면 자전거를 쉽게 탈 수 있지 않을까 하는 생각이 들었다. 내리막 아래쪽은 길이 휘어 있었고 정면에는 내가 어릴 적 물장구를 치고 놀던 도랑이 기다리고 있었다. [중략]
<small>매우 좁고 작은 개울.</small>

　그럼에도 불구하고 나는 돌을 딛고 자전거에 올라섰다. 어차피 가지 않으면 안 될 길, 나는 몸을 앞뒤로 흔들어 자전거를 출발시켰다. 자전거는 앞으로 나아가기 시작했다. 페달을 밟지 않고도 가속이 붙었다. 나는 난생처음 봄을 맞는 장끼처럼
<small>꿩의 수컷</small>
나도 모를 이상한 소리를 내지르며 자전거와 한 몸이 되어 달려 내려갔다. 가슴이 터질 듯 부풀었고 어질어질한 속도감에 사로잡혔다. 어느새 내 발은 페달을 차고 있었고 자전거는 도랑과 통통 옆을 지나고 있었다. 나는 삽시간에 어른이 된 기분으로 읍내로 가는 길을 내달렸다.

　그날 나는 내 근육과 뇌에 새겨진 평범한, 그러면서도 세상을 움직여 온 비밀을 하나 얻게 되었다. 일단 안장 위에 올라선 이상 계속 가지 않으면 쓰러진다. 노력하고 경험을 쌓고도 잘 모르겠으면 자연의 판단 — 본능에 맡겨라.

　　　　　　　　　– 성석제, 〈어느 날 자전거가 내 삶 속으로 들어왔다〉 동

이 작품은 글쓴이가 어린 시절에 자전거를 배우며 얻은 깨달음을 바탕으로 하여 쓴 수필입니다.

---

2 이 글에 나타난 글쓴이의 태도로 적절한 것은?

　① 스스로 하려는 의지가 부족하다.
　② 거듭된 실패에도 쉽게 단념하지 않는다.
　③ 공명심이 투철하고 불의한 일에 당당히 맞선다.
　④ 자신을 낮추고 다른 사람을 존중하는 모습을 보인다.
　⑤ 문제점을 발견하면 다른 사람의 도움을 통해 해결한다.

유형 해결 전략

수필은 글쓴이 자신이 서술의 주체인 '❶　　　'(으)로, 다른 문학 갈래에 비해 글쓴이의 체험과 태도, 가치관이 잘 드러난다. 이 글에는 자전거 타기에 도전하는 글쓴이의 모습과 글쓴이의 생각이나 느낌, ❷　　　, 그리고 자전거 타기 경험을 통해 얻은 깨달음이 잘 드러나 있다.

답 ❶ 나 ❷ 태도

2-1 이 글의 '나'에 대한 설명으로 적절하지 <u>않은</u> 것은?

　① 자전거 타기에 여러 번 실패했다.
　② 내리막길을 달리며 자전거를 타는 방법을 터득하였다.
　③ 일단 시작한 일은 중간에 그만둘 수 없음을 깨달았다.
　④ 자전거는 한 살이라도 더 어릴 때 배워야 쉽게 탈 수 있음을 깨달았다.
　⑤ 노력해도 일이 잘되지 않을 때에는 본능에 맡기는 것이 좋은 방법임을 알게 되었다.

도움말

글쓴이가 ❶　　　을/를 배운 경험에서 얻은 ❷　　　이/가 무엇인지 살펴보세요.

답 ❶ 자전거 ❷ 깨달음

[3] 다음 글을 읽고, 물음에 답하시오.

앞부분 줄거리 | 나비 수집을 좋아했던 하인리히는 이웃집에 사는 에밀이 공작나방을 잡았다는 소문을 듣고 에밀의 공작나방을 몰래 훔치려다가 실수로 망가뜨리게 된다.

　　그는 날개의 조각들을 정성껏 주워 모아서 작은 압지 위에
<u>잉크나 먹물 등으로 쓴 것이 번지거나 묻어나지 않도록 위에서 눌러 물기를 빨아들이는 종이.</u>
퍼 놓았어. 그러나 그것은 도저히 <u>본디</u> 모양으로 바로잡힐 가
<u>될 만하거나 가능성이 있는 희망.</u>
망은 없었고, 더듬이도 떨어진 그대로였어. 나는 그제야 그것
<u>'하인리히'를 가리킴.</u>
이 나의 <u>소행</u>인 것을 밝혔다네. 그랬더니 에밀은 격분하지도,
<u>이미 해 놓은 일이나 짓.</u>
큰 소리로 꾸짖지도 않고, 혀를 차며 한동안 나를 지켜보다가
<u>마음이 언짢거나 유감의 뜻을 나타내다.</u>
나직한 소리로,

　　"알았어. 말하자면 너는 그런 자식이란 말이지?"

라고 하더군. / 나는 그에게 내 장난감을 모두 주겠다고 했어. 하지만 그는 듣지 않고 냉담하게 앉아, 여전히 나를 비웃는 눈으로 지켜보고만 있었으므로, 이번에는 내가 수집한 나비를 전부 주겠다고 했지.

　　"뭐, 그렇게까지 하지 않아도 좋아. 나는 네가 모은 것들이 어떤 것인지 잘 알고 있어. 게다가 오늘은 너의 나비 다루는 성의가 어떻다는 것을 알 만큼은 알았어."

　　그 순간, 나는 녀석의 멱살을 움켜쥐고 늘어지고 싶었어. 이제는 아무런 도리가 없음을 알았다네. 나는 몹시 나쁜 놈으로 결정이 나고 에밀은 천하에 정직한 사람이 되어, 정의를 방패로 삼아 냉정하고 모멸적인 태도로 내 앞에 버티고 있었어. 그
<u>업신여기고 얕잡아 보는 느낌이 있는. 또는 그런 것.</u>
는 욕설을 늘어놓지도 않았고, 다만 나를 바라보면서 <u>경멸할</u>
<u>깔보아 업신여기다.</u>
따름이었지. / 그때 나는 비로소, 한번 저지른 일은 어떻게 해도 바로잡을 도리가 없다는 것을 깨달았다네.

– 헤르만 헤세, 〈공작나방〉 천(노) 동

<u>이 작품</u>은 나비 수집에 열정적이던 소년 하인리히가 이웃 에밀과의 갈등을 통해 정신적으로 성숙해 가는 과정을 그린 소설입니다.

대표 유형 ③ 작품의 주제 파악하기

3 하인리히가 어린 시절 에밀과의 일을 통해 얻은 깨달음으로 가장 적절한 것은?

 나는 에밀과의 일을 통해 (　　　　　　)는 것을 깨달았어.

① 준비된 자만이 기회를 얻는다
② 누구나 한 번쯤 실수할 수 있다
③ 한번 잘못을 저지르면 돌이킬 수 없다
④ 힘든 상황 속에서도 포기하지 않고 끝까지 노력해야 한다
⑤ 잘못을 저지른 상대방이 진심으로 사과하면 용서할 줄도 알아야 한다

유형 해결 전략

에밀의 **❶** 　 을/를 훔치고 망가뜨린 하인리히는 죄책감에 괴로워하다가 에밀에게 잘못을 고백하고 용서를 구하지만 에밀은 하인리히를 **❷** 　 하며 사과를 받아주지 않는다. 이러한 경험을 통해 하인리히가 깨우친 바가 무엇인지 생각해 본다.

답 ❶ 공작나방 ❷ 경멸

3-1 이 글의 주제로 적절한 것은?

① 용서하는 삶의 가치
② 나비 수집의 즐거움
③ 두 소년의 진정한 우정
④ 어린 시절의 즐거운 추억
⑤ 갈등과 깨달음을 통한 정신적 성장

[4] 다음 글을 읽고, 물음에 답하시오.

어느덧 걸음은 삼거리를 건너고 있었다. 문기 등 뒤에서 아주 멀리 뿡뿡 하고 자동차 소리와 비켜라 하는 사람의 소리가 나는 듯하더니 갑자기 귀밑에서 크게 울린다. 언뜻 돌아다보니 바로 눈앞에 자동차 머리가 달려든다. 그리고 문기는 으쓱하고 높은 데서 아래로 떨어지는 듯싶은 감과 함께 정신을 잃고 말았다. / 얼마 동안을 지났는지 모른다. 문기가 어렴풋이 눈을 떴을 때 무섭게 전등불이 밝아 눈이 부셨다. 문기는 다시 눈을 감았다. 두 번째 문기는 눈을 뜨자 희미하게 삼촌의 얼굴이 나타나며 그것이 차차 똑똑해지더니 삼촌은,

"너, 내가 누군 줄 알겠니?" / 하고 웃지도 않고 내려다본다.

문기는 이것도 꿈인가 하고 한번 웃어 주려면서 그대로 맑은 정신이 났다. 문기는 병원 침대 위에 누워 있었다. 어디 아픈 데는 없으면서도 몸을 움직일 수는 없다. 삼촌은 근심스러운 얼굴로 내려다본다.

"작은아버지." / 하고 문기는 입을 열었다. 그리고,

"저는 마땅히 받아야 할 벌을 받은 거예요."

하고 문기는 눈을 감으며 한 마디 한 마디 그러나 똑똑하게 처음서부터 끝까지 먼저 고깃간 주인이 일 원을 십 원으로 알고 거슬러 준 것, 그 돈을 써 버린 것, 그리고 또 붓장 안의 돈을 자기가 훔쳐 낸 것, 이렇게 하나하나 숨김없이 자백을 하자 이때까지 겹겹으로 몸을 싸고 있던 허물이 한 꺼풀 한 꺼풀 벗어지면서 따라 마음속의 어둠도 차차 사라지며 맑아 가는 것을, 문기는 확실히 깨달을 수 있었다. 마음이 맑아지며 따라 몸도 가뜬해진다.

– 현덕, 〈하늘은 맑건만〉 [천(박)][천(노)][미][창][지]

——
이 작품은 한 소년이 가게 주인의 실수로 거스름돈을 더 받은 일로 갈등을 겪으며 성장하는 모습을 그린 소설입니다.

---

4 이 작품을 읽은 독자의 감상으로 적절하지 <u>않은</u> 것은?

① 희서: 거짓말은 또 다른 거짓말을 낳는구나.
② 지유: 나도 이제부터는 잘못을 뉘우치면 그 즉시 바로잡아야겠어.
③ 태민: 잘못을 고백하고 용서를 구하는 일은 정말 큰 용기가 필요한 것 같아.
④ 시후: 맞아. 그래서 때로는 선의의 거짓말을 할 줄도 알아야 해.
⑤ 초은: 죄책감에 시달리지 않으려면 양심을 속이지 않고 늘 정직하게 살아야겠다는 생각이 들어.

유형 해결 전략

이 소설은 주인공 **❶**[   ]이/가 정직하지 못한 행동 때문에 갈등을 겪으며 성장하는 모습을 통해 '**❷**[   ]'(이)라는 보편적인 가치를 일깨워 주는 작품이다.

답 ❶ 문기 ❷ 정직

4-1 이 글을 바탕으로 할 때, 독자가 문기에게 쓴 편지의 내용으로 적절하지 <u>않은</u> 것은?

문기야, ①늦게라도 삼촌께 사실을 털어놓아 다행이야. ②마땅히 받아야 할 벌을 받았다고 하는 걸 보니 그동안 마음고생 많이 했겠구나. ③잘못을 숨기려고 네가 연거푸 잘못을 저지를 때에는 정말 안타까웠어. 나도 너와 비슷한 경험이 있거든. 모두 사실대로 말하고 용서받긴 했지만 ④나도 너처럼 여전히 죄책감에 시달리고 있어. ⑤그래도 용기를 내서 잘못을 자백하는 너의 모습에 감명받았어. 앞으로는 하늘을 마음껏 쳐다볼 수 있기를 바라.

도움말

병원에서 깨어난 문기는 **❶**[   ]에게 자신의 잘못을 모두 고백한 뒤, 마음속의 **❷**[   ]이/가 점차 사라지고 맑아지는 것을 느끼고 있어요.

답 ❶ 삼촌/작은아버지 ❷ 어둠

[01~02] 다음 글을 읽고, 물음에 답하시오.

가 문기는 아랫방에 내려와 혼자 되자 삼촌 앞에서보다 갑절 얼굴이 달아올랐다. 지금까지 될 수 있는 대로 생각지 않으려고 힘을 써 오던 그편에 정면으로 제 몸을 세워 놓고 보지 않을 수 없었다. 그러자 자기라는 봄은 벌써 삼촌의 이른바 나쁜 데 빠지고 만 것이었다. 그야 자기는 수만이가 시켜서 한 일이니까 잘못이 없다는 것이지만 당초에 그것은 제 허물을 남에게 밀려는 얄미운 구실이 아니고 뭐냐. 그리고 문기는 이미 삼촌을 속였다. 또 써서는 아니 될 돈을 쓰고 말았다. 아아, 일찍이 어머니를 여의고, 아버지란 사람은 일상 천냥만냥 하고 허한 소리만 하면서 남루한 주제에 거처가 없이 시골, 서울로 돌아다니는 사람이고, 어려서부터 문기를 길러 낸 사람이 삼촌이었다. 그리고 조카의 장래를 자기의 그것보다 더 중히 알고 염려하며 잘되어 주기를 바라는 삼촌이었다. 그 삼촌의 기대에 어그러지지 않는 인물이 되어 보이겠다고 엊그제도 주먹을 쥐고 결심하던 문기가 아니냐. 생각할수록 낯이 뜨거워지는 일이다.

나 문기는 병원 침대 위에 누워 있었다. 어디 아픈 데는 없으면서도 몸을 움직일 수는 없다. 삼촌은 근심스러운 얼굴로 내려다본다.

"작은아버지." / 하고 문기는 입을 열었다. 그리고,

"저는 마땅히 받아야 할 벌을 받은 거예요."

하고 문기는 눈을 감으며 한 마디 한 마디 그러나 똑똑하게 처음서부터 끝까지 먼저 고깃간 주인이 일 원을 십 원으로 알고 거슬러 준 것, 그 돈을 써 버린 것, 그리고 또 붙장 안의 돈을 자기가 훔쳐 낸 것, 이렇게 하나하나 숨김없이 자백을 하자 이때까지 겹겹으로 몸을 싸고 있던 허물이 한 꺼풀 한 꺼풀 벗어지면서 따라 마음속의 어둠도 차차 사라지며 맑아 가

는 것을, 문기는 확실히 깨달을 수 있었다. 마음이 맑아지며 따라 몸도 가뿐해진다.

내일도 해는 뜨고 하늘은 맑아지리라. 그리고 문기는 그 하늘을 떳떳이 마음껏 쳐다볼 수 있을 것이다.

– 현덕, 〈하늘은 맑건만〉 천(박) 천(노) 미 창 지

---

01 **(나)의 문기가 (가)의 문기와 다른 점이 아닌 것은?**
① 마음속 갈등이 사라졌다.
② 자신의 잘못을 알게 되었다.
③ 정신적으로 좀 더 성장하였다.
④ 하늘을 떳떳하게 바라볼 수 있게 되었다.
⑤ 자신이 저지른 잘못을 솔직하게 고백하였다.

02 **다음은 이 글을 읽은 독자들이 나눈 대화이다. ㉠과 ㉡에 들어갈 알맞은 말을 쓰시오.**

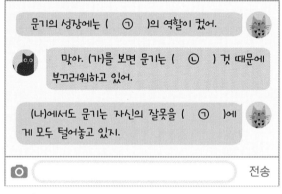

> 문기의 성장에는 (㉠)의 역할이 컸어.
>
> 맞아. (가)를 보면 문기는 (㉡) 것 때문에 부끄러워하고 있어.
>
> (나)에서도 문기는 자신의 잘못을 (㉠)에게 모두 털어놓고 있지.

―조건―
• ㉠에 들어갈 알맞은 인물을 쓸 것
• ㉡에는 ㉠과 관련하여 문기가 자신을 부끄러워하는 까닭을 쓸 것

도움말

(가)에서 ❶[문기]이/가 왜 괴로워하고 있는지를 살펴보고 문기가 자라는 데 ❷[부모님]와/과 같은 역할을 하는 존재가 누구인지 생각해 보세요. **답** ❶ 문기 ❷ 부모님

[03~04] 다음 글을 읽고, 물음에 답하시오.

㉮ 나는 주머니에서 손을 뽑아 나방을 책상 위에다 꺼내 놓았지. 나는 그것을 보기 전에 벌써 어떤 불행한 일이 생겼다는 것쯤은 미리 짐작했었어. 그저 울고 싶은 생각뿐이었지. 아니나 다를까, 나방은 보기 싫게 망그러져서 앞날개 하나와 더듬이 한 개가 떨어져 버렸어. 떨어진 날개를 조심스레 주머니 속에서 끄집어내리려고 하니까, 그나마 산산이 바스러져서 이제는 이어 붙일 수조차 없게 되었지. 도둑질을 했다는 사실보다도, 그 아름답고 찬란한 나방을 내 손으로 망가뜨렸다는 사실이 나로서는 더 괴로운 일이었다네.

㉯ 그지없이 슬픈 기분으로 집에 돌아와, 나는 온종일 좁은 뜰 안에 주저앉아 있었지. 그러다가 마침내 나는 용기를 내어, 모든 일을 어머니에게 말씀드렸다네. 어머니는 놀라움과 슬픔에 잠겨 어찌할 줄을 모르셨지만, 나의 이 고백이 얼마나 어려운 고민 끝에 나왔는지를 충분히 짐작하시는 것 같았어.

㉰ 나는 에밀을 찾아갔다네. 그는 나를 만나자 곧 공작나방에 관한 말을 꺼냈어. 누가 그랬는지 공작나방을 아주 못쓰게 만들어 놓았다고 하면서, 사람의 소행인지 혹은 고양이가 그랬는지 알 수 없는 일이라고 말하더군. [중략] 에밀이 그 날개를 손질하느라고 무척 고심한 흔적이 역력(歷歷)했다네. 그는 날
_{자취나 기미, 기억 따위가 환히 알 수 있게 또렷하다.}
개의 조각들을 정성껏 주워 모아서 작은 압지 위에 펴 놓았어. 그러나 그것은 도저히 본디 모양으로 바로잡힐 가망은 없었고, 더듬이도 떨어진 그대로였어. 나는 그제야 그것이 나의 소행인 것을 밝혔다네. 그랬더니 에밀은 격분하지도, 큰 소리로 꾸짖지도 않고, 혀를 차며 한동안 나를 지켜보다가 나직한 소리로,

"알았어. 말하자면 너는 그런 자식이란 말이지?"

라고 하더군.

㉱ 나는 그에게 내 장난감을 모두 주겠다고 했어. 하지만 그는 듣지 않고 냉담하게 앉아, 여전히 나를 비웃는 눈으로 지켜보고만 있었으므로, 이번에는 내가 수집한 나비를 전부 주겠다고 했지.

"뭐, 그렇게까지 하지 않아도 좋아. 나는 네가 모은 것들이 어떤 것인지 잘 알고 있어. 게다가 오늘은 ㉠너의 나비 다루는 성의가 어떻다는 것을 알 만큼은 알았어."

– 헤르만 헤세, 〈공작나방〉 천(노) 동

03 이 글을 통해 알 수 있는 내용으로 적절한 것은?

① 에밀은 '나'의 잘못을 용서해 주었다.

② '나'는 에밀의 공작나방에 관심이 없었다.

③ 에밀은 누가 공작나방을 망가뜨렸는지 모르고 있었다.

④ '나'는 훔친 공작나방을 다시 돌려놓으려 한 것을 후회했다.

⑤ '나'는 공작나방을 훔치고 망가뜨린 일을 엄마에게 고백한 것을 후회했다.

04 ㉠을 참고하여 (다)의 '그런 자식'이 어떤 사람을 의미하는지 생각해 보고, 빈칸에 들어갈 알맞은 말을 쓰시오.

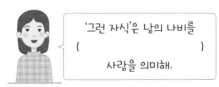

'그런 자식'은 낡의 나비를
(   )
사람을 의미해.

도움말

'그런 자식'은 에밀이 한 말로 '❶[   ]'을/를 가리키는 말이에요. '나'가 어떤 행동을 했고 그것에 대해 ❷[   ]이/가 어떻게 받아들이고 있는지 생각하며 그 의미를 짐작해 보세요.

답 ❶ 나 ❷ 에밀

[05~06] 다음 글을 읽고, 물음에 답하시오.

㉮ 나는 오전에 자전거를 끌고 사람이 없는 운동장으로 갔다. 시멘트 계단 옆에 자전거를 세운 뒤 안장에 올라가서 발로 연단을 차는 힘으로 자전거의 주차 장치가 풀리면서 앞으로 나가도록 했다. 바퀴가 두 번도 구르기 전에 자전거는 멈췄고 나는 넘겨졌다. 같은 식의 시행착오가 수백 번 거듭되었다. 정강이와 허벅지에 멍 자국이 생겨났고 팔과 손의 피부가 벗겨졌다. 나중에는 자전거를 일으키는 일조차 힘이 들었다. 마지막으로 쓰러졌을 때 ㉠어둠이 다가오고 있는 걸 알고는 막막한 마음에 자전거 옆에 한참 누워 있다가 일어났다.

㉯ 동네로 돌아오는 길에는 오십 미터쯤 되는 오르막이 있었다. 오르막에 올라서서 숨을 고르다가 문득 내리막을 달려 내려가면 자전거를 쉽게 탈 수 있지 않을까 하는 생각이 들었다. 내리막 아래쪽은 길이 휘어 있었고 정면에는 내가 어릴 적 물장구를 치고 놀던 도랑이 기다리고 있었다. 그리고 그 옆에는 다음 해 봄에 거름으로 쓸 분뇨를 모아 두는 '똥통'이 있었다.

㉰ 그럼에도 불구하고 나는 돌을 딛고 자전거에 올라섰다. 어차피 가지 않으면 안 될 길, 나는 몸을 앞뒤로 흔들어 자전거를 출발시켰다. 자전거는 앞으로 나아가기 시작했다. 페달을 밟지 않고도 가속이 붙었다. 나는 난생처음 봄을 맞는 장끼처럼 나도 모를 이상한 소리를 내지르며 자전거와 한 몸이 되어 달려 내려갔다. 가슴이 터질 듯 부풀었고 어질어질한 속도감에 사로잡혔다. 어느새 내 발은 페달을 차고 있었고 자전거는 도랑과 똥통 옆을 지나고 있었다. 나는 삽시간에 어른이 된 기분으로 읍내로 가는 길을 내달렸다.

㉱ 그날 나는 내 근육과 뇌에 새겨진 평범한, 그러면서도 세상을 움직여 온 비밀을 하나 얻게 되었다. 일단 안장 위에 올라선 이상 계속 가지 않으면 쓰러진다. 노력하고 경험을 쌓고도 잘 모르겠으면 자연의 판단 — 본능에 맡겨라.

　　　　　 – 성석제, 〈어느 날 자전거가 내 삶 속으로 들어왔다〉[동]

05 ㉠에 드러난 '나'의 심리로 가장 적절한 것은?
① 마지막 시도를 앞두고 긴장함.
② 앞으로 실력이 늘 것을 기대함.
③ 계속해서 실패하자 막막함을 느낌.
④ 자전거를 여러 번 타 본 것에 만족함.
⑤ 사람들이 지켜보는 것에 부담감을 느낌.

도움말

(가)에서 '나'가 처한 **❶** 이/가 어떠한지 생각해 보세요. '나'는 계속 자전거 타기에 도전하고 있지만 성공하지 못하고 계속해서 **❷** 하고 있어요.

답 ❶ 상황 **❷** 실패

06 다음은 이 글을 읽은 독자들의 대화이다. ⓐ와 ⓑ에 들어갈 알맞은 말을 (라)에서 찾아 쓰시오.

 한솔: 이 글의 글쓴이는 자전거를 배우면서 깨달은 것을 '(ⓐ)'(이)라는 표현으로 나타내고 있어.

 민규: 글쓴이가 그 전에는 잘 몰랐던 사실이라서 그렇게 표현한 것 같아.

 준우: 노력하고 경험을 쌓아도 잘되지 않을 때에는 (ⓑ)에 맡기고 몸과 마음이 가는 방향으로 밀어붙이라는 거지?

 승아: 그렇지. 말처럼 쉽지는 않겠지만 우선 잘 안 풀리는 이 문제부터 몸과 마음이 가는 대로 풀어 볼까?

[07~08] 다음 글을 읽고, 물음에 답하시오.

가 빌리의 집(아침)

아버지 발레가 뭐냐? / 빌리 발레가 어때서요?

아버지 발레가 어떠냐고? / 빌리 뭐가 이상한데요?

아버지 뭐가 이상하냐고?

할머니 나도 한때 발레를 하러 다녔는걸. / 빌리 봐요.

아버지 그래, 할머니한테는 그렇지. 여자들에겐 정상적이지
만 남자는 아니야. 빌리, 남자들은 축구나 권투나 레슬링을
하는 거야. 발레는 남자는 안 해.

빌리 누가 레슬링을 하는데요?

아버지 성질 돋우지 마라, 빌리.

빌리 전 잘못된 건 없다고 봐요.

아버지 무엇이 문제인지 네가 더 잘 알잖아.

빌리 (목소리 커지며) 몰라요.

중간 부분 줄거리 | 아버지의 반대에도 빌리는 열심히 발레를 배운다.
어느 날 밤, 체육관에서 빌리가 열정적으로 춤추는 것을 본 아버지는
빌리를 응원하기로 결심한다. 아버지와 형이 어렵게 모은 돈으로 빌
리는 아버지와 함께 왕립 발레 학교의 오디션에 참가한다.

나 오디션장

심사 위원 1 그럼, 몇 가지 묻겠습니다. 빌리, 발레에 관심을
갖게 된 계기가 무엇이었는지 말해 보겠니?

빌리 (한참을 생각하다가) 모르겠어요. (아버지와 눈이 마주치
자 심사 위원을 쳐다보며) 그냥요.

심사 위원 1 발레의 어떤 점이 좋았니? 특별히 끌린 점이라도
있니?

빌리 (심사 위원을 빤히 쳐다보며) 춤추는 거요. [중략]

심사 위원 3 마지막으로 한 가지만 물어봐도 될까, 빌리? 춤
을 출 때 어떤 느낌이 들지?

빌리 (잠시 생각하다가 차분한 목소리로) 모
르겠어요. 그냥 기분이 좋아요. 처음엔 좀
어색하지만 일단 추게 되면 모든 걸 잊게
돼요. 그러곤…… 잊게 돼요. 제가 아닌 것
처럼요. 제 몸이 변하는 느낌이 들어요. 마
치 불이 붙은 것처럼 뜨거워져요. (한숨 쉬

며) 마치 제가 나는 것 같아요. (위를 보며) 새처럼요. 마치 전
기에 감전된 것처럼요. 네, 감전요.

– 리 홀, 〈빌리 엘리엇〉 천(박) 금

07 이와 같은 글에 대한 설명으로 적절하지 <u>않은</u> 것은?

① 영화 상영을 전제로 한다.

② 인물, 사건, 배경을 중심으로 구성된다.

③ 실제 있었던 사건을 그대로 서술한 글이다.

④ 시간과 공간, 등장인물의 수에 제약이 거의 없다.

⑤ 지시문을 통해 인물의 동작과 표정 등을 설명한다.

도움말

이 글은 영화 상영을 목적으로 하여 쓴 ❶_____(으)로, 무대 상
연을 전제로 하는 희곡과 달리 시간과 ❷____, 등장인물의 수
에 제약이 거의 없어요.

답 ❶ 시나리오 ❷ 공간

08 이 글을 바탕으로 하여 제작한 영화의 감상평으로 적절하
지 <u>않은</u> 것은?

👤 💬 ⏱¹

💬 댓글 달기

민서 꿈을 이루기 위한 도전 의식이 돋보여
요. ………………………………………… ①

송비 춤에 대한 빌리의 순수한 열정에 감동했
습니다. ………………………………… ②

주현 진로와 관련하여 고민하는 사람에게 이
영화를 추천합니다. ……………………… ③

가을 재능을 타고나야만 꿈을 이룰 수 있다는
메시지를 전달하는 영화예요. ……… ④

형욱 남성다움이나 여성다움과 같은 편견에
대해 생각하게 하는 영화입니다. …… ⑤

01 성장과 성찰에 대해 잘못 이해한 사람을 고르시오.

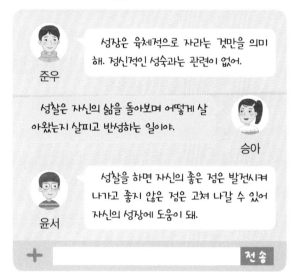

준우: 성장은 육체적으로 자라는 것만을 의미해. 정신적인 성숙과는 관련이 없어.

승아: 성찰은 자신의 삶을 돌아보며 어떻게 살아왔는지 살피고 반성하는 일이야.

윤서: 성찰을 하면 자신의 좋은 점은 발전시켜 나가고 좋지 않은 점은 고쳐 나갈 수 있어 자신의 성장에 도움이 돼.

전송

02 〈보기〉는 다음 시에 나타난 '어린 강물'의 공간 이동을 나타낸 것이다. ㉠과 ㉡에 들어갈 알맞은 말을 시에서 찾아 쓰시오.

> 바다가 가까워지자 어린 강물은 엄마 손을 더욱 꼭 그러쥔 채 놓지 않았습니다. 그러다가 그만 거대한 파도의 배 속으로 뛰어드는 꿈을 꾸다 엄마 손을 아득히 놓치고 말았습니다. 그래 잘 가거라 내 아들아. 이제부터는 크고 다른 삶을 살아야 된단다. 엄마 강물은 새벽 강에 시린 몸을 한번 뒤채고는 오리처럼 곧 순한 머리를 돌려 반짝이는 은어들의 길을 따라 산골로 조용히 돌아왔습니다.
>
> – 이시영, 〈성장〉 [금][교]

보기

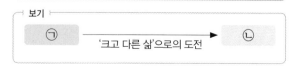

㉠ → '크고 다른 삶'으로의 도전 → ㉡

03 다음 시에서 〈보기〉의 밑줄 친 부분에 해당하는 시어를 찾아 쓰시오.

> 나는 어릴 때부터 그랬다. [중략]
> 지금도 칠칠치 못한 나는
> 사람에 걸려 넘어지고 부딪히며
> 마음에 딱지를 달고 다닌다.
> 그때마다 그 딱지에 아버지 말씀이 / 얹혀진다.
> 딱지를 떼지 말아라 딱지가 새살을 키운다.
>
>
>
> – 이준관, 〈딱지〉 [천][노]

보기

이 시는 시련을 극복하고 성장하는 모습을 상처가 회복되는 과정에 빗대어 표현하였다.

04 다음 글을 읽고, 인물에 관한 설명이 적절하면 ☺, 그렇지 않으면 ☹ 표시를 하시오.

> 심사 위원 3 춤을 출 때 어떤 느낌이 들지?
> 빌리 (잠시 생각하다가 차분한 목소리로) 모르겠어요. 그냥 기분이 좋아요. 처음엔 좀 어색하지만 일단 추게 되면 모든 걸 잊게 돼요. 그러곤…… 잊게 돼요. 제가 아닌 것처럼요. 제 몸이 변하는 느낌이 들어요. 마치 불이 붙은 것처럼 뜨거워져요. (한숨 쉬며) 마치 제가 나는 것 같아요. (위를 보며) 새처럼요. 마치 전기에 감전된 것처럼요. 네, 감전요.
>
> – 리 홀, 〈빌리 엘리엇〉 [천][박][금]

(1) 빌리가 정체성에 혼란을 느끼고 있다. (   )

(2) 빌리가 춤에 대한 자신의 열정을 솔직하게 말하고 있다. (   )

05 다음 시에 쓰인 시어와 그 의미를 바르게 연결하시오.

> 죽는 날까지 하늘을 우러러
> 한 점 부끄럼이 없기를,
> 잎새에 이는 바람에도 / 나는 괴로워했다.
> 별을 노래하는 마음으로
> 모든 죽어 가는 것을 사랑해야지.
> 그리고 나한테 주어진 길을 / 걸어가야겠다.
>
> — 윤동주, 〈서시(序詩)〉 지

(1) 하늘 •
(2) 별 •
(3) 길 •

• ㉠ 화자가 걸어가야 할 숙명

• ㉡ 화자가 바라는 희망과 이상의 세계

• ㉢ 부끄럽지 않은 삶을 판단하는 절대적 기준

06 다음 시에서 화자가 자신의 모습을 빗댄 대상을 찾아 쓰시오.

> 친구가 원수보다 더 미워지는 날이 많다
> 티끌만 한 잘못이 맷방석만 하게
> 동산만 하게 커 보이는 때가 많다
> 그래서 세상이 어지러울수록
> 남에게는 엄격해지고 내게는 너그러워지나 보다
> 돌처럼 잘아지고 굳어지나 보다

> — 신경림, 〈동해 바다〉 천(박)

07 다음 글을 읽고, 〈보기〉의 ㉠과 ㉡에 들어갈 알맞은 말을 쓰시오.

> 그날 나는 내 근육과 뇌에 새겨진 평범한, 그러면서도 세상을 움직여 온 비밀을 하나 얻게 되었다. 일단 안장 위에 올라선 이상 계속 가지 않으면 쓰러진다. 노력하고 경험을 쌓고도 잘 모르겠으면 자연의 판단 — 본능에 맡겨라.
>
> — 성석제, 〈어느 날 자전거가 내 삶 속으로 들어왔다〉 동

보기

이 글에는 때로는 (㉠)을/를 따라야 한다는 글쓴이의 깨달음이 나타나 있다. (㉡)은/는 이 글을 읽으며 글쓴이의 삶을 간접적으로 경험하고, 이를 자신의 삶과 관련지어 감상하며 삶을 성찰할 수 있다.

08 문학 작품을 읽고 성찰하는 방법을 잘못 이해한 사람을 고르시오.

시의 화자가 추구하는 삶의 태도를 파악하고 바람직한 삶의 태도가 무엇인지 생각해 볼 수 있어.
미주

소설 속 인물이 처한 상황을 파악하고 나라면 비슷한 상황에서 어떻게 할지 생각해 보는 것이 좋아.
민규

수필에 드러난 글쓴이의 생각과 가치관을 파악하고 그 가치관을 그대로 자신의 삶에 적용하는 것이 좋아.
한솔

01 〈보기〉는 다음 시의 화자와 형식을 바꾸어 다시 쓴 글이다. 〈보기〉의 ⓐ~ⓔ에 해당하는 시어를 찾아 그 기호를 쓰시오.

ㄱ바다가 가까워지자 ㄴ어린 강물은 엄마 손을 더욱 꼭 그러쥔 채 놓지 않았습니다. 그러다가 그만 거대한 ㄷ파도의 배 속으로 뛰어드는 꿈을 꾸다 엄마 손을 아득히 놓치고 말았습니다. 그래 잘 가거라 내 아들아. 이제부터는 크고 다른 삶을 살아야 된단다. ㄹ엄마 강물은 새벽 강에 시린 몸을 한번 뒤채고는 오리처럼 곧 순한 머리를 돌려 반짝이는 은어들의 길을 따라 ㅁ산골로 조용히 돌아왔습니다.

– 이시영, 〈성장〉 금교

─┤보기├─

ⓐ딸아, 드디어 네가 독립을 하는구나. 언젠가 이런 날이 올 줄은 알았지만 막상 이렇게 ⓑ대학교에 들어가면서 ⓒ집을 떠나게 되니 기특하면서도 걱정이 앞서는구나. 분명 쉽지는 않을 거야. 낯선 환경에서 겪는 ⓓ어려움도 많겠지. 하지만 잘 헤쳐 나가리라 믿는다. 점점 성장하는 모습이 벌써 눈앞에 보이는 듯해 ⓔ아빠는 너무 자랑스럽다. 잘하리라 믿는다. 사랑한다, 딸!

ⓐ	ⓑ	ⓒ	ⓓ	ⓔ

도움말

먼저 이 시에서 〈보기〉의 '딸'과 ' ❶ '에 대응하는 대상을 찾아보아요. 그리고 〈보기〉의 ' ❷ '처럼 새롭고 낯선 공간에 해당하는 것을 이 시에서 찾고, 그곳에서 겪는 어려움을 의미하는 것이 무엇인지 찾아보세요. **답** ❶ 아빠 ❷ 대학교

02 다음 시에서 시간의 흐름에 따른 화자의 태도를 〈보기 1〉과 같이 정리할 때, ㉠~㉢에 들어갈 알맞은 말을 〈보기 2〉에서 골라 쓰시오.

죽는 날까지 하늘을 우러러
한 점 부끄럼이 없기를,
잎새에 이는 바람에도
나는 괴로워했다.
별을 노래하는 마음으로
모든 죽어 가는 것을 사랑해야지.
그리고 나한테 주어진 길을
걸어가야겠다.

오늘 밤에도 별이 바람에 스치운다.

– 윤동주, 〈서시(序詩)〉 지

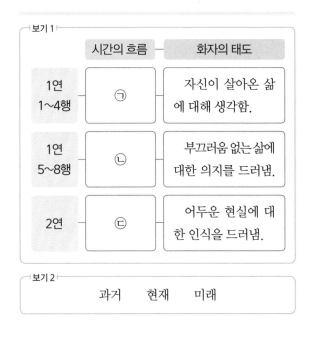

─┤보기 1├─

시간의 흐름 →	화자의 태도
1연 1~4행 → ㉠	자신이 살아온 삶에 대해 생각함.
1연 5~8행 → ㉡	부끄러움 없는 삶에 대한 의지를 드러냄.
2연 → ㉢	어두운 현실에 대한 인식을 드러냄.

─┤보기 2├─

과거   현재   미래

도움말

시에 나타난 시간의 흐름은 서술어를 통해 파악할 수도 있어요. '괴로워했다'는 ❶ , '걸어가야겠다'는 ❷ , '스치운다'는 현재를 나타내요.

답 ❶ 과거 ❷ 미래

03 다음 시를 읽고, ㉠에 들어갈 적절한 댓글을 〈조건〉에 맞게 쓰시오.

> 나는 어릴 때부터 그랬다.
> 칠칠치 못한 나는 걸핏하면 넘어져
> 무릎에 딱지를 달고 다녔다. [중략]
> 딱지를 떼어 내지 말아라 그래야 낫는다.
> 아버지 말씀대로 그대로 놓아두면
> 까만 고약 같은 딱지가 떨어지고
> 딱정벌레 날개처럼 하얀 새살이 / 돋아나 있었다.
> 지금도 칠칠치 못한 나는
> 사람에 걸려 넘어지고 부딪히며
> 마음에 딱지를 달고 다닌다.
> 그때마다 그 딱지에 아버지 말씀이 / 얹혀진다.
> 딱지를 떼지 말아라 딱지가 새살을 키운다.
>
> – 이준관, 〈딱지〉 천(노)

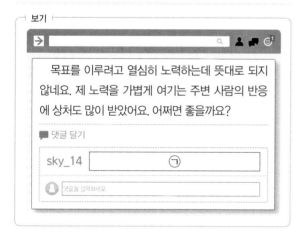

┌─ 보기 ─
│
│ 목표를 이루려고 열심히 노력하는데 뜻대로 되지
│ 않네요. 제 노력을 가볍게 여기는 주변 사람의 반응
│ 에 상처도 많이 받았어요. 어쩌면 좋을까요?
│
│ 💬 댓글 달기
│
│ sky_14   ㉠
│
│ 🧑 댓글을 입력하세요.
└─

┌─ 조건 ─
│ • 〈보기〉의 글쓴이에게 공감하는 말을 쓸 것
│ • 시에 나타난 표현을 활용하여 글쓴이에게 힘이
│   되는 말을 쓸 것
└─

(도움말)

먼저 시를 읽고, 시에서 전달하고자 하는 바가 무엇인지 생각해 보세요. 그리고 〈보기〉의 글쓴이가 어떤 ❶ □□ 에 있는지 살펴보고 시의 내용 가운데 ❷ □□□ 의 상황에 도움이 될 만한 내용이 무엇일지 생각해 보세요. 답 ❶ 상황 ❷ 글쓴이

04 다음 시를 읽고, 시에 나타난 화자의 성찰을 아래와 같이 정리할 때, 빈칸에 들어갈 내용으로 적절한 것은?

> 친구가 원수보다 더 미워지는 날이 많다
> 티끌만 한 잘못이 맷방석만 하게
> 동산만 하게 커 보이는 때가 많다
> 그래서 세상이 어지러울수록
> 남에게는 엄격해지고 내게는 너그러워지나 보다
> 돌처럼 잘아지고 굳어지나 보다
>
> 멀리 동해 바다를 내려다보며 생각한다
> 널따란 바다처럼 너그러워질 수는 없을까
> 깊고 짙푸른 바다처럼
> 감싸고 끌어안고 받아들일 수는 없을까
> 스스로는 억센 파도로 다스리면서
> 제 몸은 맵고 모진 매로 채찍질하면서
>
> – 신경림, 〈동해 바다〉 천(박)

고치고 싶은 점	남의 잘못은 작은 것도 그냥 지나치지 않는다.
닮고 싶은 대상과 까닭	

① 단단한 돌처럼 강한 힘을 갖고 싶다.
② 널따란 바다처럼 너그러운 마음을 갖고 싶다.
③ 작은 돌을 본받아 작지만 강인한 사람이 되고 싶다.
④ 짙푸른 바다처럼 나만의 색깔을 가진 개성 있는 사람이 되고 싶다.
⑤ 억센 파도처럼 시련에도 굴하지 않고 끊임없이 도전하는 정신력을 갖고 싶다.

(도움말)

이 시의 ❶ □□ 이/가 추구하는 바람직한 삶의 태도가 무엇인지 파악해야 해요. 화자가 고치고 싶어 하는 점을 참고하여, 시에서 화자가 닮고 싶어 하는 ❷ □□ 을/를 찾아보세요. 답 ❶ 화자 ❷ 대상

05 다음 글을 읽은 독자의 감상으로 적절하지 <u>않은</u> 것은?

문기는 아랫방에 내려와 혼자 되자 삼촌 앞에서보다 갑절 얼굴이 달아올랐다. 지금까지 될 수 있는 대로 생각지 않으려고 힘을 써 오던 그편에 정면으로 제 몸을 세워 놓고 보지 않을 수 없었다. 그러자 자기라는 몸은 벌써 삼촌의 이른바 나쁜 데 빠지고 만 것이었다. 그야 자기는 수만이가 시켜서 한 일이니까 잘못이 없다는 것이지만 당초에 그것은 제 허물을 남에게 밀려는 얄미운 구실이 아니고 뭐냐. 그리고 문기는 이미 삼촌을 속였다. 또 써서는 아니 될 돈을 쓰고 말았다. [중략] 그 삼촌의 기대에 어그러지지 않는 인물이 되어 보이겠다고 엊그제도 주먹을 쥐고 결심하던 문기가 아니냐. 생각할수록 낯이 뜨거워지는 일이다.

– 현덕, 〈하늘은 맑건만〉 천(박) 천(노) 미 창 지

①
나도 문기처럼 잘못을 저지르고 혼날까 봐 거짓말을 한 적이 있어. 정말 괴로웠지.

②
그랬구나. 잘못을 덮으려고 거짓말을 하면 문기처럼 더 괴로워지게 되는 것 같아.

③
잘못을 저지를 경우엔 자기 잘못을 뉘우치고 바로잡으려 노력하는 것이 중요해.

④
맞아. 지금 문기에게는 잘못을 바로잡을 수 있는 기회가 온 거야.

⑤
그런데 문기는 아직 자기가 무슨 잘못을 했는지 모르고 있어.

<도움말>
문기는 잘못 받은 거스름돈을 쓴 것, 삼촌에게 거짓말을 한 것을 반성하며 ❶ 의 기대에 어긋난 행동을 한 것에 부끄러움과 ❷ 의 가책을 느끼고 있어요.

답 ❶ 삼촌 ❷ 양심

---

06 다음 글에 나타난 깨달음과 그에 대한 독자의 감상을 아래와 같이 정리할 때, ㉠~㉢에 들어갈 알맞은 말을 쓰시오.

나는 에밀을 찾아갔다네. 그는 나를 만나자 곧 공작나방에 관한 말을 꺼냈어. 누가 그랬는지 공작나방을 아주 못쓰게 만들이 놓았다고 하면서, 사람의 소행인지 혹은 고양이가 그랬는지 알 수 없는 일이라고 말하더군. [중략] 나는 그제야 그것이 나의 소행인 것을 밝혔다네. 그랬더니 에밀은 격분하지도, 큰 소리로 꾸짖지도 않고, 혀를 차며 한동안 나를 지켜보다가 나직한 소리로,

"알았어. 말하자면 너는 그런 자식이란 말이지?"

라고 하더군. [중략] 그는 욕설을 늘어놓지도 않았고, 다만 나를 바라보면서 경멸할 따름이었지.

그때 나는 비로소, 한번 저지른 일은 어떻게 해도 바로잡을 도리가 없다는 것을 깨달았다네.

– 헤르만 헤세, 〈공작나방〉 천(노) 동

> 그때 나는 비로소, 한번 저지른 일은 어떻게 해도 바로잡을 도리가 없다는 것을 깨달았다네.

동의한다.	동의하지 않는다.
망가진 (㉠)을/를 원래대로 되돌릴 수 없듯이 '나'를 경멸하게 된 (㉡)의 마음도 되돌릴 수 없다. 순간의 (㉢)된 판단 때문에 평생 후회하며 지낼 수도 있으니 항상 신중해야 한다.	바로잡으려고 노력한 다면 (㉡)을/를 어느 정도 만회할 수 있다고 생각한다. 망가진 (㉠)은/는 어쩔 수 없지만, 진심으로 사과한다면 (㉡)의 마음을 조금이라도 풀어 줄 수 있을 것이다.

<도움말>
㉠에는 '❶ '가 망가뜨린 것, ㉡에는 '나'에게 냉담한 반응을 보이는 ❷ 의 이름이 들어가야 해요. 그리고 앞뒤 문맥을 살펴 ㉢에 들어갈 적절한 말을 생각해 보세요.

답 ❶ 나 ❷ 인물

07 다음 글을 읽고 작성한 댓글의 내용으로 적절하지 <u>않은</u> 것은?

바퀴가 두 번도 구르기 전에 자전거는 멈췄고 나는 넘어졌다. 같은 식의 시행착오가 수백 번 거듭되었다. 정강이와 허벅지에 멍 자국이 생겨났고 팔과 손의 피부가 벗겨졌다. [중략] 내리막 아래쪽은 길이 휘어 있었고 정면에는 내가 어릴 적 물장구를 치고 놀던 도랑이 기다리고 있었다. 그리고 그 옆에는 다음 해 봄에 거름으로 쓸 분뇨를 모아 두는 '똥통'이 있었다. 내가 자전거를 통제하지 못하게 된다면 결말은 단순했다. 운 좋으면 도랑, 나쁘면 똥통.

그럼에도 불구하고 나는 돌을 딛고 자전거에 올라섰다. 어차피 가지 않으면 안 될 길, 나는 몸을 앞뒤로 흔들어 자전거를 출발시켰다. 자전거는 앞으로 나아가기 시작했다. 페달을 밟지 않고도 가속이 붙었다. 나는 난생처음 봄을 맞는 장끼처럼 나도 모를 이상한 소리를 내지르며 자전거와 한 몸이 되어 달려 내려갔다.

– 성석제, 〈어느 날 자전거가 내 삶 속으로 들어왔다〉 동

→   🔍   👤 💬 😊¹

⌐ 은비: 과감한 도전 정신에 '좋아요' 드려요. … ①

⌐ 민형: 계속된 실패에도 단념하지 않고 도전하는 걸 보니 존경스럽네요. ………………… ②

⌐ 유원: 실패의 원인을 파악하고 분석하는 글쓴이의 꼼꼼함을 배우고 싶어요. ……………… ③

⌐ 채리: 저도 자전거 타기에 성공했을 때 무척 흥분했지요. 그때가 생각나네요. ………… ④

⌐ 예준: 그 과정이 어렵고 힘들수록, 성공적인 결과를 얻었을 때 더 기쁘기 마련이죠. ……… ⑤

(도움말)

글쓴이는 **❶** 을/를 되풀이하며 **❷** 타기에 계속 실패하다가 내리막길에서 드디어 중심을 잡고 넘어지지 않게 되었지요. 글쓴이가 자전거 타기에 성공하게 된 비결을 생각해 보세요.

답 ❶ 시행착오 ❷ 자전거

---

08 다음 글을 바탕으로 할 때, 빌리의 면접 평가 내용으로 적절하지 <u>않은</u> 것은?

(가) 오디션장

심사 위원 1   그럼, 몇 가지 묻겠습니다. 빌리, 발레에 관심을 갖게 된 계기가 무엇이었는지 말해 보겠니?

빌리   (한참을 생각하다가) 모르겠어요. (아버지와 눈이 마주치자 심사 위원을 쳐다보며) 그냥요.

심사 위원 1   발레의 어떤 점이 좋았니? 특별히 끌린 점이라도 있니?

빌리   (심사 위원을 빤히 쳐다보며) 춤추는 거요.

(나) 심사 위원 1   엘리엇 씨, 발레를 잘 아십니까?

아버지   솔직히 발레를 잘 안다고는 말 못하겠군요. [중략]

심사 위원 3   춤을 출 때 어떤 느낌이 들지?

빌리   (잠시 생각하다가 차분한 목소리로) 모르겠어요. 그냥 기분이 좋아요. 처음엔 좀 어색하지만 일단 추게 되면 모든 걸 잊게 돼요. 그러곤…… 잊게 돼요. 제가 아닌 것처럼요. 제 몸이 변하는 느낌이 들어요. 마치 불이 붙은 것처럼 뜨거워져요.

– 리 홀, 〈빌리 엘리엇〉 전(박) 금

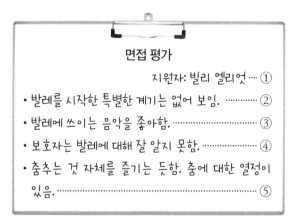

면접 평가

지원자: 빌리 엘리엇 …… ①

• 발레를 시작한 특별한 계기는 없어 보임. ………… ②

• 발레에 쓰이는 음악을 좋아함. ……………… ③

• 보호자는 발레에 대해 잘 알지 못함. ……………… ④

• 춤추는 것 자체를 즐기는 듯함. 춤에 대한 열정이 있음. ……………………………… ⑤

(도움말)

심사 위원과 **❶** , 아버지가 나누는 **❷** 의 내용과 일치하지 않는 것을 찾아보세요.

답 ❶ 빌리 ❷ 대화

권말 정리 마무리 전략

1주_비유와 상징

✡ 비유의 개념
- 표현하려는 대상(원관념)을 그와 비슷한 다른 대상(보조 관념)에 빗대어 표현하는 방법.
- 비유의 종류에는 직유법, 은유법, 의인법 등이 있음.

쟁반같이 둥근 달 ➡ 직유법

내 마음은 호수요. ➡ 은유법

해님이 웃는다. ➡ 의인법

✡ 비유의 효과
- 표현하려는 대상의 모습이나 대상이 주는 느낌을 생생하게 전달할 수 있음.
- 재미있고 참신한 느낌을 줄 수 있음.

✡ 상징의 개념
- 인간의 감정, 사상 등의 추상적인 관념을 구체적인 사물로 나타내는 방법.

✡ 상징의 효과
- 인간의 사상이나 감정 등과 같은 추상적인 관념을 구체적으로 드러낼 수 있음.
- 겉으로 드러나지 않은 상징적 의미를 생각해 봄으로써 작품을 깊이 있게 감상할 수 있음.

이것은 행운을 상징하지.

2주_갈등

✡ 갈등의 개념
- 문학 작품에서 인물의 마음속에 여러 가지 생각이 얽혀 있거나 인물과 다른 대상이 대립 관계에 있음을 나타내는 말.

✹ 갈등의 유형

- 내적 갈등: 한 인물의 마음속에서 두 가지 이상의 욕구가 동시에 일어나서 생기는 갈등.

- 외적 갈등: 한 인물과 다른 인물 또는 그 인물을 둘러싼 외부 환경 사이에서 일어나는 갈등으로 인물과 인물의 갈등, 인물과 사회의 갈등 등이 있음.

3주_성장과 성찰

✹ 성찰의 개념

- 자신의 삶을 돌아보며 어떻게 살아왔는지 살피고 반성하는 일.

✹ 문학 작품 감상과 삶의 성찰

- 독자는 문학 작품을 감상하며 작품에 담긴 다양한 삶의 모습을 간접적으로 경험하고 이해함.
- 독자는 다양한 삶의 모습을 이해하는 데 그치지 않고 자신의 삶을 성찰할 수 있음.

[01~02] 다음을 읽고, 물음에 답하시오.

가 푸른 바다에 고래가 없으면 / 푸른 바다가 아니지
　　마음속에 푸른 바다의 ┐
　　고래 한 마리 키우지 않으면 ⊙
　　청년이 아니지 ┘

　　푸른 바다가 고래를 위하여
　　푸르다는 걸 아직 모르는 사람은 / 아직 사랑을 모르지

　　고래도 가끔 수평선 위로 치솟아 올라 / 별을 바라본다
　　나도 가끔 내 마음속의 고래를 위하여
　　밤하늘 별들을 바라본다

　　　　　　　　　　－ 정호승, 〈고래를 위하여〉 🔲

나 연습은 참으로 피나는 것이었다. 뱃속에서 꼬르륵거리는 소리가 나도 누구 하나 배고프다는 말을 하지 않았다. 연습이 끝나면 또 작전 계획을 세우고 검토했다. 그러노라면 어느새 하늘에 푸른 별이 떴다. [중략]

　　"아빠, 우린 해야 돼. 다음번엔 우승해야 돼. 선생님이 다 나으실 때까지 우린 누구 하나도 기죽을 수 없어."

　　막내는 이야기를 마치면서 이렇게 말했다. 나는 아무 말도 하지 못했다. 무슨 망국민의 독립운동사라도 읽은 것처럼 감동 비슷한 것이 가슴에 꽉 차 오르는 것 같았다. 학교라는 데는 단순히 국어, 수학이나 가르치는 데가 아니구나 하는 생각도 들었다. / 이튿날 밤 나는 늦게 돌아오는 막내의 방망이를 미더운 마음으로 소중하게 받아 주었다. 그때도 막내와 그 애의 친구 애들의 초롱초롱한 눈 같은 맑고 푸른 별이 두어 개 하늘에 떠 있었다.

　　　　　　　　　　－ 정진권, 〈막내의 야구 방망이〉 🔲

01 다음 글을 참고할 때 ⊙의 의미로 적절한 것은?

　　시 〈고래를 위하여〉는 이 시대를 살아가는 청년들을 위해 쓴 시이다. 화자는 꿈과 희망, 목표를 추구하는 존재를 푸른 바다에 사는 고래로 나타내고, 꿈과 희망, 목표를 추구하는 행동을 별을 바라보는 고래의 행동으로 형상화하고 있다.

① 목표를 이루려면 끊임없이 노력해야 한다.
② 청년이 청년다우려면 희망과 꿈을 지녀야 한다.
③ 청년이라면 꿈을 꾸기보다는 사랑을 해야 한다.
④ 실제로 노력하지 않고 꿈만 꾸는 것은 의미가 없다.
⑤ 청소년기에 세운 삶의 목표는 어른이 되었을 때 바꿔야 한다.

서술형
02 다음 대화의 ⓐ와 ⓑ에 들어갈 알맞은 말을 〈조건〉에 맞게 쓰시오.

> **한솔:** (가)와 (나)에는 '(ⓐ)'(이)라는 똑같은 소재가 나타나는데 (가)와 (나)에서 각각이 상징하는 의미가 달라.
>
> **윤서:** 맞아. (가)에서는 (ⓑ)을/를 의미하고, (나)에서는 막내와 막내 친구들의 순수한 동심을 의미하는 것 같아.

조건
• ⓐ에 들어갈 알맞은 시어를 찾아 쓸 것
• ⓑ에는 (가)에서 ⓐ가 상징하는 의미를 한 단어로 쓸 것

도움말
(가)는 청년들이 **❶**[　　　]을/를 잃지 않고 **❷**[　　　]을/를 추구하면서 살아가기를 바라는 마음을 노래한 시예요.

답 ❶ 꿈 ❷ 이상

[03~04] 다음 시를 읽고, 물음에 답하시오.

가 밤하늘은

별들의 운동장

오늘따라 별들 부산하게 바자닌다.
'바장이다'의 옛말. 부질없이 짧은 거리를 오락가락 거닐다.
운동회를 벌였나

아득히 들리는 함성,

먼 곳에서 아슴푸레 빈 우레 소리 들리더니

빗나간 야구공 하나

쨍그랑

유리창을 깨고

또르르 지구로 떨어져 구른다.

– 오세영, 〈유성〉 비

나 교실은 온통 별밭이다.

초롱초롱 반짝이는 너희들의 눈

별 하나의 꿈,

별 하나의 희망,

별 하나의 이상,

교실은 흐드러진 장미밭이다.

까르르 웃는 너희들의 웃음

장미 한 송이의 사랑,

장미 한 송이의 열정,

장미 한 송이의 순결,

– 오세영, 〈별처럼 꽃처럼〉 천(노) 교

03 다음 게시 글에 달린 댓글 중 적절하지 **않은** 것은?

국어 선생님
오늘, 오후 04:03

시 〈유성〉의 3행 '오늘따라 별들 부산하게 바자닌다.'에 쓰인 비유법을 사용하여, 꽃이 핀 모습을 표현해 봅시다.

💬 댓글 달기

주영 꽃님이 환하게 웃는다. ……………………………… ①

민후 장미가 앵두처럼 빨갛다. ……………………………… ②

소민 해바라기가 해님에게 말을 건다. …………………… ③

세찬 개나리가 수줍게 얼굴을 내밀었다. ………… ④

동해 잠에서 깬 진달래가 아침 인사를 한다. …… ⑤

댓글을 입력하세요.

도움말

'오늘따라 별들 부산하게 바자닌다.'에서는 밤하늘에 반짝이는 **❶**　　　을/를 **❷**　　　처럼 표현하고 있어요.

답 ❶ 별 ❷ 사람

04 (가)와 (나)의 공통점과 차이점을 정리한 것으로 적절하지 **않은** 것은?

[공통점]

• 비유가 쓰였다. ……………………………………… ①

• 의성어가 쓰였다. ………………………………… ②

• 시각적 심상과 청각적 심상이 나타나 있다.… ③

[차이점]

• (가)는 (나)와 달리 의인법이 쓰였다. ……… ④

• (나)는 (가)와 달리 은유법이 쓰였다. ……… ⑤

[05~06] 다음 글을 읽고, 물음에 답하시오.

㉮ 언제나 다름없이 여러 아이들은 넓은 운동장에서 마음대로 뛰고 마음대로 지껄이고 마음대로 즐기건만 문기 한 사람만은 이둠과 같이 컴컴하고 무거운 마음에 잠겨 고개를 들지 못한다. 무엇보다도 문기는 전날처럼 맑은 하늘 아래서 아무 거리낌 없이 즐길 수 있는 마음이 갖고 싶다. 떳떳이 하늘을 쳐다볼 수 있는, 떳떳이 남을 대할 수 있는 마음이 갖고 싶었다. [중략]

문기는 선생님 앞에 엎드려 모든 것을 자백할 결심이었다. 그런데 선생님의 부드러운 태도에 도리어 문기는 말문이 열리지 않았다. 다음은 건넌방에서 어린애가 울어 못 했다. 다음은 사모님이 들락날락하고 그리고 다음엔 손님이 왔다. 기어이 문기는 입을 열지 못한 채 물러 나오고 말았다.

먼저보다 갑절 무겁고 컴컴한 마음이었다. 도저히 문기의 약한 어깨로는 지탱하지 못할 무거운 눌림이다. 걸음은 집을 향해 가는 것이지만 반대로 마음은 멀어진다. 장차 집엘 가서 대할 숙모가 두려웠고 삼촌이 두려웠고 더욱이 점순이가 두려웠다.

— 현덕, 〈하늘은 맑건만〉 천(박) 천(노) 미 창 지

㉯ 아버지는 화병으로 몸져눕고 집안 형편은 말이 아니었다. 수남이는 드디어 어느 날 형이 그랬던 것처럼 서울 가서 돈 벌어 오겠다고 집을 나섰다. 아버지는 말리지 않았다. 문지방을 짚고 일어나 앉아서 띄엄띄엄 수남이를 타일렀다.

"무슨 짓을 하든지 그저 도둑질을 하지 마라, 알았쟈."

그런데 도둑질을 하고 만 것이다. 하지만 수남이는 스스로 그것을 결코 도둑질이 아니었다고 변명을 한다.

그런데 왜 그때, 그렇게 떨리고 무서우면서도 짜릿하니 기분이 좋았던 것인가? 문제는 그때의 그 쾌감이었다. 자기 내부에 도사린 부도덕성이었다. 오늘 한 짓이 도둑질이 아닐지 모르지만 앞으로 도둑질을 할지도 모르겠다는 생각이 들었다. 형의 일이 자기와 정녕 무관한 일이 아니란 생각이 들었다.

— 박완서, 〈자전거 도둑〉 비 금 교

---

05 (가)와 (나)의 공통점으로 적절한 것은? (정답 2개)
① 주인공은 자신이 부도덕하다고 여긴다.
② 주인공이 내적 갈등을 겪으며 괴로워한다.
③ 인물의 갈등이 해소되는 모습이 나타난다.
④ 주인공은 자기 잘못을 모두 자백하려 한다.
⑤ 주인공이 다른 인물과 대립하며 서로 갈등한다.

서술형
06 (가)의 내용을 참고하여 학생의 질문에 작가가 답했을 말을 한 문장으로 쓰시오.

> 작가님, '하늘은 맑건만'이라고 제목을 붙이신 이유는 무엇인가요?

[ ]

조건
• 문기의 심리와 관련하여 쓸 것
• 작가의 의도가 드러나도록 '~을/를 강조하기 위해서입니다.' 형식의 한 문장으로 쓸 것

도움말
이 글에서 문기는 ❶ [ ] 을/를 저질렀기에 ❷ [ ] 을/를 떳떳하게 바라보지 못하고 있어요.

답 ❶ 잘못 ❷ 하늘

[07~08] 다음 글을 읽고, 물음에 답하시오.

가 "느 집엔 이거 없지?" / 하고 생색 있는 큰소리를 하고는 제가 준 것을 남이 알면은 큰일 날 테니 여기서 얼른 먹어 버리란다. 그리고 또 하는 소리가 / "너 봄 감자가 맛있단다."

"난 감자 안 먹는다, 니나 먹어라."

나는 고개도 돌리지 않고 일하던 손으로 그 감자를 도로 어깨 너머로 쑥 밀어 버렸다.

그랬더니 그래도 가는 기색이 없고, 그뿐만 아니라 쌔근쌔근하고 심상치 않게 숨소리가 점점 거칠어진다. [중략]

점순이가 즈 집 봉당에 홀로 걸터앉았는데, 아 이게 치마 앞에다 우리 씨암탉을 꼭 붙들어 놓고는

"이놈의 닭! 죽어라, 죽어라."

요렇게 암팡스레 패 주는 것이 아닌가. 그것도 대가리나 치면 모른다마는 아주 알도 못 낳으라고 그 볼기짝께를 주먹으로 콕콕 쥐어박는 것이다.　　　– 김유정, 〈동백꽃〉 비 동

나 용왕　(야단치며) 내가 물속에 사는 온갖 약초를 다 먹어 보았지만, 아직도 아프질 않느냐!

고등어　황공하오이다, 마마. [중략]

용왕　듣기 싫어! 황공이고 무지고 그런 소리 말고 내 병이 깔끔히 나을 묘수를 말하란 말이다.
　　　묘한 기술이나 수.

꼴뚜기　폐하! 약초보다는 어패류가 나은 줄 아뢰오.

용왕　어패류가 무엇을 말하는고? 신약이 나왔단 말이냐?

문어　어패류란 물고기나 조개 종류를 말하는 것인 줄 아뢰오.

용왕　물고기…… 너희를 먹으라고?

　　용왕 놀란다. / 용왕 구역질을 한다.
　　신하들은 깜짝 놀라 꼴뚜기를 두드려 팬다.

뱀장어　어물전 망신은 꼴뚜기가 시킨다더니, 아예 용궁 망신까지 시키는구나. 누굴 먹어?

꼴뚜기　(분해서) 폐하! 예로부터 뱀장어가 몸에 좋고 기력이 살아난다는 명약으로 알려졌다고 합니다.

뱀장어　(당황해서) 폐하! 죄송스러우나 지난 여섯 달간 다이어트를 하고 있어서 약 될 것이 없는 줄 아뢰오. 차라리 제

사촌 전기뱀장어가 어떨는지요.

전기뱀장어　이런 의리 없는 사촌을 봤나. 폐하! 제 몸은 전기가 흐르고 있어 물속에서 드시면 전기가 올라 입이 삐뚤어진다고 하옵니다. 저보다는 도루묵이 어떨는지요.

　　　　　　　– 엄인희, 〈토끼와 자라〉 미

07 (가)의 점순이가 자신의 입장을 SNS에 올린다고 할 때 덧붙일 해시태그로 적절하지 **않은** 것은?

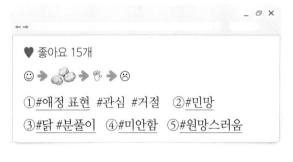

♥ 좋아요 15개

☺ ➜ 🪨 ➜ ✋ ➜ ☹

①#애정 표현 #관심 #거절　②#민망
③#닭 #분풀이　④#미안함　⑤#원망스러움

도움말

점순이는 '나'에게 관심이 있어 ❶ [　　　　]을/를 건넸는데 '나'가 이를 눈치채지 못하고 ❷ [　　　　]하고 말았어요. 자신의 호의를 거절당한 점순이의 심정이 어떠할지 생각해 보세요.

　　　　　　답 ❶ 감자 ❷ 거절

서술형

08 다음은 (나)에 나타난 갈등의 진행 과정을 정리한 것이다. 빈칸에 들어갈 알맞은 내용을 쓰시오.

┌─────────────────────┐
│ 용왕이 자신의 병을 낫게 할 │
│ 묘수를 말하라고 다그침. │
└─────────────────────┘
　　　　　↓
┌─────────────────────┐
│ 꼴뚜기가 (　　　　　　　) │
└─────────────────────┘
　　　　　↓
┌─────────────────────┐
│ 용왕에게 잡아먹히지 않으려고 │
│ 신하들 사이에 대립이 발생함. │
└─────────────────────┘

[09~10] 다음 시를 읽고, 물음에 답하시오.

가 죽는 날까지 하늘을 우러러

한 점 부끄럼이 없기를,

잎새에 이는 바람에도

나는 괴로워했다.

별을 노래하는 마음으로

모든 죽어 가는 것을 사랑해야지.

그리고 나한테 주어진 길을

걸어가야겠다.

오늘 밤에도 별이 바람에 스치운다.

- 윤동주, 〈서시(序詩)〉 지

나 친구가 원수보다 더 미워지는 날이 많다

티끌만 한 잘못이 맷방석만 하게

동산만 하게 커 보이는 때가 많다

그래서 세상이 어지러울수록

남에게는 엄격해지고 내게는 너그러워지나 보다

돌처럼 잘아지고 굳어지나 보다

멀리 동해 바다를 내려다보며 생각한다

널따란 바다처럼 너그러워질 수는 없을까

깊고 짙푸른 바다처럼

감싸고 끌어안고 받아들일 수는 없을까

스스로는 억센 파도로 다스리면서

제 몸은 맵고 모진 매로 채찍질하면서

- 신경림, 〈동해 바다〉 천(박)

09 다음은 (가)와 (나)의 화자가 가상으로 나눈 대화이다. ㉠~㉢에 들어갈 알맞은 말을 〈조건〉에 맞게 쓰시오.

(나)의 화자

> 동해 바다를 바라보며 제 삶을 돌아보니 저 자신이 너무나 부끄럽더라고요. (㉠)처럼 남에게는 엄격하고 자신에게는 너그러운 옹졸한 저의 태도를 반성하게 되었습니다. 이제는 널따랗고 억센 파도가 치는 바다처럼 (㉡) 태도로 살아가고 싶습니다.

> 훌륭하십니다. 저 역시 부끄러움 없는 삶을 소망하지만 각박한 현실 때문에 괴로울 때가 많습니다. 어두운 밤하늘에서도 밝게 빛나는 (㉢)처럼, 암울한 현실에 굴하지 않고 순결한 삶을 살기 위해 저도 계속 노력할 겁니다.

(가)의 화자

﹢ [   ] 전송

---조건---
• ㉠에 들어갈 알맞은 말을 (나)에서 찾아 쓸 것
• ㉡에는 (나)의 화자가 닮고 싶어 하는 바다의 모습을 빈칸에 알맞은 형식으로 쓸 것
• ㉢에 들어갈 알맞은 말을 (가)에서 찾아 쓸 것

10 다음 중 그 의미가 (나)의 주제와 거리가 먼 것은?

① 남의 자식 흉보지 말고 내 자식 가르쳐라.

② 배부른 사람은 배고픈 사람 사정을 모른다.

③ 제 흉 열 가지 가진 놈이 남의 흉 한 가지를 본다.

④ 군자는 자신에게서 잘못을 찾고, 소인은 남에게서 잘못을 찾는다.

⑤ 남을 꾸짖는 마음으로 자신을 꾸짖고, 자신을 용서하는 마음으로 남을 용서하라.

도움말

군자는 ❶[   ]이/가 점잖고 어질며 덕과 학식이 높은 사람을 뜻하고, ❷[   ]은/는 도량이 좁고 간사한 사람을 뜻해요.

답 ❶ 행실 ❷ 소인

[11~12] 다음 글을 읽고, 물음에 답하시오.

가 어차피 가지 않으면 안 될 길, 나는 몸을 앞뒤로 흔들어 자전거를 출발시켰다. 자전거는 앞으로 나아가기 시작했다. 페달을 밟지 않고도 가속이 붙었다. ㉠나는 난생처음 봄을 맞는 장끼처럼 나도 모를 이상한 소리를 내지르며 자전거와 한 몸이 되어 달려 내려갔다. 가슴이 터질 듯 부풀었고 어질어질한 속도감에 사로잡혔다. 어느새 내 발은 페달을 차고 있었고 자전거는 도랑과 똥통 옆을 지나고 있었다. 나는 삽시간에 어른이 된 기분으로 읍내로 가는 길을 내달렸다.

그날 나는 내 근육과 뇌에 새겨진 평범한, 그러면서도 세상을 움직여 온 비밀을 하나 얻게 되었다. 일단 안장 위에 올라선 이상 계속 가지 않으면 쓰러진다. 노력하고 경험을 쌓고도 잘 모르겠으면 자연의 판단 — 본능에 맡겨라.

그 뒤에 시와 춤, 노래와 암벽 타기, 그리고 사랑이 모두 같은 원리에 따라 움직인다는 것을 나는 깨달았다.

    – 성석제, 〈어느 날 자전거가 내 삶 속으로 들어왔다〉 동

나 "작은아버지." / 하고 문기는 입을 열었다. 그리고,

"저는 마땅히 받아야 할 벌을 받은 거예요."

하고 문기는 눈을 감으며 한 마디 한 마디 그러나 똑똑하게 처음서부터 끝까지 먼저 고깃간 주인이 일 원을 십 원으로 알고 거슬러 준 것, 그 돈을 써 버린 것, 그리고 또 붙장 안의 돈을 자기가 훔쳐 낸 것, 이렇게 하나하나 숨김없이 자백을 하자 이때까지 겹겹으로 몸을 싸고 있던 허물이 한 꺼풀 한 꺼풀 벗어지면서 따라 마음속의 어둠도 차차 사라지며 맑아 가는 것을, 문기는 확실히 깨달을 수 있었다. ㉡마음이 맑아지며 따라 몸도 가뜬해진다.

    – 현덕, 〈하늘은 맑건만〉 천(박) 천(노) 미 창 지

11 ㉠과 ㉡에 관한 대화의 내용으로 적절하지 <u>않은</u> 것은?

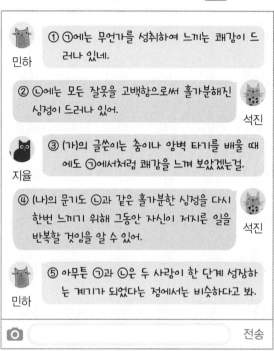

민하
① ㉠에는 무언가를 성취하여 느끼는 쾌감이 드러나 있네.

석진
② ㉡에는 모든 잘못을 고백함으로써 홀가분해진 심정이 드러나 있어.

지율
③ (가)의 글쓴이는 춤이나 암벽 타기를 배울 때에도 ㉠에서처럼 쾌감을 느껴 보았겠는걸.

석진
④ (나)의 문기도 ㉡과 같은 홀가분한 심정을 다시 한번 느끼기 위해 그동안 자신이 저지른 일을 반복할 것임을 알 수 있어.

민하
⑤ 아무튼 ㉠과 ㉡은 두 사람이 한 단계 성장하는 계기가 되었다는 점에서는 비슷하다고 봐.

📷 [_____] 전송

서술형
12 다음은 (나)를 읽고 문기에게 쓴 편지이다. 빈칸에 들어갈 알맞은 속담을 쓰시오.

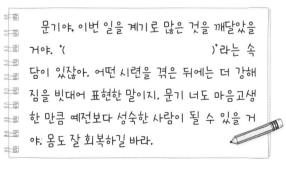

문기야, 이번 일을 계기로 많은 것을 깨달았을 거야. '(   )'라는 속담이 있잖아. 어떤 시련을 겪은 뒤에는 더 강해짐을 빗대어 표현한 말이지. 문기 너도 마음고생한 만큼 예전보다 성숙한 사람이 될 수 있을 거야. 몸도 잘 회복하길 바라.

도움말

빈칸에 들어갈 속담은 **❶** [_____]에 젖어 질척거리던 흙도 마르면서 단단하게 **❷** [_____]는 뜻을 지니고 있어요.

답 ❶ 비 ❷ 굳어진다

[01~02] 다음 글을 읽고, 물음에 답하시오.

㉮ 하루는 철수가 저녁을 딴 데서 치르고 늦게 돌아오는데, 어떤 젊은 사내가 대문 틈으로 정신없이 집 안을 들여다보고 있었다. 철수는 이놈이 바로 좀도둑이거니 하고 손가방으로 궁둥짝을 후려치며,

"웬 놈이냐?" / 하고 고함을 질렀다. 사나이는 그야말로 뱀이나 밟은 것처럼 기겁을 하고는 철수를 보자 이내 한 손을 머리로 올리고 꾸벅꾸벅 절만 했다.

㉯ 그러나 막상 도둑을 맞은 사람은 한 사람도 없건만 마을에서는 도둑 소문이 자자한 채 달도 바뀌고 제비 올 무렵 어느 날 저녁녘에 우연히도 남이 아버지가 찾아왔다. [중략]

"우리 동네 말임더, 나이 올해 스무 살 먹은 얌전한 신랑이 있는데, 모자 단둘이고요, 뱃일이고 바닷일이고 입 댈 것 없지요."

말이 필요할.

철수는 듣다못해,

"그래서 영감은 거기다 남이를 시집보내겠단 말씀이죠?"

"암요."

㉰ 남이는 여느 때와 조금도 다름없이 부엌에서 아침 채비를 하고 있다. 다만 다른 것은 눈시울이 약간 부은 것뿐이다. [중략]

"내가 할 테니 그만두고, 어서 머리 빗어라. 그리고 옷은 이 걸 입고, 버선은 요전번에 신던 것 신고……."

그러나 남이는, / "물도 안 길었어요."

하고 또 밖으로 나가려고 한다.

"그만둬라." / "요새 물이 달려서 일찍 가야 해요."

그러자 건넌방에서는 남이 아버지가,

"남아, 준비 다 됐나? 차 시간 놓칠라. 속히 가자."

하고 소리를 질렀다. 남이는 건넌방 쪽을 흘겨보고,

"가고 싶거든 혼자 가지……."

㉱ 골목에서 엿장수 가위 소리가 들려왔다. 남이는 재빨리 윤이를 업고, 영이의 손목을 잡은 채 밖으로 나갔다. 남이 아버지는 벌써 저만치 철수와 하직을 하면서 내려가고, 엿장수는 막 철수네 집 앞에서 대문을 나서는 남이와 마주쳤다. 엿장수는 얼빠진 사람처럼 남이를 바라보는데 ㉠남이의 눈에는 순간 어두운 그림자가 지나갔다.

– 오영수, 〈고무신〉 천(박)

서술형

01 (가)에서 비유가 쓰인 문장을 찾고, 그 표현에 쓰인 비유의 종류를 〈조건〉에 맞게 쓰시오.

조건
- 비유가 쓰인 문장의 첫 어절과 마지막 어절을 쓸 것
- 비유의 종류를 쓸 때 원관념과 보조 관념을 밝혀 '~법을 써서 ~을/를 ~에 빗대어 표현하였다.' 형식의 한 문장으로 쓸 것

(1) 비유가 쓰인 문장:

(2) 비유의 종류:

02 ㉠의 이유로 가장 적절한 것은?

① 새 고무신을 받아 내지 못한 것이 한스러워서
② 아버지를 말려 주지 않는 엿장수에게 화가 나서
③ 영이, 윤이가 고무신과 엿을 바꾼 것이 억울해서
④ 엿장수를 보는 것이 마지막이라는 생각에 슬퍼서
⑤ 철수네 집을 더 빨리 떠나지 못한 것이 후회되어서

(다)에서 남이의 눈시울이 부은 까닭, 아버지가 재촉하자 남이가 "가고 싶거든 혼자 가지……"라고 말한 까닭이 무엇일지 생각해 보세요.

[03~04] 다음 글을 읽고, 물음에 답하시오.

가 그러다가 산기슭을 돌아 고갯길에 올라섰을 때 그들은 모두 용이 발밑에 책 보퉁이를 던졌습니다. 3년 동안 용이 어깨에 매달려 재를 넘어가고 넘어오던 책 보퉁이들입니다. 용이 아버지가 같은 동네에서 머슴살이를 하고 있기 때문에 아이들은 모두 용이까지 남의 짐을 날라 주어야 하는 것으로 생각하고 있는 것입니다.

나 '야, 참 멋지다!' / 날개를 쫙 펴고 꽁지를 쭉 뻗고 아침 햇빛에 눈부신 모습으로 산을 넘어가는 꿩을 쳐다보는 용이의 온몸에 갑자기 어떤 힘이 마구 솟구쳤습니다. 용이는 그 자리에서 한번 훌쩍 뛰어올라 보았습니다. 하늘에라도 날아오를 듯합니다. 용이는 발에 채는 책 보퉁이 하나를 집어 들었습니다. 그리고 그것을 하늘 위로 던졌습니다.

다 "너희들 책보 말이제? 저 밑에 두꺼비 바위 아래 던져 놨어." / "뭐? 이 자식이!" / "이 자식 돌았나?"

"빨리 못 가져오겠나?"

그러나 용이는 여전히 조용한 소리로 말했습니다.

"나, 이젠 못난 아이 아니야!" / "어, 이 자식이?"

"요런, 머슴의 자식이." / "나쁜 자식! 맛 좀 볼래?"

아이들의 발과 주먹이 용이를 덮쳐 왔을 때, 용이는 번개같이 거기를 빠져나와 몇 걸음 발을 옮기더니, 발밑에 있는 돌을 두 손으로 한 개씩 거머쥐고는 거기 있는 커다란 바윗돌 위에 껑충 뛰어올랐습니다.

그 몸놀림이 어찌나 재빠른지, 아이들이 모두 놀랐습니다. 지금까지의 용이와는 아주 다른, 딴 아이였습니다.

– 이오덕, 〈꿩〉 천(노)

03 다음은 이 글을 읽고 쓴 감상문이다. 빈칸에 들어갈 내용으로 적절한 것은?

> 아이들의 부당한 요구를 거부하지 못하던 용이는 (   )을 계기로 생각과 행동을 바꾸게 되는데, 이 부분에서 〈학〉이라는 소설이 떠올랐다. 〈학〉의 주인공 성삼은 과거에 학이 날아오르던 모습을 떠올리고 전쟁 포로로 잡혀 온 친구 덕재를 풀어 주게 된다. 멋지게 하늘을 날아가는 새는 문학에서 다양한 의미를 갖는 것 같다.

① 아이들의 책 보퉁이를 날라 준 것
② 산기슭을 돌아 고갯길에 올라선 것
③ 꿩이 날개를 펴고 날아오르는 모습을 본 것
④ 아이들의 책 보퉁이를 골짜기로 던져 버린 것
⑤ 돌을 거머쥐고 바윗돌 위에 껑충 뛰어오른 것

고난도

04 다음 빈칸에 들어갈 댓글로 적절한 것은?

> 용이를 괴롭히는 아이들에게 하고 싶은 말을 댓글로 달아 봅시다. 단, 비유를 써서 문장을 만들어 보세요.
> ㄴ (   )

① 상대방을 배려하며 말해야 해.
② 다른 사람의 마음을 헤아릴 줄 알아야 해.
③ 여러 명이 한 사람을 괴롭히는 것은 비겁해.
④ 상대방과 처지를 바꿔서 생각해 보면 좋겠어.
⑤ 타인에게 한 행동은 부메랑처럼 자신에게 돌아와.

[05~06] 다음 시조를 읽고, 물음에 답하시오.

내 벗이 몇이나 하니 수석(水石)과 송죽(松竹)이라.

동산(東山)에 달 오르니 그 더욱 반갑고야.

두어라 이 다섯밖에 또 더하여 무엇하리.　　　　(제1수)

구름 빛이 좋다 하나 검기를 자로 한다.

바람 소리 맑다 하나 그칠 적이 하노매라.

좋고도 그칠 뉘 없기는 물뿐인가 하노라.　　　　(제2수)

꽃은 무슨 일로 피면서 쉬이 지고

풀은 어이하여 푸르는 듯 누르나니

아마도 변치 않는 건 바위뿐인가 하노라.　　　　(제3수)

더우면 꽃 피고 추우면 잎 지거늘

솔아 너는 어찌 눈서리를 모르는다.

구천(九泉)에 뿌리 곧은 줄을 그로 하여 아노라.　　　　(제4수)

나무도 아닌 것이 풀도 아닌 것이

곧기는 뉘 시키며 속은 어이 비었는가.

저렇고 사시에 푸르니 그를 좋아하노라.　　　　(제5수)

작은 것이 높이 떠서 만물을 다 비치니

밤중의 광명이 너만 한 이 또 있느냐.

보고도 말 아니하니 내 벗인가 하노라.　　　　(제6수)

- 윤선도, 〈오우가〉 천(박) 비 동

05 다음 글을 참고하여 이 시조에 쓰인 시어의 상징적 의미를 바르게 파악한 것은?

> 〈오우가〉는 윤선도가 영덕 유배지에서 풀려난 뒤 쓴 작품이다. 배반과 모략으로 어지러운 정치에 환멸을 느낀 윤선도는 변치 않는 자연을 닮은 그런 벗을 가까이 두고 싶었을 것이다.

① '구름'은 자유를 의미하며 부러움의 대상이다.
② '바람'은 영원성을 의미하며 부정적인 존재이다.
③ '꽃'은 지조를 의미하며 사랑을 받는 대상이다.
④ '솔'은 절개를 의미하며 긍정적인 존재이다.
⑤ '달'은 간신을 의미하며 두려움의 대상이다.

06 이 시조의 제1수와 〈보기〉에 공통으로 쓰인 비유의 종류를 〈조건〉에 맞게 쓰시오.

> ┌ 보기 ┐
> 십 년을 경영하여 초려 삼간 지어 내니
> 나 한 간 달 한 간에 청풍 한 간 맡겨 두고
> 강산은 들일 데 없으니 둘러 두고 보리라
> 　　　　　　　　　　　　－ 송순, 〈십 년을 경영하여〉
> ─────
> • 경영하다 계획을 세워 어떤 일을 해 나가다.
> • 초려 삼간 세 칸밖에 안 되는 작은 초가.
> • 청풍 부드럽고 맑은 바람.

> ┌ 조건 ┐
> • 공통으로 쓰인 비유의 종류와 그 개념을 쓸 것
> • '이 시조의 제1수와 〈보기〉에 공통으로 쓰인 비유의 종류는 ~(으)로, ~(하)는 방법이다.' 형식의 한 문장으로 쓸 것

> 〈보기〉의 시조는 '나'와 '달', '청풍'이 초가집을 각각 한 칸씩 차지하여 자연과 하나 되어 풍류를 즐기는 삶을 노래하고 있어요.

[07~08] 다음 글을 읽고, 물음에 답하시오.

㉮ "㉠우리 집 처지에 상급 학교가 당하기나 한 소리냐. 이름
자나마 쓰고 읽게 된 걸 다행으로 알거라."
사리에 마땅하거나 가능하다.

어미 곁에서 함께 땅이나 파고 살자던 소리가 아들놈의 어
린 가슴에 못을 박은 모양이었다.

"㉡상급 학교 못 가면 연이나 실컷 띄우고 놀 거야. 상급 학
교 안 보내 준 대신 연실이나 많이 만들어 줘."

상급 학교 진학을 단념한 대신 아들놈은 그 철 늦은 연날리
기 놀이를 시작했다. 연실 마련이 어려워서 제철에는 남의 집
애들 연 띄우는 거나 곁에서 늘 부러워해 오던 녀석이었다.

㉢어머니는 큰맘 먹고 연실을 마련해 냈고, 아들놈은 그때
부터 하고한 날 연에만 붙어 지냈다.
많고 많다.

㉯ 어머니는 언제 어디서나 그 아들의 연을 볼 수 있었다.

연을 보면 아들의 얼굴을 보는 것 같았고, 아들의 마음을 보
는 것 같았다. / 연은 언제나 머나먼 하늘 여행을 꿈꾸고 있는
작은 새처럼 보였고, 그래서 언젠가는 실줄을 끊고 마을의 하
늘을 떠나가 버릴 것처럼 어머니의 마음을 불안하게 했다.

㉰ 불안감에 쫓기던 어머니가 어느 순간엔가
다시 그 하늘의 연을 찾았을 때였다.

㉢연이 있어야 할 곳에 연의 모습이 보
이질 않았다.

연은 어느새 실이 끊어져 날아간 것이었
다. 빗살처럼 곧게 하늘로 뻗어 오르던 연실이
머리 위를 구불구불 힘없이 흘러 내려오고 있었다.

㉱ "아지매요. 건이 새끼 좀 빨리 쫓아가 봐야 혀요. 건이 새
끼 아까 도회지 돈벌이 간다고 읍내께로 뛰었다니께요. 지
사람이 많이 살고 상공업이 발달한 번잡한 지역.
는 도회지 가서 돈 벌어 온다고 연실 같은 건 내나 실컷 감
아 가지라면서요……." [중략]

어머니는 다만 그 무심한 하늘을 향해 다시 한번 가는 한숨
을 삼키며 허망스럽게 중얼거리고 있었다.
어이없고 허무한 데가 있다.

"㉤아가, 어딜 가거나 몸이나 성하거라……."

– 이청준, 〈연〉 동

07 다음 글을 참고할 때 ㉠~㉤에 대한 설명으로 적절하지
않은 것은?

> 이 글에는 상처 입은 마음을 연날리기로 달래
> 는 아들을 걱정하는 어머니의 마음, 그리고 결국
> 집을 떠난 아들의 안녕을 기원하는 어머니의 염
> 려와 한없는 사랑이 드러나 있다.

① ㉠: 가난한 집안 형편 때문에 상급 학교에 진학할
수 없음이 나타난다.
② ㉡: 상급 학교에 가지 못하는 섭섭함을 연날리기
로 달래려는 아들의 마음이 드러난다.
③ ㉢: 상급 학교 교육의 필요성을 느끼지 못하는 어
머니의 단호함이 나타난다.
④ ㉣: 아들이 어머니의 곁을 떠났음을 암시한다.
⑤ ㉤: 아들의 안녕을 기원하며 슬픔을 억누르는 어
머니의 애끓는 사랑이 나타난다.

고난도
08 이 글의 '연'이 상징하는 의미로 적절하지 **않은** 것은?
① '연'은 미지의 세계를 향한 아들의 동경과 희망을
상징한다.
② 하늘을 나는 '연'은 자유 혹은 자유를 향한 의지를
상징한다.
③ '연'은 아들이 고향에 대해 느끼는 애정과 그리움
을 상징한다.
④ '연'은 상급 학교에 진학을 포기한 아들이 느끼는
성장에 대한 갈망을 상징한다.
⑤ 어머니가 '연'을 보고 아들의 상황과 심리를 추측
한다는 점에서 '연'은 아들을 상징한다.

연은 하늘에 떠 있지만 동시에
실에 묶여 있다는 것을 고려하여 '연'의
상징적 의미가 무엇일지 생각해 보세요.

[01~02] 다음 글을 읽고, 물음에 답하시오.

㉮ "너, 지금으로 가지고 나오지 않으면 낼은 가만 안 둔다. 도적질했다 하구 똑바루 써 놀 테야."

문기는 여전히 못 들은 척 걸음만 옮긴다. 자기 집 마당엘 들어섰다. 숙모는 뒤꼍에서 화초 모종을 하는지 여기 심어라, 저기 심어라 하고 아랫집 심부름을 하는 아이와 이야기하는 소리가 날 뿐 집 안엔 아무도 없다.

그리고 눈앞에 보이는 붙장 안 앞턱에 잔돈 얼마와 지전 몇 장이 놓여 있다. 그리고 문밖엔 지금 수만이가 돈을 가지고 나오기를 기다리고 섰다. ㉠여기서 문기는 두 번째 허물을 범하고 말았다.

"진작 듣지." / 하고 빙그레 웃는 수만이 얼굴에다 뺨을 때리듯 돈을 던져 주고 문기는 달아났다.

㉯ 학교엘 갔다. 첫 시간은 수신 시간, 그리고 공교로이 제목이 '정직'이다. 선생님은 뒷짐을 지고 교단 위를 왔다 갔다 하며 거짓이라는 것이 얼마나 악한 것이고 정직이 얼마나 귀하고 중한 것인가를 누누이 말씀한다. 그리고 안경 쓴 선생님의 그 눈이 번쩍하고 문기 얼굴에 머물렀다 가고 가고 한다.

그럴 때마다 문기는 가슴이 뜨끔뜨끔해진다. 문기는 자기 한 사람에게만 들리기 위한 정직이요 수신 시간인 듯싶었다.

㉰ "저는 마땅히 받아야 할 벌을 받은 거예요."

하고 문기는 눈을 감으며 한 마디 한 마디 그러나 똑똑하게 처음서부터 끝까지 먼저 고깃간 주인이 일 원을 십 원으로 알고 거슬러 준 것, 그 돈을 써 버린 것, 그리고 또 붙장 안의 돈을 자기가 훔쳐 낸 것, 이렇게 하나하나 숨김없이 자백을 하자 이때까지 겹겹으로 몸을 싸고 있던 허물이 한 꺼풀 한 꺼풀 벗어지면서 따라 마음속의 어둠도 차차 사라지며 맑아 가는 것을,

문기는 확실히 깨달을 수 있었다. 마음이 맑아지며 따라 몸도 가뜬해진다. / 내일도 해는 뜨고 하늘은 맑아지리라. 그리고 문기는 그 하늘을 떳떳이 마음껏 쳐다볼 수 있을 것이다.

– 현덕, 〈하늘은 맑건만〉 천(박) 천(노) 미 창 지

---

01 〈보기〉는 (가) 뒤에 이어지는 내용이다. 〈보기〉를 참고할 때 ㉠이 앞으로의 사건 전개에 미칠 영향으로 적절한 것은?

보기

"너 혹 붙장 안의 돈 봤니?"

하다가는 채 문기가 입을 열기 전에 숙모는,

"학교서 지금 오는 애가 알겠니. 참, 점순이 고년 앙큼헌 년이드라. 낮에 내가 뒤꼍에서 화초 모종을 내고 있는데 집을 간다고 나가더니 글쎄, 돈을 집어 갔구나." [중략]

그날 밤이었다. 아랫방 들창 밑에서 훌쩍훌쩍 우는 어린아이 울음소리가 났다. 아랫집 심부름하는 아이 점순이 음성이었다.

① 문기의 내적 갈등이 심화될 것이다.
② 문기의 내적 갈등이 해소될 것이다.
③ 수만이의 내적 갈등이 해소될 것이다.
④ 숙모와 수만이 사이에 갈등이 생길 것이다.
⑤ 수만이와 점순이 사이에 갈등이 생길 것이다.

고난도 서술형

02 이 글에 나타난 갈등의 해결 과정이 문기의 성장에 미쳤을 영향을 〈조건〉에 맞게 쓰시오.

조건

• 이 글의 주제와 연관 지어 쓸 것
• '문기가 ~ 영향을 주었을 것이다.' 형식의 한 문장으로 쓸 것

이 글은 문기의 갈등 해결 과정을 통해 양심을 속이지 않고 정직하게 사는 삶이 얼마나 중요한 것인지를 전달하고 있어요.

[03~04] 다음 글을 읽고, 물음에 답하시오.

가 홍 판서가 여덟 길동을 꾸짖으니 여덟 길동이 임금에게 아뢰었다.

"신은 본래 천비 소생이오라 아비를 아비라 못 하옵고, 형을 형이라 부르지 못하오니, 평생 원한(怨恨)이 마음속에 맺혀 집을 버리고 도둑 무리의 우두머리가 되었사오나 백성은 추호도 범치 않았사옵고, 탐관오리들이 백성의 고혈을 빨아서 모은 재물을 빼앗았사오나, 이제 십 년만 지나오면 떠나갈 곳이 있으니 바라옵건대 성상(聖上)께서는 걱정하지 마시고 소인을 풀어 주시옵소서."

말을 끝낸 여덟 길동이 일시에 넘어지면서 짚으로 만든 제웅으로 변하였다. / 길동은 사대문에 방을 붙여 자신에게 병조 판서를 내리면 잡히겠다고 하였다. 임금은 고심(苦心) 끝에 길동에게 병조 판서 벼슬을 내렸다. 이에 길동은 임금에게 감사 인사를 드리고는 공중으로 사라졌다.

나 길동이 홀로 남경으로 가다가 한 곳에 다다랐는데 그곳은 율도국이었다. 산천(山川)이 맑고 깨끗하고 오가는 사람이 많아 가히 살 만한 곳이었다. [중략] 길동은 속으로 생각하였다.
_{능히. 넉넉히.}

'내 이미 조선을 떠나기로 하였으니, 이곳에 와 숨어 지내다가 큰일을 도모하리라.'

임금이 궁중의 후원을 거닐고 있을 때 공중에서 한 소년이 내려와 말했다. / "신은 전임 병조 판서 홍길동입니다."

임금이 놀라 물었다. / "너는 어찌 심야에 왔느냐?"

길동이 대답하기를,

"신이 전하를 받들어 만세를 모실까 하였사오나, 천비 소생이라 벼슬길이 막혔는지라. 이러므로 사방에 제멋대로 놀아 관청에 폐단을 일으키고 조정에 죄를 얻음은 전하게 알게
_{어떤 일이나 행동을 할 때 나타나는 좋지 않은 일이나 현상.}
하려 함이더니, 신의 소원을 풀어 주옵시니 전하를 하직하고 조선을 떠나가오니, 엎드려 바라옵건대, 전하는 만수무강하옵소서."

– 허균, 〈홍길동전〉 천(박) 비 지

03 이 글의 길동에 대한 설명으로 적절하지 <u>않은</u> 것은?

① 조선을 떠나 새로운 나라로 가기로 결심하였다.

② 보통의 인물과 다르게 비범한 재주를 지니고 있다.

③ 백성의 재물은 건드리지 않고 탐관오리가 백성을 수탈하여 모은 재물만을 빼앗았다.

④ 아버지의 소원을 이루어 드리기 위해 임금으로부터 병조 판서 벼슬을 받고자 하였다.

⑤ 아버지를 아버지라 못 하고 형을 형이라 부르지 못한 것이 한이 되어 도둑 무리의 우두머리가 되었다.

고난도
04 이 글에서 길동이 갈등을 해결하려고 한 행동에 대한 평가로 적절하지 <u>않은</u> 것은?

궁금한 게 있어요! | 질문 게시판

길동이 갈등을 해결하려고 한 행동에 대해 어떻게 생각하세요?

💬 댓글 달기

① 봄이: 부조리한 현실을 고발하고 남다른 재주를 보인 영웅적 인물이죠.

② 여름: 적서 차별 제도를 찬성하면서도 재능을 펼쳤으니 현명한 인물입니다.

③ 가을: 백성을 약탈한 이들의 재물만 빼앗은 거니 도적이 아니라 의적이죠.

④ 겨울: 탐관오리의 재산을 훔친 것도 도둑질은 분명하니 법적으로 떳떳하지 않다고 봐요.

⑤ 사계: 병조 판서는 되었지만 사회 문제를 근본적으로 해결 못 하고 떠났으니 진정한 영웅은 아니라고 봐요.

댓글을 입력하세요.

[05~06] 다음 글을 읽고, 물음에 답하시오.

가 "인마, 네놈의 자전거가 쓰러지면서 내 차를 들이받았단 말이야. 이런 고급 차를 말이야. 이런 미련한 놈, 왜 눈은 째려, 째리긴. 그러니 내 차에 흠이 안 나고 배겼겠냐. 내 차는 인마, 여자들 손톱만 살짝 닿아도 생채기가 나는 고급 차야 인마, 알긴?" [중략]

"아저씨, 잘못했습니다. 한 번만 용서해 주십시오. 네, 아저씨." 제법 또렷한 소리로 용서를 빈다.

"용서라니, 이만큼 했으면 됐지 어떻게 더 용서를 해."

"아저씨, 그러시지 말고 한 번만 봐주셔요. 네, 아저씨."

수남이는 주머니에 든 만 원을 생각하면 얼굴이 화끈대고 공연히 무섭기까지 하다. 그렇지만 주인 영감님을 위해 그 돈만은 죽기를 무릅쓰고 지킬 각오를 단단히 한다.

"아니 혼석이 이제 보니 이런 큰일을 저지르고 그냥 내뺄 심사 아냐? 요런 악질 녀석 같으니라고."

중간 부분 줄거리 | 수남이는 신사가 자리를 비운 사이에 자전거를 들고 도망친다. 하지만 수남이는 이러한 자신의 행동이 도덕적으로 옳았는지 고민하며 갈등에 빠진다.

나 문제는 그때의 그 쾌감이었다. 자기 내부에 도사린 부도덕성이었다. 오늘 한 짓이 도둑질이 아닐지 모르지만 앞으로 도둑질을 할지도 모르겠다는 생각이 들었다. [중략]

소년은 아버지가 그리웠다. 도덕적으로 자기를 견제해 줄 어른이 그리웠다. 주인 영감님은 자기가 한 짓을 나무라기는 커녕 손해 안 난 것만 좋아서 "오늘 운 텄다."라고 좋아하지 않았던가.

수남이는 짐을 꾸렸다. 아아, 내일도 바람이 불었으면. 바람이 물결치는 보리밭을 보았으면.

마침내 결심을 굳힌 수남이의 얼굴은 누런 똥빛이 말끔히 가시고, 소년다운 청순함으로 빛났다.

– 박완서, 〈자전거 도둑〉 [비][금][교]

05 다음 중 (가)에서 두드러지게 나타난 갈등의 유형과 유사한 것은?

① '나'는 점순이와의 혼인을 핑계로 '나'를 부려 먹기만 하고 혼인은 시키지 않는 장인과 대립한다.

② '나'는 빚이 남아 있어 돈을 빌려 달라는 권 씨의 부탁을 외면할 수도, 들어 줄 수도 없어 고민한다.

③ 문기는 자신의 잘못을 선생님께 고백하려 선생님 집을 찾아가지만 막상 사실대로 고백하려니 두려워서 말문이 열리지 않는다.

④ 하인리히는 친구 에밀이 잡은 아름다운 공작나방에 반해 그것을 몰래 가지고 나오지만 이것을 가져서는 안 된다는 생각에 괴로워한다.

⑤ 허준은 과거를 보기 위해 길을 떠나려다 마을 사람들이 치료를 간청하자 이들을 뿌리치고 가야 할지 남아서 이들을 치료해야 할지 고민한다.

고난도 서술형
06 (나)에서 수남이가 갈등을 해결하기 위해 한 행동이 무엇인지 쓰고, 수남이의 갈등이 해결되었음을 나타내는 문장을 찾아 쓰시오.

(1) 수남이가 갈등을 해결하기 위해 한 행동	
(2) 수남이의 갈등이 해결되었음을 나타내는 문장	

수남이는 자신이 앞으로 도둑질을 할지도 모르겠다고 걱정하고 있어요. 이런 수남이에게 어떤 사람이 필요할지 생각해 보세요.

[07~08] 다음 글을 읽고, 물음에 답하시오.

가 "요즘 아파트에서 그런 거 만드는 사람이 몇이나 된다고 그러세요."

"너는 안 먹고 살래? 아무리 아파트기로서니 사람이 할 일은 하고 살아야재. 그래, 아파트 살면 장을 다 사 먹어야 한단 말이여?"

"아유, 그만두세요. 어머닌 옛날 방식만 고집하시니."

엄마는 돌아서서 안방 쪽으로 갔다. 할머니는 속이 상한지 한참이나 그대로 서 있었다. 나는 조심스럽게 할머니를 불러 보았다. / "……할머니이."

할머니는 그제서야 내 얼굴을 보더니 혼잣말같이 중얼거렸다.

"시상이 아무리 달라졌다 혀도 달라지지 않는 것도 있는 법이여. 그렇재, 암."

그러고는 박아 놓은 못에 메주를 걸었다. 메주는 창고 문 앞에 주렁주렁 매달렸다.

– 오승희, 〈할머니를 따라간 메주〉 지

나 아버지 오늘 면접 보는 날 아니냐?

파르한 면접 보러 안 갔어요. 아버지, 저는 공학자가 되기 싫어요.

아버지 란초 그 녀석이 또 네 마음을 흔든 것이냐?

파르한 전 공학이 싫어요. 공학자가 돼도 형편없을 거예요. 란초는 간단한 이야기만 해 줬어요. 제가 원하는 것을 하라고요. 그러면 일이 놀이 같을 것이라고요.

아버지 그렇게 해서 이 정글에서 돈이나 벌 수 있겠냐?

파르한 보수는 적어도 많은 것을 배울 거예요.

아버지 한 오 년 뒤에 네 친구들이 좋은 차에 큰 집을 가진 것을 보면 너 자신을 저주할 거다.

파르한 전 공학자가 되면 좌절하고 아버지를 저주할 거예요. 차라리 저를 저주하며 사는 게 낫지 않나요?

– 라지쿠마르 히라니 외, 〈세 얼간이〉 교

07 다음 중 (가)에 대해 잘못 이해한 사람은?

원우 아파트에서 메주를 만드는 할머니와 그것을 못마땅하게 생각하는 엄마가 충돌하고 있어.

지민 엄마와 할머니가 충돌하는 건 두 분의 가치관이 다르기 때문이야.

연재 맞아. 할머니는 전통적인 가치관을 중시하는 인물이지.

민채 반면 엄마는 가족의 행복을 더 소중히 여기는 인물이야.

진수 엄마는 세상이 변하면 그에 맞춰 삶의 방식도 달라져야 한다고 생각하고 있어.

① 원우 ② 지민 ③ 연재 ④ 민채 ⑤ 진수

고난도 서술형

08 〈보기〉는 (나)의 뒷부분으로, 파르한이 아버지를 설득하는 장면이다. 파르한의 입장이 되어 〈보기〉의 빈칸에 들어갈 알맞은 내용을 쓰시오.

보기

파르한 아버지, 저는 아버지를 설득하고 싶은 것이지 협박하는 게 아니에요. 제가 사진작가가 된다고 무슨 일이 생기겠어요? 돈은 덜 벌겠죠. 집도 더 작고 차도 더 작겠죠. 하지만 _____

_____

제 마음이 원하는 대로 하면 안 될까요?

조건

• 파르한이 바라는 삶의 방식을 고려하여 쓸 것
• '~(하)고 있으니 행복할 거예요.' 형식의 한 문장으로 쓸 것

고난도 해결 전략 3회

[01~02] 다음 시를 읽고, 물음에 답하시오.

가 멀리 동해 바다를 내려다보며 생각한다

널따란 바다처럼 너그러워질 수는 없을까

⊙깊고 짙푸른 바다처럼

감싸고 끌어안고 받아들일 수는 없을까

스스로는 억센 파도로 다스리면서

ⓛ제 몸은 맵고 모진 매로 채찍질하면서

　　　　　　　　　　－ 신경림, 〈동해 바다〉 천(박)

나 나는 어릴 때부터 그랬다.

칠칠치 못한 나는 걸핏하면 넘어져

무릎에 딱지를 달고 다녔다. [중략]

딱지를 떼어 내지 말아라 그래야 낫는다.

아버지 말씀대로 그대로 놓아두면

까만 고약 같은 딱지가 떨어지고

딱정벌레 날개처럼 하얀 새살이 / 돋아나 있었다.

지금도 칠칠치 못한 나는

사람에 걸려 넘어지고 부딪히며

마음에 딱지를 달고 다닌다.

그때마다 그 딱지에 아버지 말씀이 / 얹혀진다.

ⓒ딱지를 떼지 말아라 딱지가 새살을 키운다.

　　　　　　　　　　－ 이준관, 〈딱지〉 천(노)

다 ㉣죽는 날까지 하늘을 우러러

한 점 부끄럼이 없기를,

잎새에 이는 바람에도 / 나는 괴로워했다.

별을 노래하는 마음으로

㉤모든 죽어 가는 것을 사랑해야지.

그리고 나한테 주어진 길을

걸어가야겠다.

오늘 밤에도 별이 바람에 스치운다.

　　　　　　　　　　－ 윤동주, 〈서시(序詩)〉 지

고난도 **서술형**

01 〈보기〉의 밑줄 친 부분과 그 의미가 통하는 자연물을 (가)에서 찾고, 그 까닭을 쓰시오.

> **보기**
>
> 남을 대할 때에는 봄바람처럼 따뜻하게 하고, 스스로에 대해서는 가을 서리처럼 엄격하게 하라.
>
> 　　　　　　　　　　－《채근담》

> **조건**
>
> ''봄바람'은 ~와/과 의미가 통한다. 왜냐하면 ~ 때문이다.'의 형식으로 쓸 것

고난도

02 ㉠~㉤ 중 〈보기〉에서 말하려는 바와 의미가 비슷한 것은?

> **보기**
>
> 나무를 길러 본 사람만이 안다
> 반듯하게 잘 자란 나무는
> 제대로 열매를 맺지 못한다는 것을
> 너무 잘나고 큰 나무는
> 제 치레하느라* 오히려
> 좋은 열매를 갖지 못한다는 것을
> 한 군데쯤 부러졌거나 가지를 친 나무에
> 또는 못나고 볼품없이 자란 나무에
> 보다 실하고
> 단단한 열매가 맺힌다는 것을
>
> 　　　　　　　　　　－ 신경림, 〈나무1－지리산〉
>
> • 치레하다 잘 손질하여 모양을 내다.

① ㉠　② ㉡　③ ㉢　④ ㉣　⑤ ㉤

〈보기〉의 시는 시련과 고난을 겪은 존재가 좋은 결실을 맺을 수 있음을 전달하고 있어요.

[03~04] 다음을 읽고, 물음에 답하시오.

가 바다가 가까워지자 어린 강물은 엄마 손을 더욱 꼭 그러쥔 채 놓지 않았습니다. 그러다가 그만 거대한 파도의 배 속으로 뛰어드는 꿈을 꾸다 엄마 손을 아득히 놓치고 말았습니다. ㉠그래 잘 가거라 내 아들아. 이제부터는 크고 다른 삶을 살아야 된단다. 엄마 강물은 새벽 강에 시린 몸을 한번 뒤채고는 오리처럼 곧 순한 머리를 돌려 반짝이는 은어들의 길을 따라 산골로 조용히 돌아왔습니다.

– 이시영, 〈성장〉 금 교

나 **빌리의 집(아침)**

아버지, 빌리, 할머니가 식탁에 둘러앉아 있다. ㉡아버지가 단호한 목소리로 이야기를 시작한다.

아버지 발레가 뭐냐? / 빌리 발레가 어때서요?

아버지 발레가 어떠냐고? / 빌리 뭐가 이상한데요?

아버지 뭐가 이상하냐고?

할머니 나도 한때 발레를 하러 다녔는걸. / 빌리 봐요.

아버지 그래, 할머니한테는 그렇지. 여자들에겐 정상적이지만 남자는 아니야. 빌리, ㉢남자들은 축구나 권투나 레슬링을 하는 거야. 발레는 남자는 안 해. [중략]

오디션장

심사 위원 1 이 학교는 ㉣최상의 학생을 선별하고 있습니다. 단지 발레뿐만이 아니라 학교 성적에서도요. 가족의 전폭적인 지지가 없다면 성공할 수 없습니다. 빌리를 전적으로 뒷바라지하시겠습니까?

아버지 (머뭇거리다가) 네, 물론이죠. [중략]

심사 위원 3 마지막으로 한 가지만 물어봐도 될까, 빌리? 춤을 출 때 어떤 느낌이 들지?

빌리 (잠시 생각하다가 차분한 목소리로) 모르겠어요. 그냥 기분이 좋아요. 처음엔 좀 어색하지만 일단 추게 되면 모든 걸 잊게 돼요. 그러곤…… 잊게 돼요. 제가 아닌 것처럼요. 제 몸이 변하는 느낌이 들어요. 마

치 불이 붙은 것처럼 뜨거워져요. (한숨 쉬며) 마치 제가 나는 것 같아요. (위를 보며) 새처럼요. ㉤마치 전기에 감전된 것처럼요. 네, 감전요.

– 리 홀, 〈빌리 엘리엇〉 천(박) 금

03 다음은 (가)의 내용을 바탕으로 영상을 만들기 위해 세운 계획의 일부이다. 적절하지 **않은** 것은?

- 배경: 바다 한가운데 ·· ①
- 등장인물: 어린 강물, 엄마 강물, 은어들 ········· ②
- 장면
  - 어린 강물이 엄마 강물의 손을 꼭 그러쥐는 모습 ·· ③
  - 어린 강물이 엄마 강물의 손을 놓쳐 떠내려가는 모습 ··· ④
  - 엄마 강물이 어린 강물을 바라보다가 몸을 돌려 방향을 트는 모습 ····························· ⑤

04 ㉠~㉤에 대한 감상으로 적절하지 **않은** 것은?

① ㉠: 자신의 품을 떠나는 아들을 격려하는 엄마 강물의 모습을 보니 가슴이 뭉클하네.

② ㉡: 심각한 분위기가 느껴져. 빌리에게 뭔가 중요한 말을 할 것 같아.

③ ㉢: 빌리가 발레 배우는 것을 아버지가 반대하는 이유는 아버지의 편견 때문이었네.

④ ㉣: 발레 능력과 학교 성적은 별로여도 가족의 전폭적인 지지를 받을 수 있는 학생을 말하는 거야.

⑤ ㉤: 인상 깊은 대사였어. 나도 무언가에 열중해서 마치 감전된 것 같은 짜릿한 기분을 느껴 보고 싶어.

[05~06] 다음 글을 읽고, 물음에 답하시오.

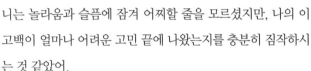

가 그지없이 슬픈 기분으로 집에 돌아와, 나는 온종일 좁은 뜰 안에 주저앉아 있었지. 그러나가 마침내 나는 용기를 내어, 모든 일을 어머니에게 말씀드렸다네. 어머니는 놀라움과 슬픔에 잠겨 어찌할 줄 모르셨지만, 나의 이 고백이 얼마나 어려운 고민 끝에 나왔는지를 충분히 짐작하시는 것 같았어.

"지금 곧 에밀에게 가거라."

어머니는 한마디로 잘라 말했다네.

"에밀을 찾아가서 사실을 고백하고 용서를 빌어라. 그 밖에는 다른 길이 없다. 네가 가진 것 중에서 어느 하나를 대신 가지라고 말해 보렴. 그리고 용서를 빌어야지."

만일에 모범 소년인 에밀이 아니고 다른 친구였다면 나는 용서를 비는 것쯤 서슴지 않았을 거야.

– 헤르만 헤세, 〈공작나방〉 천(노) 동

나 선생님은 문기를 안방으로 맞아들였다. 학교에서 볼 때 엄하고 딱딱하던 선생님은 의외로 부드러이 웃는 낯으로 문기를 대한다.

문기는 선생님 앞에 엎드려 모든 것을 자백할 결심이었다. 그런데 선생님의 부드러운 태도에 도리어 문기는 말문이 열리지 않았다. 다음은 건넌방에서 어린애가 울어 못 했다. 다음은 사모님이 들락날락하고 그리고 다음엔 손님이 왔다. 기어이 문기는 입을 열지 못한 채 물러 나오고 말았다.

먼저보다 갑절 무겁고 컴컴한 마음이었다. 도저히 문기의 약한 어깨로는 지탱하지 못할 무거운 눌림이다. 걸음은 집을 향해 가는 것이지만 반대로 마음은 멀어진다. 장차 집엘 가서 대할 숙모가 두려웠고 삼촌이 두려웠고 더욱이 점순이가 두려웠다.

– 현덕, 〈하늘은 맑건만〉 천(박) 천(노) 미 창 지

05 (가)와 (나)를 읽고 나눈 대화의 내용으로 적절하지 <u>않은</u> 것은?

① 지연: (가)의 '나'는 자기 잘못을 어른에게 고백했군.

② 해인: (나)의 문기는 그럴 용기가 없어 보여.

③ 승현: 그렇네. 그런데 (가)의 어머니는 '나'의 괴로운 마음을 헤아리지는 못하고 있네.

④ 은비: (가)의 어머니는 자신이 한 행동에 책임지는 것을 중요하게 생각하는 분 같아.

⑤ 준우: 아무튼 (가)와 (나)를 통해 잘못을 저지르면 마음이 매우 괴롭다는 것을 잘 알 수 있어.

고난도 서술형

06 (가)의 어머니와 〈보기〉의 주인 영감님의 태도를 비교하여 〈조건〉에 맞게 쓰시오.

┌─ 보기 ──────────────────────
수남이는 겨우 숨을 가라앉히고 자초지종을 주인 영감님께 고해바친다. 다 듣고 난 주인 영감님은 무엇이 그리 좋은지 무릎을 치면서 통쾌해한다.

"잘했다, 잘했어. 만날 촌놈인 줄만 알았더니 제법인데, 제법이야."

그러고는 가게에서 쓰는 드라이버니 펜치를 가지고 자전거에 채운 자물쇠를 분해하기 시작한다.

– 박완서, 〈자전거 도둑〉 비 금 교
└─────────────────────────────

┌─ 조건 ──────────────────────
• (가)의 '나'의 고백에 대한 어머니의 말이나 행동을 바탕으로 하여 쓸 것
• 〈보기〉의 수남이의 고백에 대한 주인 영감님의 말이나 행동을 바탕으로 하여 쓸 것
└─────────────────────────────

(가)의 '나', 〈보기〉의 수남이가 자기 잘못을 모두 털어놓았을 때 어른들의 반응을 살펴보세요.

[07~08] 다음 글을 읽고, 물음에 답하시오.

가 다른 애들은 삼삼오오 모여 앉아서 밥을 먹었어. 서로 반찬
<u>서너 사람 또는 대여섯 사람이 떼를 지어 다니거나 무슨 일을 함. 또는 그런 모양.</u>
도 바꿔 먹고 말이야. 하지만 수택이는 늘 혼자였어.

　수택이는 보리밥이랑 허연 깍두기 반찬이 부끄러웠던 모양
이야. 늘 뚜껑으로 도시락 한쪽을 비스듬히 가리고 밥을 먹었
지. 어깨를 움츠리고 왼팔로는 도시락이랑 깍두기 통을 가리
면서 말이야. [중략]

　나도 깍두기를 자주 싸 왔어. 수택이처럼 날마다는 아니었
지만. 내 깍두기는 고춧가루랑 젓갈이 넉넉히 들어가서 빨갛
고 먹음직스러웠지. 나는 깍두기를 집어서 입으로 가져가다가
힐끗 수택이를 보게 되었어. 수택이는 뭔가 잘못한 아이 같았
지. 몰래 훔쳐 먹는 아이처럼 허연 깍두기를 제대로 씹지도 못
하고 삼키는 거야. / 나는 조금 망설이다 용기를 내어 수택이
보리밥 위에 내 깍두기를 얹어 주었어.

나 "윤희야, 이거 어제 배달하고 남은 거야."

　깍두기를 나눠 먹기 시작하고 얼마 안 되었을 때였어. 수택
이는 ㉠<u>어린이 신문</u>을 한 부씩 갖다 주기 시작했어. 나는 차마
신문을 거절할 수가 없더라. 건네주는 손에 거무죽죽한 자줏
빛이 돌았거든. 손등에는 여기저기 튼 자국이 있었고. 추운 날
씨에 배달을 하느라고 동상에 걸렸던 모양이야. 나는 신문을
<u>심한 추위 때문에 피부 조직이 얼어서 상하는 것.</u>
받아서 가방에 넣었어. 친구들이 알아챌까 봐 빨리 넣느라고
신문이 구겨져 버리곤 했지.

　그렇게 손을 날쌔게 움직였는데도 본 아이가 있었나 봐. 그
게 그만 소문이 나 버리고 말았어.

　"야, 너 보리 방구랑 사귀냐? 너는 반찬 주고, 걔는 신문 주
　고 그런다며?"

다 나는 두 손으로 있는 힘껏 신문을
구겨서 공처럼 만들었어. 그러고는 아
이들 보란 듯이 신문을 난로 속에 던져
버렸단다.

　신문에는 금세 불이 붙었어. 내 가슴
은 쿵쾅쿵쾅 뛰기 시작했어. 교실은 숨
소리도 들릴 만큼 조용했고. 나는 난로

뚜껑을 덮고 교실 밖으로 나가 버렸지. 그리고 ㉡<u>다시는……</u>
<u>다시는 말이야, 수택이 얼굴을 똑바로 보지 못했어.</u>

　　　　　　　　　　　　　　　　　　－ 유은실, 〈보리 방구 조수택〉

07 다음 대화를 참고할 때 ㉠의 의미로 적절한 것은?

> 그동안 늘 혼자였던 수택이에게 반찬을
> 나누어 준 건 '나'가 처음이었을 거야.

> 맞아. 수택이는 '나'가 준 깍두기를 통해
> 처음으로 친구의 따뜻한 마음을 느꼈을 거야.

① '나'가 수택이와 짝이 되는 계기
② '나'가 수택이에게 친근감을 표시하는 수단
③ 수택이가 '나'에게 고마움을 표시하는 수단
④ 수택이가 '나'와 반찬을 나눠 먹게 되는 계기
⑤ 수택이가 반 아이들과 잘 어울리게 되는 계기

서술형

08 이 글의 뒷부분인 〈보기〉를 참고하여 '나'가 ㉡과 같이 행
동한 까닭을 〈조건〉에 맞게 쓰시오.

> **보기**
>
> 　나는 육 학년이 되어서도 자꾸 태워 버린 신문 생
> 각이 났어. 신문을 접거나 구길 때면 그날 구겨 버
> 린 신문 생각이 났지. 초등학교를 졸업한 뒤에도 몇
> 년 동안 난로 속에 뭐를 집어넣는 것만 봐도, 신문
> 재가 목구멍을 꽉 막고 있는 것처럼 답답했어.
>
> 　그리고 시간이 많이 흐른 지금도 이렇게 겨울 부
> 츠 속에 신문지를 구겨 넣을 때면, 봄 신발을 꺼내
> 구겨 넣었던 신문지를 빼낼 때면, 나는 한참씩 수
> 택이 생각에 잠긴단다. [중략]
>
> 　어디서 무얼 했으면 좋겠냐고? 음…… 어디서
> 무얼 하든…… 그날이 생각나지 않았으면…… 생
> 각나더라도 너무 아프지 않았으면…… 그랬으면,
> 내 친구 수택이가 꼭 그랬으면 좋겠어.

> **조건**
> • '나'의 심리가 드러나도록 쓸 것
> • '~했기 때문이다.' 형식의 한 문장으로 쓸 것

내신 고득점을 위한 필수 심화 학습서

중학 일등전략

전과목 시리즈

체계적인 시험대비

주 3일, 하루 6쪽 구성
총 2~3주의 분량으로
빠르고 완벽하게 시험 대비!

1등을 위한 공부법

탄탄한 중학 개념 기본기에
실전 문제풀이의 감각을 더해
어떠한 상황에도 자신감 UP!

문제유형 완전 정복

기출문제 분석을 통해
개념 확인 유형부터 서술형,
고난도 유형까지 다양하게 마스터!

완벽한 1등 만들기! 전과목 내신 대비서

국어: 예비중~중3(문학1~3/문법1~3)
영어: 중2~3
수학: 중1~3(학기용)

사회: 중1~3(사회①, 사회②, 역사①, 역사②)
과학: 중1~3(학기용)

book.chunjae.co.kr

교재 내용 문의 ···················· 교재 홈페이지 ▶ 중학 ▶ 교재상담

교재 내용 외 문의 ···················· 교재 홈페이지 ▶ 고객센터 ▶ 1:1문의

발간 후 발견되는 오류 ············· 교재 홈페이지 ▶ 중학 ▶ 학습지원 ▶ 학습자료실

일등공략 필승학습!
단기간에 끝장내자!

중학 국어 문학 1

BOOK 2

정답과 해설

특목고 대비

일등
전략

 천재교육

중학 국어 문학 1

BOOK 2
정답과 해설

정답과 해설
차례

정답과 해설   03

필수 어휘 체크 전략   37

정답과 해설

1주 비유와 상징 ———— 04

2주 갈등 ———— 14

3주 성장과 성찰 ———— 23

권말 정리 마무리 전략 ———— 32

정답과 해설

1주 비유와 상징

01 표현하려는 어떤 대상을 그와 비슷한 다른 대상에 빗대어 표현하는 방법은 '비유'이다.

02 차가운 눈빛(원관념)을 '얼음'(보조 관념)에 빗대어 표현하는 직유법이 쓰였다.

03 '~은/는 ~이다'와 같은 형식으로 원관념과 보조 관념이 동일한 것처럼 표현하는 방법을 은유법이라고 한다.

04 의인법은 동물이나 식물 등 사람이 아닌 것을 사람처럼 표현하는 방법이다.

> **자료실**
> 활유법과 대유법
>
> | | |
> |---|---|
> | 활유법 | 무생물을 생물, 특히 동물인 것처럼 표현하는 방법. 의인법이 동식물과 사물을 사람처럼 표현하는 것이라면, 활유법은 생명이 없는 대상에 생명을 부여하는 것임.
 ⑩ 나를 에워싸는 산 |
> | 대유법 | 어떤 대상의 일부분이나 특징만으로 전체를 대신하여 표현하는 방법
 ⑩ 인간은 빵만으로 살 수 없다.
 식량의 한 종류인 '빵'이 식량 전체를 나타냄. |

05 비유를 쓰면 장면이나 대상을 생생하게 표현할 수 있고 독자의 상상력을 자극하여 흥미를 높일 수 있다.

06 상징은 인간의 감정이나 사상 등의 추상적인 관념을 구체적인 사물로 나타내는 방법이다.

07 상징을 사용하면 전달하고자 하는 바를 인상 깊게 표현할 수 있다. 상징은 추상적인 관념을 구체적인 사물로 나타내는 방법이지 구체적인 관념을 추상적으로 드러내는 방법이 아니다.

08 원관념과 보조 관념의 의미 관계가 다대일로 대응하는 것은 '상징'이다.

01 비유를 써서 표현하려는 대상을 원관념이라고 하며, 빗댄 대상을 보조 관념이라고 한다.

02 이 시에서는 골목길을 걷는 동안 등에 느껴지는 따뜻하고 포근한 '가을볕'을 '동생 숨결', '아랫목 할머니 품'에 빗대어 표현하고 있다.

> **자료실**
> 〈가을볕〉(정진아) 작품 개관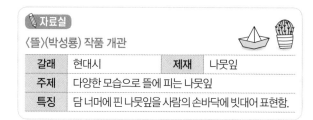
>
> | | | | |
> |---|---|---|---|
> | 갈래 | 현대시 | 제재 | 가을볕 |
> | 주제 | 따뜻하고 포근한 가을볕 | | |
> | 특징 | 비유를 써서 따사로운 가을 햇볕의 느낌을 나타냄. | | |

03 이 시에는 '~처럼'을 사용하여 '나뭇잎'을 '손바닥'에 직접 빗대어 표현하는 직유법이 쓰였다. ④에는 '~은/는 ~이다'와 같은 형식으로 두 대상이 동일한 것처럼 표현하는 방법인 은유법이 쓰였다.

> **자료실**
> 〈뜰〉(박성룡) 작품 개관
>
> | | | | |
> |---|---|---|---|
> | 갈래 | 현대시 | 제재 | 나뭇잎 |
> | 주제 | 다양한 모습으로 뜰에 피는 나뭇잎 | | |
> | 특징 | 담 너머에 핀 나뭇잎을 사람의 손바닥에 빗대어 표현함. | | |

04 이 시의 밑줄 친 부분에는 빨래들이 바람에 흔들리는 모습을 사람이 춤을 추는 것처럼 표현하는 의인법이 쓰였다. ②에도 해가 뜬 모습을 사람이 즐거워 웃는 것처럼 표현하는 의인법이 쓰였다.

오답 풀이
①, ④에는 은유법이 쓰였고, ③, ⑤에는 직유법이 쓰였다.

> **자료실**
> 〈빨래〉(이원수) 작품 개관
>
> | | | | |
> |---|---|---|---|
> | 갈래 | 현대시 | 제재 | 빨래 |
> | 주제 | 빨래가 바람에 날리는 풍경 | | |
> | 특징 | 의인법을 써서 빨래가 바람에 흔들리는 모습을 사람들이 춤추는 모습처럼 표현함. | | |

05 이 시는 '나'와 '당신'의 관계를 '나룻배'와 '행인'의 관계에 비유하고 있다.

오답 풀이

① 1연에는 직유법이 아니라 은유법이 쓰였다.

②, ③, ④ 화자인 '나'는 자신을 '나룻배'에 비유하고 '당신'을 '행인'에 비유하고 있다.

📝 자료실

〈나룻배와 행인〉(한용운) 작품 개관

갈래	현대시
제재	나룻배, 행인
주제	희생과 믿음을 통한 진정한 사랑의 실천 의지
특징	① 화자는 자신을 '나룻배'에 비유하여 임에 대한 자신의 마음을 드러내고 있음. ② 시의 처음과 끝에 같은 구절을 반복하여 배치하는 수미상관의 구조를 취하여 시에 안정감을 부여하며, '나'와 '당신'의 관계를 강조함.

06 비유를 쓰면 독자의 상상력을 자극하고 독자의 흥미를 불러일으킬 수 있다. 사실적이고 정확한 정보를 객관적으로 전달하는 것과는 거리가 멀다.

07 상징은 원관념이 겉으로 드러나지 않으며 원관념과 보조 관념 사이에 유사성이 분명하지 않다. 또한 원관념과 보조 관념의 의미 관계가 다대일로 대응한다.

08 이 시조에서 '솔'(소나무)은 외부의 환경에도 변치 않고 흔들리지 않는 존재로, 지조와 절개를 상징한다. '눈서리'는 나무를 시들거나 죽게 만드는 외부의 힘으로, 시련, 역경, 고난을 상징한다.

09 대상의 부정적인 특성만을 강조하여 드러내는 것은 상징의 일반적인 효과와는 거리가 멀다.

10 표현하려는 대상을 다른 대상에 빗대어 표현하는 방법인 비유가 쓰인 표현에서는 보통 원관념이 겉으로 드러난다. 그러나 추상적인 관념을 구체적인 사물로 나타내는 방법인 상징이 쓰인 표현에서는 원관념이 겉으로 드러나지 않는다.

11 '겉이 검은들 속조차 검을쏘냐.'를 볼 때 화자는 까마귀를 겉은 검지만 속은 그렇지 않은 긍정적인 존재로 보고 있음을 알 수 있다.

오답 풀이

①, ③, ④, ⑤ 이 시조에서 까마귀는 검은 겉모습 때문에 부정적으로 보이지만 실제로는 긍정적인 존재이고, 백로는 흰 겉모습 때문에 긍정적으로 보이지만 실제로는 속이 검은 부정적인 존재를 상징한다. 이를 고려할 때 ④, ⑤에 제시된 까마귀와 백로의 상징적 의미는 적절하다.

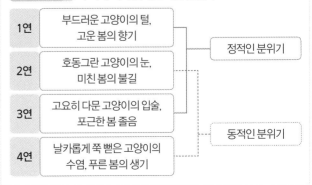

2일 필수 체크 전략 1   14~17쪽

1 ③   **1-1** 부드럽다   **2** ③   **2-1** ③   **2-2** 거품   **3** ③

3-1 ④   **4** ②   **4-1** ②

• 봄은 고양이로다(이장희)

갈래	현대시
제재	봄, 고양이
주제	고양이의 모습에서 연상되는 봄의 분위기
특징	① 대상을 감각적으로 표현함. ② 1연과 3연에서는 정적인 분위기, 2연과 4연에서는 동적인 분위기가 나타남.

시의 짜임

1연	고양이의 털에 어린 봄의 향기
2연	고양이의 눈에 흐르는 봄의 불길
3연	고양이의 입술에 떠도는 봄의 졸음
4연	고양이의 수염에 뛰노는 봄의 생기

핵심 포인트 1 이 시에 쓰인 비유

비유적 표현	원관념	보조 관념	표현 방법
봄은 고양이로다	봄	고양이	은유법
꽃가루와 같이 부드러운 고양이의 털에	고양이의 털	꽃가루	직유법
금방울과 같이 호동그란 고양이의 눈에	고양이의 눈	금방울	직유법

핵심 포인트 2 이 시에 나타난 대조적인 분위기

1연	부드러운 고양이의 털, 고운 봄의 향기
2연	호동그란 고양이의 눈, 미친 봄의 불길
3연	고요히 다문 고양이의 입술, 포근한 봄 졸음
4연	날카롭게 쭉 뻗은 고양이의 수염, 푸른 봄의 생기

1연, 3연 → 정적인 분위기

2연, 4연 → 동적인 분위기

1 ㉡에는 '고양이의 눈'(원관념)과 '금방울'(보조 관념)이 동그랗다는 유사성을 바탕으로 하여 직유법이 쓰였다. ㉠에는 '고양이의 털'(원관념)을 '꽃가루'(보조 관념)에 빗대어 표현하는 직유법이 쓰였다.

> **오답 풀이**
> ① ㉠에서 보조 관념은 '꽃가루'이다.
> ② ㉡에서 표현하고자 하는 대상은 '고양이의 눈'이다.
> ④ ㉡에서는 '고양이의 눈'을 '금방울'에 빗대어 고양이의 호동그란 눈을 생생하게 표현하였다.
> ⑤ ㉠과 ㉡에서는 직유법을 사용하여 봄의 분위기를 감각적으로 표현하였다.

1-1 '꽃가루와 같이 부드러운 고양이의 털에'에서 '고양이의 털'과 '꽃가루'가 부드럽다는 유사성을 바탕으로 하여 비유가 이루어졌다.

핵심 포인트 2	이 시의 정서와 분위기	
정서	설렘, 기대 등	
분위기	• 따뜻하고 활기참. • 다정하고 친근함. • 봄의 생명력과 생동감이 넘침.	

2 ㉠에는 '~처럼'을 써서 '온 산'을 '공중목욕탕'에 빗대어 표현하는 직유법이 쓰였다. ③에도 '~처럼'을 써서 선생님을 낙타에 빗대어 표현하는 직유법이 쓰였다.

> **오답 풀이**
> ①, ②에는 은유법, ④, ⑤에는 의인법이 쓰였다.

2-1 ⓐ와 ⓑ에서는 나무들이 햇빛을 받으며 꽃을 피우는 모습을 샤워하고 있다고, 목욕 중이라고 표현하고 있다. 사람이 아닌 것을 사람처럼 표현하는 방법인 의인법이 쓰였다.

2-2 이 시에서는 진달래, 조팝나무, 영산홍 등에 활짝 핀 꽃을 '거품'에 빗대어 표현하고 있다.

• 나무들의 목욕(정현정)

갈래	현대시
제재	꽃을 피우는 나무들
주제	나무들이 꽃을 피우는 것은 새로운 씨앗(생명)을 맞이하기 위한 소중한 일이다.
특징	① 다양한 비유를 써서 봄 산의 풍경을 생동감 있게 표현함. ② 말을 건네듯이 친근한 말투를 사용함.

시의 짜임

1연	꽃을 피우는 나무들
2연	꽃을 피우는 나무들에 주목하게 함.
3연	나무들에 색색의 꽃이 핀 모습
4연	나무들이 꽃을 피우는 까닭
5연	색색의 꽃을 피우는 나무들로 가득한 산의 모습

핵심 포인트 1	이 시에 쓰인 비유
은유법	나무들에 핀 '꽃'을 '거품'에 빗대어 표현함. → 분홍 거품, 하얀 거품, 빨강 거품, 색색의 거품
의인법	나무들이 햇빛을 받으며 꽃을 피우는 모습을 의인화함. → 나무들이 / 샤워하고 있다 → 깨끗이 씻은 자리 / 씨앗 마중하려고 / 부지런히 목욕 중이야
직유법	'온 산'을 '공중목욕탕'에 직접 빗대어 표현함. → 온 산이 공중목욕탕처럼

• 유성(오세영)

갈래	현대시
제재	밤하늘의 별, 유성
주제	별이 반짝이는 밤하늘의 아름다운 모습과 유성의 생동감
특징	① 은유법, 의인법을 써서 대상을 감각적으로 표현함. ② 시각적, 청각적 심상을 활용하여 대상의 모습을 생생하게 표현함.

시의 짜임

1연	별들이 반짝이는 밤하늘의 모습과 유성이 떨어지는 모습

핵심 포인트 1	이 시에 쓰인 비유와 그 효과	

비유적 표현	표현 방법	효과
밤하늘은 / 별들의 운동장	은유법	밤하늘의 별들이 반짝이는 모습을 생동감 있게 표현함.
오늘따라 별들 부산하게 바자닌다.	의인법	반짝이는 별들을 사람이 움직이는 것처럼 표현하여 생동감 있게 표현함.
운동회를 벌였나 / 아득히 들리는 함성,	의인법	반짝이는 별들을 사람이 운동회를 벌인 것처럼 표현하여 생생하게 표현함.
빗나간 야구공 하나	은유법	궤도에서 벗어나 별들 사이로 떨어지는 유성의 모습을 역동적으로 표현함.

핵심 포인트 2 이 시에 드러난 청각적 심상

• 아득히 들리는 함성 • 먼 곳에서 아슴푸레 빈 우레 소리 들리더니 • 쨍그랑 • 또르르	유성이 나타나는 순간을 감각적으로 표현함.

3 이 시에서는 별들이 반짝이는 모습을 사람처럼 부산하게 움직이는 모습으로 표현하였다.

[오답 풀이]

② '쨍그랑'은 '얇은 쇠붙이나 유리 따위가 떨어지거나 부딪쳐 맑게 울리는 소리.'를 뜻하는 말이고, '또르르'는 '작고 동그스름한 것이 가볍게 구르는 소리. 또는 그 모양.'을 뜻하는 말이다. 이와 같은 의성어, 의태어를 사용하여 유성의 모습을 감각적으로 나타내고 있다.

3-1 이 시에서는 별을 의인화하여 '오늘따라 별들 부산하게 바자닌다.', '운동회를 벌였나 / 아득히 들리는 함성'과 같이 사람처럼 표현하고 있다. 이러한 표현이 시에 생동감을 주고 있다.

• 고무신(오영수)

갈래	현대 소설
배경	• 시간: 1940년대 후반, 봄 • 공간: 바다가 보이는 산기슭 마을
주제	젊은 남녀의 애틋한 사랑
특징	① 비유를 써서 풍경, 인물의 외양이나 행동 등을 생생하게 묘사함. ② 중심 소재인 '고무신'에 상징적 의미를 부여함.

글의 짜임

발단	산기슭 마을에 찾아오는 엿장수는 아이들에게 즐거움을 줌.
전개 1	남이의 옥색 고무신을 영이와 윤이가 엿과 바꿔 먹음.
전개 2	남이는 고무신을 돌려 달라고 엿장수에게 성화를 부리고, 엿장수가 남이의 옷에 붙은 벌을 쫓으려다 벌에 쏘임.
전개 3	엿장수가 남이를 보려고 동네에 자주 나타남.
위기	남이 아버지가 남이를 시집보내려고 남이를 데리러 옴.
절정	남이가 떠나기 직전, 때마침 나타난 엿장수에게 엿을 사서 아이들에게 줌.
결말	엿장수는 옥색 고무신을 신고 떠나는 남이를 울음 고개에서 바라봄.

핵심 포인트 1 '고무신'의 상징적 의미

• 추석치레로 받아 남이가 애지중지한 물건 • 영이와 윤이가 엿과 바꾼 물건 • 남이와 엿장수의 만남의 매개체 • 남이가 마을을 떠날 때 신고 간 것	애정, 추억, 사랑, 이별

핵심 포인트 2 이 소설에 쓰인 비유와 그 효과

아이들은 벌써 길목에 쭉 모여 서서 **개선장군이나 맞이하듯** 기다리고 섰다.	엿장수를 열렬하게 환영하는 아이들의 마음을 비유적으로 표현함.
영이 놈은 **맹꽁이처럼** 부르켜 가지고 한결같이 고개를 숙이고 있고,	뽀로통해서 볼을 부풀린 영이의 모습을 비유적으로 표현함.
남이는 **가시처럼** 꼭 찌르는 소리로	화가 난 남이의 날카로운 목소리를 비유적으로 표현함.
엿장수는 **수양버들 봄바람 맞듯** 연신 히죽거리며,	엿장수가 부드럽게 웃고 있는 모습을 비유적으로 표현함.
엿판가에는 아이들이 **파리 떼처럼** 붙어 있다.	엿판가에 모여 있는 아이들의 모습을 비유적으로 표현함.
길쑴한 얼굴은 **유지를 비벼 놓은 것처럼** 주름살이 잡혔다.	얼굴에 많은 주름살이 잡힌 모습을 비유적으로 표현함.

↓

• 표현하려는 대상의 모습이나 심리를 좀 더 구체적이고 생생하게 표현할 수 있음.
• 상황을 참신하고 재미있게 표현할 수 있음.
• 표현하고자 하는 바를 인상적으로 전달할 수 있음.

4 개선장군은 '싸움에서 이기고 돌아온 장군.'을 뜻한다. 엿장수를 기다리는 아이들의 모습을 개선장군을 맞이하는 것에 비유하여 엿장수를 열렬히 환영하는 아이들의 모습을 생생하게 보여 주고 있다.

4-1 ㉠에서는 먼 산이 어른어른하는 모습, 수양버들이 한들거리는 모습, 민들레가 활짝 핀 모습을 비유적으로 표현하여 봄날의 풍경을 눈에 보이듯 생생하게 묘사하고 있다.

2일 필수 체크 전략 2 18~21쪽

01 ① 02 ⍰: 꽃 ⍰: 공중목욕탕 03 ④ 04 ④ 05
사막, 열매 06 동적 07 ⑤ 08 ⑤ 09 ③ 10 '남
이는 가시처럼 꼭 찌르는 소리로'에서 직유법을 써서 화가 난 남
이의 목소리를 '가시'에 빗대어 표현하였다.

01 (가)에서는 '나무들이 / 샤워하고 있다'라고 표현하였으
며 (나)에서는 '해님이 웃는다'라고 표현하였다. 이처럼
사람이 아닌 것을 사람처럼 표현하는 방법을 의인법이라
고 한다.

📝 자료실

〈햇비〉(윤동주) 작품 개관

갈래	현대시
제재	햇비
주제	햇비를 맞으며 밝게 자라는 아이들의 모습
특징	① 다양한 비유를 써서 대상을 인상적으로 표현함. ② 2음보, 청유형 어미의 반복을 통해 운율을 형성함. ③ 순우리말(고유어)만 쓰임.

02 (가)의 화자는 꽃이 피어나는 봄 산의 풍경을 바라보고
있다. 나무들이 꽃을 피우는 모습을 샤워하는 모습에 빗
대어 거품이 보글보글 일고 있는 것으로 표현하고, 색색
의 꽃이 가득 핀 '온 산'을 '공중목욕탕'에 비유하고 있다.

평가 기준

채점 요소	확인☑
샤워하는 모습에 빗대어 표현하려는 대상을 바르게 파악하였다.	
색색의 꽃이 핀 '온 산'의 풍경을 빗댄 대상을 바르게 파악하였다.	

03 (나)는 햇비를 맞는 아이들의 즐거운 모습을 그리고 있는
시로, 밝고 즐거운 분위기를 느낄 수 있다. (나)에서 해님
은 아이들을 보고 웃고 있다. 그리고 화자는 '노래하자 즐
겁게', '다 같이 춤을 추자'와 같은 표현을 통해 즐거워하
는 마음을 표현하고 있으므로 '해님'과 대비되는 화자의
감정이 두드러지게 나타난다는 내용은 적절하지 않다.

04 (가)는 시, (나)는 수필이다. 수필은 일상생활에서 얻은
생각이나 느낌을 형식에 얽매이지 않고 자유롭게 쓴 글
로, 수필의 '나'는 글쓴이 자신이다. 글쓴이의 경험이나
감정을 솔직하게 쓴 글이기 때문에 글쓴이의 개성이 잘

드러난다.

📝 자료실

〈사막을 같이 가는 벗〉(양귀자) 작품 개관

갈래	수필
주제	진정한 벗의 필요성, 진정한 벗이 되기 위해 노력하는 자세의 중요성
특징	① 비유를 써서 친구 없는 고독한 삶을 '사막'에 비유함. ② 삶의 고난을 함께 이겨 낼 수 있는 우정의 가치를 '사막을 같이 가는 벗'이라는 제목으로 표현함.

05 (나)의 세 번째 문단의 '친구 없이 사는 일만큼 무서운 사
막은 없다고.'에서 글쓴이는 친구 없이 사는 고독한 삶을
'사막'이라고 표현하였다. 다섯 번째 문단의 '하지만 우정
은 ~ 열매인 것이다.'에서 우정을 '탑'과 '열매'에 빗대어
진정한 벗을 얻으려면 자신이 먼저 노력해야 함을 말하
고 있다.

평가 기준

채점 요소	확인☑
두 글자로 이루어진, 친구 없는 고독한 삶을 빗댄 대상을 바르게 파악하였다.	
두 글자로 이루어진, 우정을 빗댄 대상을 바르게 파악하였다.	

06 (가)는 고양이를 통해 봄의 모습과 분위기를 감각적으로
노래한 시로, 1연과 3연, 2연과 4연은 서로 대조적인 분
위기를 이루고 있다. 1연과 3연이 다소 정적인 분위기라
면, 2연과 4연은 동적인 분위기라 할 수 있다.

07 ⍰에서는 '고양이의 눈'(원관념)을 '금방울'(보조 관념)에
빗대어 고양이의 동그란 눈을 효과적으로 표현하였고,
⍰에서는 좌절하지 않고 씩씩하게 살아가는 삶의 자세
(원관념)를 쓰러지는 법이 없는 둥글고 탄력 있는 '공'(보
조 관념)에 빗대어 효과적으로 표현하고 있다.

📝 자료실

〈떨어져도 튀는 공처럼〉(정현종) 작품 개관

갈래	현대시
제재	공
주제	어려움을 극복하는 긍정적인 삶의 자세
특징	① 공의 속성을 통해 어려움을 이겨 내는 긍정적인 삶의 자세를 드러냄. ② 각 연의 1행에서 종결 어미 '-지'를 반복하여 운율을 형성함.

08 (나)의 화자는 떨어져도 다시 튀는 공처럼 힘든 상황 속에서도 절망하거나 좌절하지 않고 다시 일어서는 삶을 살자고 말하고 있다. 이를 고려할 때 (나)의 화자가 조언을 해 줄 대상은 현재 힘들고 어려운 상황에 처해 있는 사람일 것이다. 이와 거리가 먼 사람은 ⑤이다.

09 남이의 옷에 붙은 벌을 엿장수가 잡아 주는 과정에서 두 사람 사이의 갈등이 해소되고 미묘한 감정이 싹트게 되었다. 벌은 두 사람의 갈등을 해소해 주는 매개체이다.

10 (가)의 '남이는 가시처럼 꼭 찌르는 소리로'에서 엿장수에게 화가 나 쏘아붙이는 남이의 목소리를 '가시'에 빗대어 표현하고 있다. '~처럼'을 써서 원관념을 보조 관념에 직접 빗대어 표현하는 직유법이 쓰였다.

평가 기준	
채점 요소	확인 ☑
화가 난 남이의 목소리를 빗댄 대상을 바르게 파악하였다.	
비유가 쓰인 구절을 바르게 찾아 썼다.	
비유의 종류를 바르게 파악하였다.	
한 문장으로 서술하였다.	

핵심 포인트 1 이 시의 화자가 처한 상황과 태도

상황	• 숲과 마을을 향해 걸어가고 있음. • 길을 걸어가며 다양한 존재를 만남.
화자의 태도	늘 새로운 마음으로 끊임없이 길을 걸어가겠다고 다짐함.

핵심 포인트 2 이 시에 쓰인 상징과 그 효과

'길'	삶, 인생을 상징함.

↓

효과	• '인생(삶)'이라는 추상적 개념을 '길'이라는 구체적인 사물로 나타내어 머릿속에서 쉽게 떠올릴 수 있도록 도와줌. • 시의 주제를 강조함.

1 '상징'은 추상적인 관념을 구체적인 사물로 표현하는 방법이다.

오답 풀이

① 의인법, ② 반어법, ③ 설의법, ⑤ 역설법에 관한 설명이다.

1-1 이 시의 화자는 '숲'과 '마을'을 향해 나아가고 있다. 계속 나아가며 도달하려고 하는 곳이라는 점에서 '숲'과 '마을'은 화자가 이루고자 하는 목표, 꿈, 미래 등을 상징한다.

3일 필수 체크 전략 1   22~25쪽

1 ④   **1-1** 마을   **2** ④   **2-1** 시련에도 변치 않고 흔들리지 않는 지조와 절개를 상징한다.   **3** ③   **3-1** 용기, 자유, 생명력, 자신감   **4** ⑤   **4-1** ⑤

• 새로운 길(윤동주)

갈래	현대시
제재	길
주제	언제나 새로운 길을 가고자 하는 의지
특징	① 상징적 소재인 '길'을 중심으로 하여 시상이 전개됨. ② 3연을 중심으로 하여 앞뒤 부분이 의미상 대칭 구조를 이룸. ③ 첫 연과 끝 연을 대응하여 운율을 형성하고 의미를 강조함.

시의 짜임

1연	길을 걸어 숲과 마을로 향하는 '나'
2연	언제나 새로운 마음으로 길을 걸어감.
3연	길을 걸으며 만나는 존재들
4연	앞으로도 새로운 마음으로 길을 걸어갈 것을 다짐함.
5연	길을 걸어 숲과 마을로 향하는 '나'

• 오우가(윤선도)

갈래	고시조, 연시조(6수)
제재	오우(五友)
주제	다섯 자연물의 덕 예찬
특징	① 다섯 자연물(물, 바위, 소나무, 대나무, 달)을 예찬함. ② 자연물에 상징적 의미를 부여함.

시조의 짜임

제1수	다섯 벗인 '물, 바위, 소나무, 대나무, 달'을 소개함.
제2수	물의 맑음과 영원성을 예찬함.
제3수	바위의 불변성을 예찬함.
제4수	소나무의 지조와 절개를 예찬함.
제5수	대나무의 지조와 절개, 겸허함을 예찬함.
제6수	달의 포용성과 과묵함을 예찬함.

핵심 포인트 1	이 시조에 쓰인 표현 방법
의인법	• 내 벗이 몇이나 하니 수석(水石)과 송죽(松竹)이라. • 솔아 너는 어찌 눈서리를 모르는다. • 밤중의 광명이 너만 한 이 또 있느냐.
상징	• 물 → 맑음, 영원성 • 바위 → 불변성 • 소나무 → 지조, 절개 • 대나무 → 지조, 절개, 겸허함 • 달 → 포용성, 과묵함

핵심 포인트 2	화자의 태도와 이 시조의 주제
화자의 태도	• 자연물인 '물, 바위, 소나무, 대나무, 달'을 자신의 벗이라고 소개함. • 다섯 자연물은 화자가 예찬하는 대상임. • 인간의 이상적인 덕성을 다섯 자연물의 특성과 관련지어 표현함.

⬇

주제	다섯 자연물의 덕성을 예찬함.

2 화자는 제1수에서 다섯 자연물을 소개한 뒤 각 자연물을 한 수씩 노래하고 있다. 제5수에서는 곧고 속이 비어 있으며 사시사철 푸른 대나무를 예찬하고 있으며 대나무는 지조와 절개, 겸허함을 상징한다.

2-1 제4수에서는 눈서리를 맞으면 대부분의 나무가 잎이 지는 것과 달리 잎이 지지 않고 뿌리가 곧은 소나무의 변함없는 모습을 예찬하고 있다. 여기서 '눈서리'는 시련이나 고난을, '솔'(소나무)은 지조와 절개를 상징한다.

• **꿩(이오덕)**

갈래	현대 소설
배경	• 시간: 1960년대　　• 공간: 시골 마을
주제	부당한 차별에 당당하게 맞서서 얻은 자유, 부당한 일에 당당하게 맞서는 용기
특징	① 주인공의 태도 변화가 극적으로 표현됨. ② 상징적 소재와 비유적 표현을 통해 주제를 효과적으로 드러냄.

글의 짜임

발단	학교에 가지 않겠다고 투정을 부리던 용이는 아버지가 올해까지만 머슴살이를 한다는 말을 듣고 집을 나섬.
전개	용이는 머슴의 자식이란 이유로 다른 아이들의 책 보퉁이를 대신 메고 고갯길을 올라감.
위기	날아오르는 꿩의 모습을 보고 용기를 얻은 용이가 다른 아이들의 책 보퉁이를 골짜기 아래로 던져 버림.
절정	용이는 책 보퉁이를 찾아오라는 아이들에게 자신은 이제 못난 아이가 아니라고 말하며 당당하게 맞섬.
결말	용이는 꿩이 날아오르는 몸짓처럼 두 팔을 내저으며 학교를 향해 달려감.

핵심 포인트 1	이 소설에 쓰인 상징과 그 효과

• 그것은 온 산골의 가라앉은 공기를 뒤흔들어 놓고 하늘을 날아오르는, 정말 살아 있는 생명의 소리였습니다.
• 날개를 쫙 펴고 꽁지를 쭉 뻗고 아침 햇빛에 눈부신 모습으로 산을 넘어가는 꿩을 쳐다보는 용이의 온몸에 갑자기 어떤 힘이 마구 솟구쳤습니다.

⬇

'꿩'의 상징적 의미	용기, 자유, 생명력, 자신감

⬇

효과	'꿩'의 의미가 다양하게 해석되어 작품을 다양하고 깊이 있게 이해할 수 있음.

핵심 포인트 2	이 소설에 쓰인 비유와 그 효과

용이는 훌쩍 한번 뛰더니 마구 두 팔을 내저으면서 내리 달렸습니다. 그것은 마치 한 마리의 꿩이 소리치면서 하늘을 날아오르는 모습과도 같았습니다.

⬇

표현하려는 대상	유사성	빗댄 대상
두 팔을 내저으며 달려가는 용이의 모습	• 당당하고 힘참. • 자유로움.	소리치면서 하늘을 날아오르는 꿩의 모습

⬇

효과	• 용이의 당당한 기세와 자유로움을 선명하게 표현함. • 용이를 상징적 소재인 '꿩'에 빗대어 주제를 강조함.

3 꿩이 하늘을 날아오르는 모습을 보고 자신감을 얻은 용이는 다른 아이들의 책 보퉁이와 작대기를 골짜기로 던지고 후련함을 느낀다. 꿩은 용기, 자유, 생명력, 자신감을 상징한다. 좌절과는 거리가 멀다.

3-1 '꿩'은 용이의 심리와 행동에 변화를 불러온 소재로, 꿩을 보기 전 동네 아이들의 책 보퉁이를 대신 메고 고갯길을 오르던 용이는 꿩이 하늘로 날아오르는 모습을 본 뒤 책 보퉁이들을 던져 버리고 아이들에게 당당히 맞선다.

• 막내의 야구 방망이(정진권)

갈래	수필
주제	아이들의 단결심과 순수한 마음
특징	① '야구 방망이', '맑고 푸른 별'과 같은 상징적 소재를 통해 주제를 효과적으로 드러냄. ② 아이들의 순수한 열정과 이를 이해하고 존중해 주는 아버지의 모습이 따뜻하게 그려짐.

핵심 포인트 1 주요 소재의 상징적 의미와 그 표현 효과

| 야구
방망이 | • 일반적 의미: 야구에서 공을 치는 도구
• 상징적 의미: 막내와 아이들의 자존심, 단결심, 노력 |
| 맑고
푸른 별 | • 일반적 의미: 맑게 빛나는, 푸른빛을 띠는 별
• 상징적 의미: 막내와 아이들의 맑고 순수한 마음, 동심 |

↓

| 효과 | • 대상에 새로운 의미를 부여하여 풍부한 의미를 표현할수 있음.
• 전달하고자 하는 바를 인상 깊게 표현할 수 있음. |

핵심 포인트 2 '나'의 태도 변화

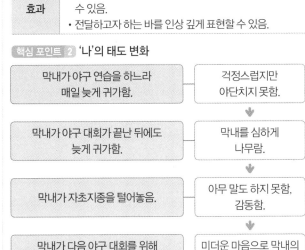

막내가 야구 연습을 하느라 매일 늦게 귀가함.	걱정스럽지만 야단치지 못함.
막내가 야구 대회가 끝난 뒤에도 늦게 귀가함.	막내를 심하게 나무람.
막내가 자초지종을 털어놓음.	아무 말도 하지 못함, 감동함.
막내가 다음 야구 대회를 위해 연습을 하고 늦게 귀가함.	미더운 마음으로 막내의 야구 방망이를 받아 줌.

4 상징을 사용하면 대상에 새로운 의미를 부여함으로써 좀 더 다양하고 풍부한 의미를 표현할 수 있기 때문에 작품의 깊이를 더할 수 있다.

4-1 ㉠에서 '맑고 푸른 별'은 막내와 막내네 반 아이들의 맑고 순수한 동심을 상징한다. 글쓴이는 아이들의 맑고 순수한 동심을 상징적 소재인 '맑고 푸른 별'로 표현함으로써 전달하고자 하는 바를 인상 깊게 표현하고 있다.

---

01 ③ **02** 길 **03** ⑤ **04** ⓐ: 꽃, 풀 ⓑ: 변하지 않는 존재 **05** ⑤ **06** ② **07** ③ **08** ⑤ **09** ④ **10** 별

01 (나)에는 사투리를 사용한 표현이 나타나지 않는다.

오답 풀이

① 1연과 5연에 같은 구절을 반복하여 수미상관 구조를 이루고 있다.

④ (나)는 부끄러움 없는 삶에 대한 간절한 소망과 의지를 노래한 시로, 1연을 통해 잘 드러나 있다.

⑤ (가)에서는 인생을 상징하는 '길', (나)에서는 시련을 상징하는 '바람', 희망과 이상을 상징하는 '별', 화자가 걸어가야 할 숙명, 운명을 상징하는 '길' 등을 통해 각 시의 주제를 드러내고 있다.

자료실

〈서시〉(윤동주) 작품 개관

갈래	현대시
제재	별
주제	부끄러움 없는 삶에 대한 소망과 의지
특징	① '과거-미래-현재'의 순서로 시상을 전개함. ② 상징적 의미를 지닌 시어의 대립이 나타남.

02 (가)와 (나)에 공통으로 나타난 시어는 '길'이다. (가)와 (나)에서 '길'은 본래의 의미 외에 각각 상징적 의미를 지니고 있다.

03 한 제목 밑에 두 개 이상의 평시조를 엮은 시조를 연시조라고 하는데, 〈오우가〉는 여섯 수로 된 연시조이다. 시조는 초장, 중장, 종장으로 이루어져 있고, 종장의 처음은 세 글자로 고정되어 있으나 초장의 처음은 글자 수가 고정되어 있지 않다.

04 제3수에서는 쉽게 변하는 '꽃', '풀'과 달리 변하지 않는 존재를 상징하는 '바위'를 예찬하고 있다.

평가 기준

채점 요소	확인☑
제3수에서 쉽게 변하는 존재를 상징하는 자연물 두 가지를 바르게 파악하였다.	
제3수에 나타난 '바위'의 상징적 의미를 바르게 파악하였다.	

05 이 시조의 화자는 제1수에서 물, 바위, 소나무, 대나무,

달을 자신의 벗이라고 소개한 뒤, 각각의 벗을 다시 한 수씩 노래하고 있다. 제5수에서는 줄기가 곧으며 속이 비어 있고 사계절 푸른 대나무의 특성을 예찬하고 있다.

06 (다)에는 자신감 있는 태도로 당당하게 맞서는 용이를 보고 아이들이 입을 벌리고 어쩔 줄 몰라 하는 모습이 나타나 있다. 아이들은 당당한 용이의 태도에 더 이상 맞서지 못하고 자신의 책보를 직접 가지러 간다.

> **오답 풀이**
> ①, ⑤ (나)를 통해 용이가 아이들의 책 보퉁이를 두꺼비바위 아래로 던진 상황임을 알 수 있다. 아이들의 다그침에도 용이는 조금도 겁내지 않고 당당하게 맞서고 있다.
> ③ 이 글에 용이가 아이들에게 돌을 던지는 모습은 나타나지 않는다.
> ④ (가)에 용이가 책 보퉁이를 던진 뒤 가슴이 시원해져서 웃는 모습이 나타나 있으며 (나)~(라)에도 용이가 후회하는 모습은 나타나지 않는다.

07 ㉠에서는 직유법을 써서 재빠른 용이의 모습을 '번개'에 빗대어 인상 깊게 표현하고 있다. ㉢에서도 직유법을 써서 고양이의 털을 '꽃가루'에 비유하고 있다.

> **오답 풀이**
> ① 쉽게 판단할 수 있는 사실을 의문의 형식으로 표현하는 설의법이 쓰였다.
> ② 슬픔, 기쁨, 놀람 등의 감정을 감탄의 형태로 표현하여 강조하는 영탄법이 쓰였다.
> ④ 같은 단어나 구절, 문장을 반복하여 의미를 강조하는 반복법이 쓰였다.
> ⑤ 변화감을 끌어내기 위하여 말의 차례를 바꾸어 쓰는 도치법이 쓰였다.

08 담임 선생님의 입원으로 막내네 반 아이들은 뿔뿔이 흩어지게 되었고, 막내네 반 아이들은 다른 반 아이들에게 기죽지 않기 위해 야구 경기를 개최하여 결승전에 진출했지만 우승하지 못했다. (라)를 통해 야구 대회가 끝난 뒤에도 밤 늦게까지 야구 연습을 하느라 막내가 여전히 늦게 귀가하고 있음을 알 수 있다.

> **오답 풀이**
> ④ (라)의 막내의 말을 통해 선생님의 병환이 다 낫지 않은 상황임을 알 수 있다.

09 ㉠ 뒤에 이어지는 내용과 이튿날 밤 '나'가 늦게 돌아오는

막내의 방망이를 소중하게 받아 준 것을 통해, '나'가 공부보다 더 중요한 가치를 스스로 배워 나가고 있는 막내에게 대견함을 느끼고 있음을 알 수 있다.

10 (다)를 통해 막내와 막내네 반 아이들이 밤이 되어 하늘에 뜬 별이 보일 때까지 연습에 몰두하였음을 알 수 있다. '별'은 막내와 반 아이들의 맑고 순수한 마음을 상징한다.

누구나 합격 전략   30~31쪽

01 승아, 민규 **02** (1) ㉡ (2) ㉢ (3) ㉠ **03** (1) 은유법 (2) 직유법 **04** ㄴ, ㄹ **05** 한 마리의 꿩이 소리치면서 하늘을 날아오르는 모습 **06** (1) 추상적인 (2) 풍부한 **07** 상징은 원관념과 보조 관념이 모두 겉으로 드러난다. → 상징은 원관념이 겉으로 드러나지 않는다./상징은 보조 관념만 겉으로 드러난다. **08** 개인적(창조적), 관습적 **09** 화자가 긍정적으로 바라보는 대상은 '바위'로, 불변성을 상징한다. **10** (1) 직유법 (2) 별, 아이들의 눈 (3) 아이들의 맑고 순수한 마음

01 원관념과 보조 관념의 의미 관계가 다대일로 대응하는 것은 상징과 관련한 설명이다. 비유는 원관념과 보조 관념의 의미 관계가 일대일로 대응한다.

02 (1) 직유법은 '~같이', '~처럼', '~인 양', '~듯이' 등의 표현을 써서 원관념을 보조 관념에 직접 빗대어 표현하는 방법이다. (2) 은유법은 '~은/는 ~이다'와 같은 형식으로 원관념과 보조 관념이 동일한 것처럼 표현하는 방법이다. (3) 의인법은 동식물, 사물 등과 같이 사람이 아닌 것을 사람처럼 표현하는 방법이다.

03 (1) '~은/는 ~이다'와 같은 형식으로 두 대상이 동일한 것처럼 표현하는 방법은 은유법이다. (2) '~같이', '~처럼' 등의 표현을 사용하여 하나의 대상을 다른 대상에 직접 빗대어 표현하는 방법은 직유법이다.

04 의인법은 사람이 아닌 것을 사람처럼 표현하는 방법이다. 'ㄴ'에서는 새를, 'ㄹ'에서는 장미를 사람처럼 표현하였다.

오답 풀이
'ㄱ'에는 은유법 'ㄷ, ㅁ'에는 직유법이 쓰였다.

05 용이가 두 팔을 내저으며 달리는 모습(원관념)을 한 마리의 꿩이 소리치면서 하늘을 날아오르는 모습(보조 관념)에 빗대어 표현하고 있다.

06 (1) 상징은 감정이나 사상 등의 추상적인 관념을 구체적인 사물로 나타내는 방법이다. (2) 상징을 사용하면 대상에 상징적 의미를 부여하여 의미를 풍부하게 할 수 있다.

07 상징은 원관념이 겉으로 드러나지 않고 보조 관념만 드러난다.

08 상징의 종류에는 개인적(창조적) 상징, 관습적 상징, 원형적 상징이 있다.

09 이 시조에서는 쉽게 변하는 '꽃'과 '풀'에 대비하여 변치 않는 '바위'의 특성을 예찬하고 있다. '바위'는 변치 않는 존재로 불변성을 상징한다.

10 (1), (2) ㉠에는 '맑고 푸른 별'(원관념)을 막내와 막내 친구들의 '초롱초롱한 눈'(보조 관념)에 빗대어 표현하는 직유법이 쓰였다. (3) ㉡의 '맑고 푸른 별'은 막내와 막내 친구들의 순수한 마음을 상징한다.

창의 · 융합 · 코딩 전략 1 | 32~33쪽

01 ⑤　　**02** ④　　**03** ⓐ: ㉠, ⓑ: ㉡　　**04** 빗나간 야구공

01 '깨끗이 씻은 자리'는 꽃이 피어 있는 자리나 꽃이 피어 있던 자리로, 씨앗이 생길 자리를 뜻한다.

02 이 수필에서 '사막'은 고독한 삶, 고난과 어려움이 가득한 인생을 의미하므로 '사막을 같이 가는 벗'은 험난한 인생을 같이 겪으며 어려움을 나누는 친구라고 볼 수 있다.

---

03 ㉠에는 '~처럼'을 써서 '햇비'를 '아씨'에 직접적으로 빗대어 표현하는 직유법이 쓰였다. ㉡에서는 사람이 아닌 '해' 뒤에 '그 대상을 인격화하여 높임'의 뜻을 더하는 접미사 '-님'을 붙이고, 웃는다고 표현하였다. 즉, 사람이 아닌 것을 사람처럼 표현하는 의인법이 쓰였다.

평가 기준

채점 요소	확인☑
ⓐ에 들어갈 기호를 바르게 파악하였다.	
ⓑ에 들어갈 기호를 바르게 파악하였다.	

04 이 시는 유성이 떨어지는 모습을 '빗나간 야구공'에 빗대어 역동적으로 표현하고 있다.

창의 · 융합 · 코딩 전략 2 | 34~35쪽

05 꿩이 소리치며 하늘로 날아오르는, 속이 후련했어요./날아갈 것 같은 해방감을 느꼈어요.　　**06** ②　　**07** ㉠: 풀 ㉡: 소나무, 대나무　　**08** ⑤

05 힘차게 날아오르는 꿩을 본 용이는 온몸에 힘이 솟구치는 것을 느꼈다. 꿩을 보고 아이들의 책 보퉁이를 던져 버린 뒤 가슴이 시원해져서 웃는 용이의 모습에서 용이가 얻은 자신감과 후련한 심정을 엿볼 수 있다.

평가 기준

채점 요소	확인☑
첫 번째 빈칸에 들어갈 말을 바르게 파악하였다.	
두 번째 빈칸에 들어갈 말을 바르게 파악하였다.	

06 (가)에서 까마귀는 싸움을 일삼는 부정적 존재로 간신, 변절자, 이성계 무리 등을 상징하며, 백로는 희고 깨끗한 긍정적 존재로 충신, 정몽주 등을 상징한다. (나)에서 까마귀는 검은 겉모습과 달리 긍정적인 존재로 조선의 개국 공신, 이직을 상징하며, 백로는 겉은 희지만 속이 검

은 부정적 존재로 고려의 유신을 상징한다.

📝 자료실

〈까마귀 싸우는 골에〉(영천 이씨) 작품 개관

갈래	평시조
제재	까마귀, 백로
주제	나쁜 무리와 어울리는 것에 대한 경계
특징	① 상징적 소재를 대조하여 나타냄.(까마귀↔백로) ② 대상을 의인화하여 화자의 정서와 주제를 드러냄.

〈까마귀 검다 하고〉(이직) 작품 개관

갈래	평시조
제재	까마귀, 백로
주제	표리부동(表裏不同)에 대한 비판과 자신의 결백 표명
특징	① 상징적 소재를 대조하여 나타냄.(까마귀↔백로) ② 대상을 의인화하여 화자의 정서와 주제를 드러냄. ③ 설의법을 통해 화자의 결백을 드러냄.

• **표리부동** 겉으로 드러내는 언행과 속으로 가지는 생각이 다름.

---

07 제3수에서는 변하기 쉬운 꽃, 풀과 대비되는 바위의 불변성을 예찬하고 있다. 제4수에서는 눈서리에도 변함없는 소나무의 지조와 절개를, 제5수에서는 사시사철 푸른 대나무의 지조와 절개, 겸허함을 예찬하고 있다.

평가 기준

채점 요소	확인 ☑
㉠에 들어갈 소재를 바르게 파악하였다.	
㉡에 들어갈 소재들을 바르게 파악하였다.	

08 고무신은 애정을 상징하는 동시에 남이와 엿장수의 이별을 상징한다. 마을을 떠나기 싫어하던 남이가 아버지의 뜻을 거스르지 못해 마을을 떠나게 되었음을 고려할 때, 고무신이 아버지에 대한 고마움을 상징한다고 보기는 어렵다.

2주 갈등

1일 개념 돌파 전략 1   38~39쪽

01 ④   02 주제   03 ㉠   04 인물과 인물의 갈등   05 운명   06 ㉠   07 절정

01 인물의 마음속에 여러 생각이 얽혀 있거나 인물과 다른 대상이 대립 관계에 있음을 가리키는 말은 '갈등'이다.

02 문학에서 갈등이 발생하고 해결되는 과정을 통해 작품의 주제를 전달할 수 있다.

03 한 인물의 마음속에서 두 가지 이상의 욕구가 동시에 일어난 경우는 ㉠이다. ㉡은 '나'와 동생 사이에서 일어난 외적 갈등이다.

04 인물 간의 성격이나 태도, 가치관 등의 차이 때문에 일어나는 외적 갈등은 '인물과 인물의 갈등'이다.

05 김동리의 소설 〈역마〉에서 주인공 성기는 떠돌이 삶을 살아야 하는 '역마살'이라는 운명 때문에 갈등을 겪는다.

06 갈등을 파악하려면 주인공과 같은 의견을 가진 인물이 아니라 의견이 대립되거나 서로 맞서서 미워하는 등장인물이 누구인지를 찾아보아야 한다.

07 갈등이 최고조에 이르면서 해결의 실마리가 나타나는 부분은 '절정'이다. '발단'은 사건의 실마리가 나타나고 인물과 배경이 제시되는 부분이다.

1일 개념 돌파 전략 2   40~43쪽

01 ③   02 ②   03 바우, 경환   04 ①   05 ②   06 고기, 자연   07 ②   08 ⑤   09 ③

01 '내적 갈등'은 한 인물의 마음속에서 두 가지 이상의 욕구가 동시에 일어나서 생기는 갈등이다. ③은 '외적 갈등'에 대한 설명이다.

02 ①, ③, ④, ⑤는 모두 한 인물의 마음속에서 두 가지 이상의 욕구가 동시에 일어나서 생기는 내적 갈등이다. ②만 한 인물과 다른 인물 사이에서 일어나는 외적 갈등이다.

03 이 글에서는 경환이가 바우네 집 참외밭을 망가뜨리자 바우가 경환이의 멱살을 잡으며 갈등이 시작되고 있다. 즉, 바우와 경환이의 대립으로 생기는 외적 갈등이 나타나 있다.

04 이 글에서는 짝을 바꿔 달라고 말하고 싶지만, 수택이와 짝이 되는 것을 대놓고 싫어할 수 없는 속사정 때문에 고민하는 '나'의 내적 갈등이 나타나 있다.

05 '역마살'은 한곳에 머무르지 못하고 여기저기 떠돌아다니는 운명을 말하는데, 성기는 결국 집을 떠나 떠돌아다니는 삶을 살게 되었으므로 빈칸에는 '운명에 순응하여'가 들어가는 것이 적절하다.

06 이 글의 노인은 바다에서 홀로 고기를 잡으려고 애쓰고 있다. 즉, 인간과 자연의 갈등이 나타나고 있다.

07 갈등은 사건을 전개하고, 갈등이 해결되는 과정을 통해 주제를 전달하는 역할을 한다. 또한 갈등 과정에서 인물의 가치관이나 태도가 부각되며 이야기의 긴장감을 조성하여 독자의 흥미를 유발한다. 그러나 갈등이 작가의 의도를 숨기는 역할을 하지는 않는다.

08 ㉤은 결말 부분으로, 결말은 갈등이 해소되고 사건이 마무리되는 단계이다.

09 위층 여자와 갈등을 겪던 '나'는 위층 여자가 휠체어를 탄 장애인임을 알고 부끄러움을 느끼면서 갈등이 해소된다. 즉, '나'가 위층 여자와 갈등을 겪은 것은 이웃에 대한 무관심 때문이라고 볼 수 있다. 따라서 이 글의 주제로 적절한 것은 ③이다.

1 ① **1-1** ① **2** ④ **2-1** ② **3** ④ **3-1** ② **4** ⑤

4-1 신분/신분에 따른 차별/적서 차별

• 하늘은 맑건만(현덕)

갈래	현대 소설
제재	거스름돈을 잘못 받고 나서 생긴 일
배경	• 시간: 1930년대　　• 공간: 어느 도시
주제	양심을 속이지 않고 정직하게 사는 삶의 중요성
특징	① 갈등을 겪으며 성장하는 인물의 모습이 잘 나타남. ② 주인공과 대립하는 인물이 등장하여 주인공의 갈등을 커지게 함. ③ 사건의 진행에 따른 인물의 심리 변화가 잘 나타남. ④ '정직'이라는 보편적인 가치를 일깨움.

핵심 포인트 1 갈등의 진행과 해결 과정

갈등의 원인

문기가 심부름 갔던 고깃간에서 거스름돈을 더 받음.

문기의 내적 갈등

수만이의 꾐에 넘어가 거스름돈을 씀. → 삼촌에게 거짓말을 하여 잘못을 감춤. → 양심의 가책을 느껴 거스름돈으로 산 물건을 버리고 남은 돈은 고깃간 집 안마당에 던짐. → 죄책감에서 벗어남.

문기와 수만이의 외적 갈등

문기: 이제 양심에 어긋나는 일을 하지 않을 것임.	↔	수만: 돈을 주지 않으면 모든 사실을 밝힐 것임.

결국 문기는 숙모의 돈을 훔쳐 수만이에게 줌.

문기의 내적 갈등

숙모의 돈을 훔친 일과 누명을 쓴 점순이 일로 괴로워함. → 담임 선생님께 잘못을 고백하려 하지만 말하지 못함.

갈등의 해결

교통사고를 당한 뒤 삼촌에게 모든 사실을 고백하고 마음이 가벼워짐.

핵심 포인트 2 제목 '하늘은 맑건만'의 의미

• 양심을 속인 죄책감으로 괴로워하는 문기의 마음과 대조를 이룸.
• 하늘을 떳떳이 바라볼 수 없었던 문기의 괴로운 심리와 관련지어 볼 때 '하늘'은 맑고 깨끗한 마음, 양심을 의미함.

1 이 글에서 문기는 삼촌에게 거짓말을 한 것에 양심의 가책을 느끼고, 자신을 길러 준 삼촌의 기대에 어긋나는 행동을 했다는 사실 때문에 부끄러워하고 있다. 즉, 문기의 마음속에서 일어나는 내적 갈등이 나타나 있다.

1-1 문기는 삼촌이 공과 쌍안경의 출처를 묻자 자신의 잘못을 덮기 위해 수만이가 준 것이라고 거짓말로 대답한다. 그러나 삼촌은 이런 문기의 말을 믿어 주고 이에 문기는 죄책감을 느끼며 내적 갈등을 겪게 된다.

2 이 글에서 문기는 남은 돈을 돌려주어 환등 틀을 살 수 없다고 수만이에게 말하지만, 수만이는 문기가 거짓말을 한다고 생각하고 돈을 내놓으라고 한다. 즉, 문기와 수만이의 외적 갈등이 나타나 있다.

2-1 "너 혼자 두고 쓰잔 말이지?"라는 수만이의 말에서, 수만이는 문기가 돈을 혼자 쓰려고 거짓말을 한다고 생각하고 있음을 알 수 있다.

• 홍길동전(허균)

갈래	고전 소설
제재	홍길동의 삶
배경	• 시간: 조선 시대　　• 공간: 조선과 율도국
주제	불합리한 사회 제도 비판과 이상국의 건설
특징	① 사회 제도의 불합리함을 비판함. ② 인물과 사회의 갈등이 잘 나타남. ③ 영웅 소설의 일대기적 구성을 따름.

글의 짜임

발단	홍 판서와 시비 춘섬 사이에서 서자로 태어난 홍길동은 천비 소생이라는 신분 때문에 천대를 받으며 자람.
전개	자신을 해치려는 무리 때문에 집을 나온 홍길동은 도적의 무리를 만나 그들의 우두머리가 되어 활빈당을 만듦.
위기	조정에서 홍길동을 잡으려고 하지만 잡지 못함.
절정	홍길동은 임금에게 불합리한 현실을 말하고, 임금이 병조 판서 벼슬을 내리자 사라짐.
결말	홍길동은 조선을 떠나 율도국을 정벌하여 왕이 되고, 태평성대를 이룸.

핵심 포인트 1 이 소설에 나타난 갈등

홍길동
• 서자로 태어남. • 호부호형하고 싶어 함. • 입신양명을 바람.

↕

사회
• 서자는 호부호형을 못 하고 벼슬길에 오를 수 없음. • 유교적 가치관이 사회를 지배함.

핵심 포인트 2 홍길동이 겪는 갈등의 원인

아버지를 아버지라고 부르지 못하고 형을 형이라고 부르지 못함.	→	갈등의 원인이 됨.

핵심 포인트 3 갈등을 해결하고자 홍길동이 선택한 행동

• 활빈당을 만들어 탐관오리를 벌하고 가난한 백성을 도움. • 임금에게 적서 차별과 탐관오리의 문제점을 이야기함. • 조선을 떠나 율도국을 정벌하여 이상적인 나라를 세움.

3 홍 판서와 천한 종 사이에서 태어난 길동은 서자라는 신분 탓에 아버지를 아버지라 부르지 못하고 형을 형이라 부르지 못한다. 즉, 길동은 신분으로 인한 차별 때문에 갈등을 겪게 된 것이다.

> **오답 풀이**
> ⑤ (가)에서 길동은 나라에 큰 공을 세워 이름을 만대에 빛내고 싶지만, 즉 입신양명하고 싶지만 그러지 못해 탄식하고 있다. 그러나 길동이 입신양명을 할 수 없는 근본적인 이유는 신분에 따른 차별 때문이다.

3-1 (가)와 (나)에는 부패한 관리가 많아 사회가 혼란스러운 모습은 나타나 있지 않다.

> **오답 풀이**
> ① 길동이 서자로 태어났고, 홍 판서의 "재상 집안에 천한 종의 몸에서 태어난 자식이 너뿐이 아닌데"라는 말에서 본처 외에 첩을 두는 제도가 있었음을 알 수 있다.
> ③, ④, ⑤ (가)의 길동의 말에서 알 수 있다.

4 〈보기〉에는 자신의 처지를 한탄하는 길동과 그런 길동을 꾸짖는 홍 판서 사이의 갈등이 나타나 있다. 이 갈등은 홍 판서가 길동에게 아버지를 아버지라 부르고 형을 형이라 부르는 것을 허락하면서 해결된다.

4-1 홍 판서가 길동에게 호부호형을 허락하면서 둘 사이의 갈등은 해결된다. 그러나 길동은 여전히 서자 신분이어서 입신양명의 기회조차 얻지 못한다. 즉, 서자라는 신분

때문에 받는 차별 문제는 여전히 해결되지 않았기 때문에 자신의 꿈을 펼칠 수 없는 길동은 집을 떠나게 된다.

필수 체크 전략 2 48~51쪽

01 ⑤　　**02** 문기는 갈등을 해결하기 위해 숙모의 돈을 훔쳐 수만이에게 주었다.　　**03** ④　　**04** ④　　**05** 하늘　　**06** ①　　**07** ③　　**08** 제가 아버지를 아버지라 하고 형을 형이라 부를 수 있었다면 어찌 이 지경에 이르렀겠습니까?　　**09** ③　　**10** ②

01 (다)의 '빙그레 웃는 수만이 얼굴에다 뺨을 때리듯 돈을 던져 주고 문기는 달아났다.'를 통해 수만이를 향한 문기의 원망과 분노를 느낄 수 있다. 수만이가 웃는 것을 보고 문기의 기분이 좋아졌다는 감상은 적절하지 않다.

> **오답 풀이**
> ①, ② 수만이는 문기를 으슥한 곳에서 만날 때마다 소문을 낸다고 말하다가, 학교에서 집에 돌아가는 길에 문기를 계속 따라가며 "공공공했다지.", "질적도 했다지."라고 말하면서 괴롭힘의 강도를 높여 간다. 그리고 돈을 당장 가져오지 않으면 다음 날 도적질했다고 똑바로 써 놓는다며 문기를 협박한다.

02 문기가 범한 '두 번째 허물'은 숙모의 돈을 훔친 것이다. 문기는 수만이의 계속되는 협박에 못 이겨 숙모의 돈을 훔쳐 수만이에게 주었다.

> **평가 기준**
>
> | 채점 요소 | 확인☑ |
> | --- | --- |
> | '두 번째 허물'의 의미를 바르게 파악하였다. | |
> | 문기가 갈등을 해결하기 위해 한 행동을 바르게 파악하였다. | |
> | 주어진 문장 형식에 맞추어 서술하였다. | |

03 이 글에서 선생님은 정직이 얼마나 귀하고 중한 것인지를 말씀하고 있다. 그리고 문기는 양심의 가책으로 괴로워하며 하늘을 다시 떳떳이 쳐다볼 수 있게 되길 바라고 있다. 이를 참고할 때 이 글의 주제는 '양심을 속이지 말고 정직하게 살아야 한다.'임을 알 수 있다.

04 ⊙에서 문기는 죄책감으로 인한 부끄러움 때문에 하늘을 쳐다보기를 두려워하므로 죄책감, 괴로움이 적절하고, ⓒ은 삼촌에게 모든 잘못을 고백하고 죄책감에서 벗어나 갈등이 완전히 해소된 상태이므로 후련함, 홀가분함이 적절하다.

05 학생이 설명하는 것은 '하늘'이다. (나)에서 문기는 부끄러움과 죄책감 때문에 하늘을 쳐다보기가 두려웠지만, (다)에서는 잘못을 고백하고 죄책감에서 벗어남으로써 하늘을 떳떳하게 쳐다볼 수 있을 것임이 나타난다.

06 (가)에서 홍길동은 비범한 능력으로 재주를 부리고 있다.

오답 풀이

③ 〈홍길동전〉에 작품이 창작된 당시의 시대 상황이 반영되어 있기는 하지만 그것이 영웅 소설로서의 특징이라고 보기는 어렵다.

자료실

〈홍길동전〉에 나타나는 영웅 소설의 일대기적 구성

영웅 소설	〈홍길동전〉
고귀한 혈통	판서의 아들로 태어남.
비정상적인 출생	서자로 태어남.
비범한 능력	총명하고 도술에 능함.
시련과 위기	주변의 음모로 생명의 위협을 받음.
위기 극복	자객을 죽이고 위기에서 벗어남.
위대한 업적	• 활빈당을 조직하여 활동함. • 율도국의 왕이 됨.

07 이 글에는 탐관오리들의 재물을 빼앗는 활빈당을 도적으로 규정하고 이들을 잡으려는 조정과 활빈당의 우두머리인 길동 사이의 갈등이 나타난다.

08 길동이 감사 앞에서 하는 말을 통해 길동의 행동의 원인, 즉 길동이 갈등을 겪게 된 원인이 호부호형을 하지 못하는 데서 오는 설움과 원통함 때문이었음을 알 수 있다.

09 길동이 자신에게 병조 판서 벼슬을 내리면 잡히겠다고 하자, 임금이 고심 끝에 길동에게 병조 판서 벼슬을 내린다. 이에 길동이 감사 인사를 하고 조선을 떠나 새로운 나라를 세우면서 갈등이 해결된다.

10 ⊙은 이 글의 마지막 부분으로, 길동이 위기를 극복하고 위대한 업적을 세우며 행복한 결말을 맺고 있다.

자료실

고전 소설의 특징

① 일대기적 구성: 주인공의 출생부터 죽음에 이르기까지 시간적 순서에 따라 이야기가 전개됨.

② 전형적·평면적 인물: 주로 한 계층을 대표하는 전형적 인물이 등장하는데, 이야기의 처음부터 끝까지 인물의 성격이 변하지 않음.

③ 우연적·비현실적 사건 전개: 우연한 사건의 반복으로 이야기가 전개되고, 현실에서 일어나기 어려운 일들이 일어남.

④ 행복한 결말, 권선징악의 주제: 주인공이 행복해지는 것으로 끝남. 착한 사람은 복을 받고 나쁜 사람은 벌을 받는다는 주제를 드러냄.

3일 필수 체크 전략 1 52~55쪽

1 ②, ④ **1-1** '나'의 집은 점순네를 통해 땅을 빌려 농사를 지어서 함부로 행동할 수 없기 때문이다. **2** ⑤ **2-1** ⊙에 해당하는 문단은 (가)이다. (가)에서 '나'가 점순네 수탉을 때려죽여 둘 사이의 갈등이 최고조에 이르고 있기 때문이다. **3** ④ **3-1** ③ **4** ①, ② **4-1** ②

• **동백꽃(김유정)**

갈래	현대 소설
제재	동백꽃
배경	• 시간: 1930년대 봄 • 공간: 강원도 농촌 마을
주제	농촌 소년과 소녀의 사랑
특징	① 어리숙하고 순박한 인물을 서술자로 설정하여 작품의 해학성을 높임. ② 토속적인 어휘를 사용하여 향토적인 분위기를 자아냄. ③ '현재-과거-현재'의 역순행적 구성을 취함.

핵심 포인트 1 이 소설에 드러난 갈등의 진행과 해결 과정

갈등의 원인	점순이가 '나'에게 감자를 주었지만, '나'가 감자를 받지 않음.
↓	
갈등의 진행	점순이가 '나'의 집 닭을 괴롭히고 닭싸움을 붙이자 '나'가 닭싸움에서 이기려고 자신의 닭에게 고추장을 먹임.
↓	
갈등의 해결	점순이가 '나'가 점순네 닭을 죽인 것을 이르지 않겠다고 하고, '나'와 점순이는 동백꽃 속으로 파묻힘.

점순이		'나'
• 자신의 마음을 몰라주는 '나'가 원망스러움. • 닭싸움을 붙여 놓고 호드기를 불며 '나'의 관심을 끎.	↔	• 점순이가 계속해서 자신을 괴롭히는 이유를 알지 못함. • 죽을 지경에 이른 자신의 닭을 보고 화가 나서 점순네 수탉을 때려죽임.

핵심 포인트 3 주요 소재의 의미와 역할

감자	'나'에 대한 점순이의 최초의 애정 표현
닭싸움	• '나'와 점순이의 갈등을 키우고, 마지막에는 갈등 해소의 실마리를 제공함. • '나'에 대한 점순이의 애정과 미움의 이중적 감정을 드러냄.
동백꽃	• '나'와 점순이의 갈등이 해소되었음을 드러냄. • 낭만적 분위기를 형성함.

1 〈보기〉에서 점순이는 '나'에게 감자를 주며 호감을 표현했지만, '나'는 점순이가 생색낸다고 생각하여 감자를 거절한다. 그러자 점순이는 자신의 호의를 거절한 '나'에 대한 분풀이로 '나'의 닭을 때리고 있다. 여기에는 닭을 괴롭힘으로써 '나'의 관심을 끌고 싶어 하는 마음도 담겨 있다.

1-1 점순네는 마름이고, '나'의 집은 점순네를 통해 땅을 빌려서 농사를 지으므로 마름인 점순네의 눈치를 볼 수밖에 없다. 그래서 '나'는 점순이의 괴롭힘에 몹시 화가 나지만 소극적으로 대응하고 있다.

평가 기준

채점 요소	확인 ☑
'나'와 점순네의 관계를 바르게 파악하였다.	
'나'가 점순이의 괴롭힘에 적극적으로 대응하지 못하는 까닭을 바르게 파악하였다.	
한 문장으로 서술하였다.	

2 (가)는 '나'와 점순이의 갈등이 최고조에 이르는 '절정' 부분이며, (나)는 '나'와 점순이의 갈등이 해소되는 '결말' 부분이다.

오답 풀이

'ㄴ'은 위기, 'ㄷ'은 발단, 'ㄹ'은 전개에 대한 설명이다.

2-1 ㉠은 갈등이 최고조에 이르는 '절정' 부분이다. (가)에서 '나'가 점순네 수탉을 죽인 후에 둘 사이의 갈등이 최고조에 이르고 있으므로, ㉠에 해당하는 부분은 (가)가 적절하다.

평가 기준

채점 요소	확인 ☑
㉠에 해당하는 문단을 바르게 파악하였다.	
찾은 문단이 ㉠의 단계에 해당하는 까닭을 바르게 파악하였다.	

• **자전거 도둑(박완서)**

갈래	현대 소설
제재	자전거
배경	• 시간: 1970년대　• 공간: 서울 청계천 세운 상가
주제	• 물질적 이익만을 추구하는 현대인들의 부도덕성에 대한 비판 • 도덕성과 양심 회복의 필요성
특징	① 순진한 소년의 시각에서 어른들의 부도덕성을 서술함. ② 도덕적으로 대립되는 인물들을 제시하여 도덕성과 양심 회복의 필요성을 부각함.

핵심 포인트 1 등장인물 소개

수남이	• 성실하고 순진하며 부모의 손길을 그리워함. • 자신의 부도덕성을 깨닫고 순수함을 회복하고자 함.
주인 영감	• 이기적이고 인색하여 수남이를 혹사시킴. • 물질적 이익을 중시하며 부도덕한 인물임.
신사	이기적이고 냉정하여 수남이와 외적 갈등을 일으킴.
아버지	• 도덕성을 중시함. • 수남이가 도덕적인 삶을 살 수 있게 견제해 줄 수 있는 인물

핵심 포인트 2 수남이의 외적 갈등

××상회 주인과 수남이의 외적 갈등		
××상회 주인: 물건값을 내지 않으려고 함.	↔	수남이: 물건값을 받아 내려고 함.

갈등의 해소	수남이가 장사꾼다운 수를 써서 돈을 받아 냄.

신사와 수남이의 외적 갈등		
신사: 차 수리비를 요구하며 돈을 가져올 때까지 자전거를 잡아 두기로 함.	↔	수남이: 돈과 자전거를 지키고자 함.

갈등의 해소	수남이가 자전거를 들고 도망침.

핵심 포인트 3 수남이의 내적 갈등

> 자전거를 들고 도망친 행동은 옳았을까?
>
> ↓
>
> 내가 한 짓은 도둑질이었는가.
>
> ↓
>
> 도둑질을 하면서 쾌감을 느낀 것인가.
>
> ↓
>
> 나에게 도둑놈의 피가 흐르는 것은 아닐까?
>
> ↓

갈등의 해소	자신을 도덕적으로 견제해 줄 수 있는 아버지가 있는 고향으로 내려가기로 함.

3 주변에서 구경하던 어른들은 오히려 자전거를 들고 도망치라고 수남이를 부추기기 때문에 ④는 적절하지 않다.

3-1 수남이는 신사가 차 수리비를 요구하고 사라지자 어떻게 해야 할지 몰라 막막해하다가 주변에서 구경하던 어른들이 도망가라고 부추기자 자전거를 들고 도망친다. 신사에 대한 죄책감과 막막함에 무의식적으로 한 행동은 아니다. 그리고 이로써 수남이와 신사의 갈등은 해소되지만, 자전거를 들고 도망칠 때 느낀 쾌감은 후에 수남이가 죄책감을 느끼며 내적 갈등을 겪게 되는 원인이 된다.

4 수남이는 자신의 부도덕성을 깨닫고 자신을 도덕적으로 견제해 줄 어른인 아버지가 있는 고향으로 내려가기로 결심하면서 갈등이 해소된다. 이를 통해 물질적 이익만 좇는 현대인에 대한 비판과 도덕과 양심 회복의 필요성을 부각하고 있다.

4-1 도둑질을 하면서 쾌감을 느낀 것에 대한 두려움이 수남이가 내적 갈등을 겪게 된 근본 원인이다.

> **오답 풀이**
>
> ① (가)의 첫 문장 '낮에 내가 한 짓은 옳은 짓이었을까?'를 통해 알 수 있다.
>
> ③, ④ 수남이는 내적 갈등을 해소하기 위해 자신을 견제해 줄 수 있는 어른인 아버지가 있는 고향으로 가기로 결심하고 짐을 꾸린다.
>
> ⑤ 글쓴이는 수남이의 모습을 통해 도덕성과 양심 회복의 필요성을 말하고 있다.

3일 필수 체크 전략 2 56~59쪽

01 ① **02** 점순이는 좋아하는 마음을 담아 '나'에게 감자를 주었는데, '나'가 감자를 단번에 거절했기 때문이다./점순이가 '나'에게 감자를 주며 호감을 표현했지만 '나'는 점순이의 호감을 눈치채지 못하고 감자를 거절했기 때문이다. **03** ⑤ **04** ④ **05** 알싸한 그리고 향긋한 그 냄새에 나는 땅이 꺼지는 듯이 온 정신이 고만 아찔하였다. **06** ④ **07** ④ **08** 수남이의 자전거가 쓰러지면서 신사의 차에 생채기가 나자 신사가 차 수리비를 요구하고, 수남이는 신사에게 용서해 달라고 하면서 갈등이 일어나고 있다. **09** ⑤ **10** 주인 영감님은 물질적 이익을 중요시하지만 아버지는 도덕성을 중요시한다./주인 영감님은 경제적 손해를 보지 않는 것을 중요시하지만, 아버지는 도둑질을 하지 않는 것을 중요시한다.

01 수탉, 지게막대기 등을 통해 배경이 농촌임을 짐작할 수 있다(ㄱ). (가)의 '나흘 전 감자 쪼간만 ~ 잘못한 것은 없다.'에서 '나'가 과거를 회상하기 시작했음을 알 수 있다. 즉, 현재와 과거를 오가며 사건이 전개되고 있다(ㄴ).

> **오답 풀이**
>
> ㄷ. 이 글에 풍경 묘사는 나타나 있지 않다.
>
> ㄹ. 점순이의 얼굴과 표정 묘사는 있지만 이를 통해 인물의 성격을 드러낸 것은 아니다. '나'의 거절 때문에 자존심이 상하고 당황한 점순이의 심리를 드러내고 있다.

02 점순이는 '나'의 관심을 끌고 '나'에 대한 호감을 표현하기 위해 '나'에게 감자를 주었다. 하지만 '나'가 생색내는 듯한 점순이의 말에 마음이 상해 감자를 거절하면서 갈등이 시작된다.

> **평가 기준**
>
> | 채점 요소 | 확인 ☑ |
> | --- | --- |
> | '감자'에 담긴 점순이의 마음을 바르게 파악하였다. | |
> | 점순이가 '나'에게 화가 난 까닭을 바르게 파악하였다. | |

03 (나)에서 '나'와 점순이가 화해를 한 것은 맞지만 '나'는 점순이가 "그럼, 너 이담부텀 안 그럴 테냐?"라고 말한 의도를 알지 못하고 있기 때문에 점순이의 마음을 눈치챘다는 준우의 말은 적절하지 않다.

> **오답 풀이**
>
> ① (가)에서 '나'가 분노로 점순네 닭을 때려죽이며 둘 사

이의 갈등이 최고조에 이르고 있다.

②, ④ '나'가 닭싸움을 보고 화가 나서 닭을 때려죽인 뒤 점순이가 이를 수습하며 둘 사이의 화해가 이루어지므로 닭싸움은 갈등 해소의 실마리를 제공하는 역할을 한다.

③ (가)의 '나도 한때는 걱실걱실히 ~ 계집애인 줄 알았더니'에서 알 수 있다.

04 (가)에서 '나'는 닭싸움을 붙여 놓고 태연하게 호드기를 부는 점순이를 보고 점순이에 대한 미움과 분노가 치밀어 점순네 수탉을 때려죽인다. 그러나 점순네 수탉이 죽은 뒤 점순이의 "누 집 닭인데?"라는 말에 정신이 들며 '나'의 집이 곤란해질까 겁이 나기 시작한다.

05 (나)에서 점순이와 '나'의 갈등이 해소되며 둘은 동백꽃 속으로 파묻히고 '나'는 '알싸한 그리고 향긋한 그 냄새'에 정신이 아찔해진다. 둘의 화해와 사랑을 후각적 심상을 활용해 감각적으로 표현하고 있는 부분은 (나)의 마지막 문장이다.

06 수남이에게 계속 차 수리비를 요구하는 모습과 (다)의 '은은히 감돌던 연민이 싹 가시고 점잖게 무표정해진다.'라는 내용으로 보아 수남이를 계속 불쌍히 여긴다는 설명은 적절하지 않다.

① 차에서 생채기를 발견해 환성을 지르는 것을 통해 말과 행동이 경박함을 알 수 있다.

07 수남이는 자전거가 쓰러지면서 신사의 차에 생채기가 났다는 것을 알고 어떻게 해야 할지 몰라 당황스럽고 두렵고 막막한 상태이다. 그리고 차 수리비를 내라는 신사의 말에 크게 놀라고 있다. 불쾌한 감정은 이 글에 나타나 있지 않다.

08 이 글에는 차 수리비를 요구하며 돈을 가져올 때까지 자전거를 잡아 두려는 신사와 돈을 지키려는 수남이 사이의 갈등이 나타나 있다.

채점 요소	확인 ☑
수남이와 신사가 갈등을 겪게 된 원인을 바르게 파악하였다.	
수남이와 신사 사이에 일어난 사건을 구체적으로 서술하였다.	
주어진 문장 형식에 맞추어 서술하였다.	

09 제시된 글의 '나'는 피시방에 가지 않겠다는 마음이 흔들리면서 내적 갈등을 겪고 있다. ①~⑤ 가운데 내적 갈등은 ②와 ⑤이지만, ②와 같은 내적 갈등은 (가)~(다)에 나타나지 않는다.

10 (나)에서 주인 영감님은 자전거를 들고 도망친 수남이의 행동에 통쾌해하며 기뻐한다. 반면 (다)에서는 아버지가 수남이에게 도둑질만은 하지 말라고 당부했음이 드러난다. 이를 통해 주인 영감님은 물질적 이익을, 아버지는 도덕성을 중시하는 인물임을 알 수 있다.

채점 요소	확인 ☑
주인 영감님과 아버지가 각각 중요시하는 것을 바르게 파악하였다.	
주어진 문장 형식에 맞추어 서술하였다.	

누구나 합격 전략　　　　　　　　　60~61쪽

01 내적, 외적　　**02** 인물과 인물의 갈등　　**03** ㉠, ㉡, ㉢
04 '나'(수남이)의 내적 갈등　　**05** ②　　**06** (1) ㉡ (2) ㉢ (3) ㉠
(4) ㉣ (5) ㉢　　**07** ㉠　　**08** 아버지, 해소　　**09** ㉢, ㉢, ㉣, ㉠

01 갈등은 한 인물의 마음속에서 일어나기도 하고 인물이 외부 대상과 대립하며 일어나기도 한다.

02 이 글에서는 두 인물이 서로 대립하고 있다.

03 시간과 공간을 구체적으로 제시해 사실성을 부여하는 것은 갈등이 아니라 배경의 역할이다.

04 이 글에는 낮에 자신이 한 행동을 돌아보며 자신이 한 짓이 옳은 짓이었는지 갈등하는 '나'(수남이)의 모습이 나타나 있다.

05 문기는 수만이가 자신의 말을 믿지 않자 답답하고 억울해한다.

06 '발단-전개-위기-절정-결말' 단계에 따라, 사건의 실마리가 제시되어 갈등이 시작되고 점점 고조되다 최고조에 이른 후 해소된다.

07 길동은 본인이 천비 소생인 서자라 호부호형할 수 없는 것이 평생 원한이 되어 도둑 무리의 우두머리가 되었다고 말하고 있다.

08 이 글에서 수남이는 자신을 도덕적으로 견제해 줄 아버지가 있는 고향으로 돌아가기로 결심하며 갈등이 해소되고 있다.

09 문기는 가게 주인의 실수로 더 받은 거스름돈을 수만이의 꼬임에 넘어가 쓰고 만다. 문기는 남은 돈을 고깃집 안마당에 던지지만, 그것을 믿지 않는 수만이 때문에 갈등이 고조된다(ㅁ). 문기는 수만이의 협박에 못 이겨 숙모의 돈을 훔치고 자기 때문에 점순이가 누명을 쓴 것을 알고 내적 갈등이 심화된다(ㄷ). 선생님께 사실을 고백하려 찾아갔지만 말하지 못하고 돌아오며 내적 갈등이 최고조에 이른다(ㄹ). 그리고 병원에서 삼촌에게 모든 사실을 고백하며 갈등이 해소된다(ㄱ).

창의 · 융합 · 코딩 전략 1 62~63쪽

01 바른길로 이끌려고 함. **02** ⑤ **03** ㉠: 입신양명 ㉡: 집을 떠남. **04** 진수

01 수만이는 더 받은 거스름돈으로 물건을 사자고 문기를 꼬드기고 있다. 반면 삼촌은 문기의 장래를 걱정하는 마음으로 훈계하고 있다.

02 문기는 자신이 범인임을 점순이가 아는 것 같아서가 아니라 점순이가 우는 소리를 듣고 양심의 가책을 느껴 뜬 눈으로 밤을 새운 것이다.

03 길동은 천하게 태어나 입신양명의 꿈이 좌절된 현실을 인식하고 집을 떠나려 한다. 길동이 서자라서 차별받는 것은 당시의 적서 차별 제도 때문이다.

평가 기준

채점 요소	확인☑
㉠에 길동이 바라는 꿈을 바르게 썼다.	
㉡에 길동이 갈등을 해결하기 위해 한 행동을 바르게 썼다.	

04 길동은 병조 판서 벼슬을 받고 나라 밖으로 나가 율도국의 왕이 된다. 그러므로 길동이 조정에 들어가서 세상을 바로잡겠다고 노력했다는 것은 적절하지 않다.

창의 · 융합 · 코딩 전략 2 64~65쪽

05 ② **06** [A]: 뭐 이 자식아! 누 집 닭인데? [B]: 그럼, 너 이담부턴 안 그럴 테냐? **07** 물건 대금을 주지 않으려는 자 **08** ㉠: 낮에 내가 한 짓은 옳은 짓이었을까? ㉡: 나는 도둑질을 하면서 그렇게 기쁨을 느꼈더란 말인가.

05 '나'는 점순이가 감자로 생색을 낸다고 생각해 기분이 상해서 감자를 받지 않은 것이다. 점순이가 자신을 좋아한다고는 전혀 생각하지 못하고 있다.

06 '나'는 화가 나 점순네 수탉을 때려죽였지만, 점순이가 "누 집 닭인데?"라며 나무라자 '나'의 집이 곤란해질까 겁이 난다. 그러다 점순이가 "이담부턴 안 그럴 테냐?"라고 묻자 무슨 의도에서 한 말인지도 모르면서 일단 살길을 찾았다고 안심하고 있다.

평가 기준

채점 요소	확인☑
'나'의 심리가 '분노함.'에서 '겁이 남.'으로 변하는 데 영향을 준 점순이의 말을 바르게 찾아 [A]에 썼다.	
'나'의 심리가 '겁이 남.'에서 '안심함.'으로 변하는 데 영향을 준 점순이의 말을 바르게 찾아 [B]에 썼다.	

07 ××상회 주인은 어떻게든 물건 대금을 주지 않으려고 하지만 수남이는 어떻게든 물건 대금을 받아 내려고 장사꾼다운 수까지 쓰고 있다.

08 수남이는 자전거를 들고 도망친 행동이 옳은 것인지 고민하면서 내적 갈등에 빠진다.

3주 성장과 성찰

1일 개념 **돌파 전략 1**   68~69쪽

01 성찰   02 ㉡   03 간접적으로   04 ㉡   05 상황
06 경험   07 ㉠   08 성장 소설

01 사람이 지난 일이나 자기 자신의 삶을 반성하고 깊이 살피는 것을 성찰이라고 한다.

02 자신을 돌아보고 좋지 않은 점을 발견하면 그것을 반성하고 고쳐 나갈 수 있으므로, 성찰을 할 때 과거에 저지른 잘못은 잊고 좋았던 기억만 떠올려야 한다는 내용은 적절하지 않다.

03 독자는 문학 작품 감상을 통해 다양한 삶을 간접적으로 경험할 수 있고, 이를 자신의 삶과 관련지어 감상하며 자신의 삶을 성찰할 수 있다.

04 문학 작품을 읽고 자신의 삶을 성찰할 때 작품 속 인물의 부족한 점이나 고쳐야 할 점뿐만 아니라 그에게서 본받을 점은 무엇인지도 생각해 보는 것이 적절하다.

05 시를 읽고 자신의 삶을 성찰하기 위해서는 먼저 시의 화자가 어떤 상황에 처해 있는지를 파악해야 한다.

06 수필에는 글쓴이의 경험, 생각이나 느낌 등이 솔직하게 드러나므로 이를 통해 글쓴이의 가치관을 파악하고 이와 관련지어 자신의 삶을 성찰해 볼 수 있다.

07 소설은 사실 또는 작가의 상상력을 바탕으로 작가가 허구적으로 꾸며 낸 이야기로, 소설을 읽고 자신의 삶을 성찰할 때 작품 속 인물이 실제로 존재하는 인물인지 아닌지는 크게 중요하지 않다.

08 주인공이 어린 시절부터 어른이 되기까지의 성장 과정을 그린 소설을 성장 소설이라고 한다. 역사 소설은 역사적인 사건이나 인물을 소재로 한 소설을 말한다.

1일 개념 **돌파 전략 2**   70~73쪽

01 성찰   02 ③   03 ④   04 ㄱ, ㄷ, ㄴ   05 ③   06 엄
격해지고, 너그러워지는, 돌   07 ④   08 가치관   09 성장
소설   10 ④

01 자신의 삶을 돌아보며 어떻게 살아왔는지 살피고 반성하는 일을 성찰이라고 한다.

02 성찰을 통해 과거를 돌아보고 자신의 좋지 않은 점이 있다면 반성하고 고쳐 나갈 수 있다. 성찰은 자신의 과거를 보기 좋게 미화하는 것과는 거리가 멀다.

03 문학 작품을 읽을 때 독자는 작품의 내용과 관련하여 자신의 삶을 돌아보거나 바람직한 삶의 태도나 가치에 대해 생각해 볼 수 있다. 예를 들어 시를 읽을 때에는 화자의 상황, 화자의 태도 등을 파악하고 화자와 비슷한 상황에서 자신은 어떻게 반응하였는지 등을 떠올려 보며 자신의 삶을 성찰해 볼 수 있다.

04 시를 읽고 자신의 삶을 성찰하려면 먼저 시의 화자가 처한 상황을 파악하고, 화자의 태도를 파악해야 한다. 그리고 자신이 화자와 비슷한 상황을 겪은 적이 있는지, 그 상황에서 자신은 어떻게 반응하였는지를 생각해 보고 어떤 삶의 태도를 지니는 것이 바람직할지 생각해 봄으로써 자신의 삶을 성찰할 수 있다.

05 이 시에는 "미안해." 한마디로 서운했던 생각이 사라지고 화난 마음이 풀리는 모습, "잘할 수 있어." 한마디에 가슴이 따뜻해지고 힘이 솟는 모습이 나타나 있다. 따라서 한마디의 말이 듣는 사람에게 별다른 영향을 미치지 못한다는 반응은 적절하지 않다.

✏️ **자료실**

〈참 힘센 말〉(정진아) 작품 개관

갈래	현대시
주제	한마디의 말이 듣는 사람의 기분을 변하게 할 만큼 힘이 셈.
특징	① 듣는 사람에게 힘을 줄 수 있는 말을 직접 제시하여 시에서 말하고자 하는 바를 효과적으로 드러냄. ② 어미 '-지'의 반복을 통해 운율을 형성함.

06 이 시에는 남에게는 엄격해지고 자신에게는 너그러워지는 자신의 모습을 반성하는 화자의 태도가 드러난다. 화

자는 그러한 자신의 옹졸한 모습을 작고 단단한 '돌'에 비유하고 있다.

07 소설을 읽고 등장인물과 같은 갈등 상황에 처한다면 어떻게 행동할지 생각해 볼 수 있다. 이때 등장인물의 갈등 해결 방법을 무조건 따를 필요는 없다. 자신이라면 어떻게 했을지 생각해 보고, 등장인물의 경험과 관련지어 자신의 삶을 성찰해 보는 것이 좋다.

08 수필에는 글쓴이의 경험, 생각이나 느낌 등이 솔직하게 드러나므로 이를 통해 글쓴이의 가치관을 파악하고 이와 관련지어 자신의 삶을 성찰해 볼 수 있다.

09 유년기에서 소년기를 거쳐 성인이 되기까지 한 인물이 갈등을 겪으며 성장하는 과정을 그린 소설을 성장 소설이라고 한다.

10 하인리히는 양심을 저버리는 잘못된 행동을 한 자신에게는 나비를 가질 자격이 없다고 생각하고 자책하며, 그동안 수집한 나비들을 가루로 만들어 버리고 있다.

2일 필수 체크 전략 1　　74~77쪽

1 ①　　1-1 ④　　2 ⑤　　2-1 ③　　3 ④　　3-1 ②　　4 ④

4-1 남에게는 엄격해지고 자신에게는 너그러워지는 모습

· 성장(이시영)

갈래	현대시
제재	어린 강물과 엄마 강물의 이별
주제	성장에 대한 두려움과 기대
특징	① 강물을 의인화하여 표현함. ② 성장의 과정을 강물이 바다로 흘러가는 것에 비유함.

시의 짜임

1연	어린 강물을 바다로 떠나보내고 산골로 돌아오는 엄마 강물

핵심 포인트 1 이 시의 상황

바다가 가까워지자 ~ 놓지 않았습니다.	어린 강물과 엄마 강물이 바다에 다다름.

↓

그러다가 그만 ~ 놓치고 말았습니다.	어린 강물이 바다로 흘러가 엄마 강물과 헤어짐.

↓

그래 잘 가거라 ~ 살아야 된단다.	엄마 강물이 어린 강물을 격려함.

↓

엄마 강물은 ~ 조용히 돌아왔습니다.	엄마 강물이 슬픔을 참고 산골로 돌아옴.

핵심 포인트 2 '바다'와 '산골'의 의미

바다	새로운 세상, 시련, 도전의 공간 등
산골	원래 살던 공간, 익숙한 공간 등

1 이 시에는 '엄마 강물'이 '산골'에 살던 '어린 강물'을 '거대한 파도'가 몰아치는 새로운 세상인 '바다'로 떠나보내는 상황이 나타나 있다.

오답 풀이

㉣ 엄마 강물은 바다로 떠나간 아들을 격려한 뒤 슬픔을 참고 담담하게 산골로 돌아온다. 엄마 강물은 자식을 자기 품에서 떠나보내지 않으려 하는 부모와는 거리가 멀다.

㉤ '산골'은 엄마 강물과 어린 강물이 원래 있던 공간이다. 어린 강물이 새롭게 나아간 곳은 '바다'이다.

1-1 이 시의 '어린 강물'은 '엄마 강물'과 헤어져 이제까지와는 다른 새로운 세상인 바다로 나아가게 된다. 바다를 보고 두려움을 느꼈지만 결국 바다로 나아간 '어린 강물'처럼 새로운 세상을 향해 나아가는 것은 두려운 일이지만 이를 통해 성장할 수 있다는 것을 이야기하고 있다.

• 서시(윤동주)

갈래	현대시
제재	별
주제	부끄러움 없는 삶에 대한 소망과 의지
특징	① '과거-미래-현재'의 순서로 시상을 전개함.
	② 상징적 의미를 지닌 시어의 대립이 나타남.

시의 짜임

1연 1~4행	부끄러움 없는 삶에 대한 소망
1연 5~8행	미래의 삶에 대한 의지
2연	어두운 현실에 대한 자각

핵심 포인트 1 이 시의 흐름과 화자의 태도

1연 1~4행	과거	부끄러움 없는 삶을 살고자 했지만 작은 바람에도 괴로워했음.
1연 5~8행	미래	앞으로 부끄러움 없는 삶을 살 것임.
2연	현재	현실이 어둡고 암담한 상황임을 인식함.

핵심 포인트 2 시어의 상징적 의미

긍정적 시어	부정적 시어
• 하늘: 부끄럽지 않은 삶을 판단하는 절대적 기준 ⬌ • 별: 희망, 이상적 세계 • 길: 숙명, 운명	• 바람: 시련, 고난 • 밤: 어두운 현실

2 이 시에는 암울한 현실 상황 속에서도 어떤 '부끄럼'도 없는 삶을 살겠다는 화자의 태도가 드러난다. 잎새에 이는 작은 '바람'에도 괴로워했던 화자의 고뇌와 부끄러움 없는 순결한 삶에 대한 화자의 의지를 엿볼 수 있다. 현실과 타협하고 조화를 이루며 살고자 하는 태도는 나타나 있지 않다.

2-1 이 시는 부끄러움이 없는 떳떳한 삶에 대한 간절한 소망과 의지가 나타난 시로, 화자의 성찰적인 태도가 드러난다. 타인을 비판하는 내용은 나타나지 않는다.

오답 풀이

② 이 시에 나오는 시어 '하늘', '별', '길', '밤', '바람'은 각각 상징적인 의미를 통해 작품의 의미를 형성하고 있다. '하늘'은 부끄럽지 않은 삶을 판단하는 절대적 기준을 상징하고, '별'은 화자가 추구하는 희망, 이상적 삶의 세계를 상징한다. '길'은 화자가 걸어가야 할 숙명, 운명을 상징한다. '밤'은 화자가 처한 어두운 현실, '바람'은 현실의 시련을 상징한다.
④ 화자는 1연 1~4행에서 부끄러움 없는 삶을 살고자 노력했던 '과거'에 대해 고백하고 있다. 1연 5~8행에서는

부끄러움 없는 삶을 향해 걸어가야겠다는, '미래'의 삶을 향한 의지를 드러내고 있다. 마지막 2연에서는 '현재' 화자가 처한 상황을 보여 주면서 밤하늘에도 빛나는 별처럼 어떤 시련에도 부끄러움 없는 삶을 살아가겠다는 화자의 의지를 암시하고 있다.

• 딱지(이준관)

갈래	현대시
제재	딱지
주제	성숙한 삶을 위한 성장 과정, 시련을 극복하고 성장해 가는 인생의 과정
특징	① 딱지가 생기고 상처가 회복되는 과정을 인간의 내면적 성장 과정에 빗대어 표현함.
	② 일상에서 쉽게 접할 수 있는 '딱지'라는 소재를 활용하여 삶의 깨달음을 전함.

시의 짜임

1~3행	어린 시절 '나'는 자주 넘어져 무릎에 딱지를 달고 다님.
4~7행	딱지를 떼어 내려는 '나'에게 아버지는 딱지를 떼어 내지 말아야 상처가 낫는다고 말씀하심.
8~11행	아버지 말씀대로 딱지를 그대로 놓아두면 새살이 돋아남.
12~17행	지금의 '나'는 딱지를 떼어 내지 말라던 아버지의 가르침을 이해함.

핵심 포인트 1 '딱지'의 의미

어린 시절 '나'의 무릎에 생긴 딱지	몸에 생긴 상처가 회복되는 과정
현재 '나'의 마음에 생긴 딱지	인간관계에서 받은 마음의 상처이자 성숙한 삶을 위한 성장 과정

핵심 포인트 2 아버지의 말씀에 담긴 삶의 가치

아버지의 말씀
• 딱지를 떼어 내지 말아라 그래야 낫는다. • 딱지를 떼지 말아라 딱지가 새살을 키운다.

⬇

보편적인 삶의 가치	인간은 상처를 입고 회복하는 과정에서 더욱 성장할 수 있음.

3 이 시는 딱지에 관한 아버지의 가르침을 통해 인간은 상처를 입고 회복하는 과정에서 더욱 성장할 수 있다는 보편적인 삶의 가치를 전달하고 있다.

정답과 해설

3-1 이 시는 인간이 상처를 입고 회복하는 과정에서 더욱 성장할 수 있음을 이야기하고 있다. 따라서 이 시의 주제와 의미가 가까운 속담으로는, 비에 젖어 질척거리던 흙도 마르면서 단단하게 굳어진다는 뜻으로, 어떤 시련을 겪은 뒤에 더 강해짐을 비유적으로 이르는 말인 '비 온 뒤에 땅이 굳어진다'가 적절하다.

오답 풀이
① 웃는 낯으로 대하는 사람에게 침을 뱉을 수 없다는 뜻으로, 좋게 대하는 사람에게 나쁘게 대할 수 없다는 말이다.
③ 가지가 많고 잎이 무성한 나무는 살랑거리는 바람에도 잎이 흔들려서 잠시도 조용한 날이 없다는 뜻으로, 자식을 많이 둔 어버이에게는 근심, 걱정이 끊일 날이 없음을 비유적으로 이르는 말이다.
④ 열심히 농사를 짓는 사람은 아무리 나쁜 땅을 만나도 탓함이 없이 정성껏 가꾸어 소출이 많다는 뜻으로, 모든 일은 제가 하기에 달렸음을 비유적으로 이르는 말이다.
⑤ 아무리 넓고 깊은 바다라도 메울 수는 있지만, 사람의 욕심은 끝이 없어 메울 수 없다는 뜻으로, 사람의 욕심이 한이 없음을 비유적으로 이르는 말이다.

• 동해 바다(신경림)

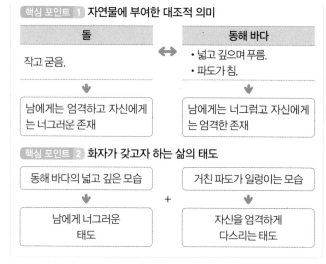

갈래 현대시
제재 동해 바다
주제 남에게는 너그럽고 자신에게는 엄격한 삶의 태도를 갖기를 바라는 마음
특징 ① '돌'과 '바다'를 대조하여 주제를 강조함.
② 화자가 자연물을 통해 자신의 삶을 성찰하고 있음.
③ 자기반성과 앞으로의 바람을 독백조로 드러내고 있음.

시의 짜임

1연	남에게는 엄격해지고 자신에게는 너그러워지는 자신의 태도를 반성함.
2연	바다처럼 남에게는 너그럽고 자신에게는 엄격한 삶의 태도를 갖기를 바람.

핵심 포인트 1 **자연물에 부여한 대조적 의미**

돌		동해 바다
작고 굳음.	↔	• 넓고 깊으며 푸름. • 파도가 침.
⬇		⬇
남에게는 엄격하고 자신에게는 너그러운 존재		남에게는 너그럽고 자신에게는 엄격한 존재

핵심 포인트 2 **화자가 갖고자 하는 삶의 태도**

동해 바다의 넓고 깊은 모습		거친 파도가 일렁이는 모습
⬇	+	⬇
남에게 너그러운 태도		자신을 엄격하게 다스리는 태도

4 이 시는 바다를 바라보며 옹졸한 자신의 태도를 반성하고, 다른 사람에게는 너그럽고 자신에게는 엄격한 태도를 갖고자 하는 바람을 노래한 시이다. 다른 사람의 잘못을 매섭게 질책하는 것과는 거리가 멀다.

오답 풀이
① '제 흉 열 가지 가진 놈이 남의 흉 한 가지를 본다'는 많은 결점을 가진 사람이 다른 사람의 자그마한 결점을 들어 나쁘게 말함을 비꼬는 말로, 자신에게는 너그럽고 남의 잘못에 엄격한 모습을 떠올릴 수 있는 속담이다.

4-1 이 시의 1연에서 화자는 친구의 작은 잘못을 큰 잘못으로 여기는, 즉 자신에게는 너그럽지만 남에게는 엄격한 자신의 태도를 반성하고 있다.

평가 기준

채점 요소	확인 ☑
이 시의 화자가 반성하고 있는 모습이 무엇인지 바르게 파악하였다.	
'남', '자신'이라는 단어를 포함하여 서술하였다.	
주어진 문장 형식에 맞추어 서술하였다.	

01 ④   **02** ㉠: 부도덕성 ㉡: 형   **03** 일제 강점기 지식인으로서의 삶/독립운동가로서의 삶   **04** ③   **05** ①   **06** 상처 많은 꽃잎들이 / 가장 향기롭다   **07** ③   **08** ③   **09** (사과가 맛있어지려면 오랜 시간이 필요한 것처럼) 어른이 되려면 오랜 시간이 필요함을 말하고자 하였다.

01 (가)의 엄마 강물은 바다로 나아간 어린 강물이 바다에서 크고 다른 삶을 잘 살아가기를 바라는 마음을 담아 당부하고 있다. (나)의 아버지도 서울로 가는 수남이에게 도둑질만은 하지 말라며 당부하고 있다.

오답 풀이
① (가)의 엄마 강물에만 해당하는 설명이다. '시린 몸'에서 엄마 강물의 슬픔의 정서가 나타난다. 그러나 그 슬픔을 참고 산골로 돌아온다.

02 수남이의 형의 얼굴빛인 '누런 똥빛'은 탐욕스러움과 부도덕성을 의미한다. '누런 똥빛'이 가시고 소년다운 청순함으로 빛나는 수남이의 얼굴을 통해 수남이의 마음속에 있는 부도덕성이 사라졌음을 나타내고 있다.

03 시인이 처한 시대적 배경과 그의 이력을 참고할 때, ㉠은 일제 강점기 지식인으로서의 숙명이라고 할 수 있다.

평가 기준

채점 요소	확인☑
시대적 배경을 고려하여 ㉠의 의미를 바르게 파악하였다.	
주어진 형식에 맞추어 서술하였다.	

04 (나)는 '나'가 '보리 방구'라는 별명으로 불리는 수택이와 짝이 된 뒤 겪은 사건을 그린 소설로, 어린 시절 수택이에게 큰 상처를 준 뒤 오랫동안 이를 반성하고 미안해하는 '나'의 상황이 나타나 있다. 자신이 했던 행동을 인정하지 못하는 모습은 나타나 있지 않다.

05 이 시는 상처가 회복되는 과정에서 깨달은 성장의 의미를 전달하는 시이다. 과거에 했던 행동에 대한 후회는 나타나지 않는다.

오답 풀이
③ '흉물 같은 딱지', '까만 고약 같은 딱지', '하얀 새살' 등의 표현에서 시각적 심상이 두드러지며 '손톱으로 득득 긁어'에서는 딱지를 떼는 소리와 모양, 촉감을 느낄 수 있다.

06 (나)에서 '풀잎'과 '꽃잎'은 작고 여린 존재를 나타내고 '상처'는 이 작고 여린 존재가 살아가면서 겪는 아픔과 고통, 좌절 등을 나타낸다. 그리고 이러한 상처를 극복할 때 비로소 성장할 수 있다는 것과 상처를 극복한 내면의 아름다움을 '상처 많은 꽃잎들이 / 가장 향기롭다'라는 표현을 통해 나타내고 있다.

자료실
〈풀잎에도 상처가 있다〉(정호승) 작품 개관

갈래	현대시
제재	풀잎, 꽃잎
주제	상처를 극복한 내면의 아름다움, 서로의 상처를 위로하며 더불어 사는 삶
특징	① 의인법을 사용하여 주제를 형상화함. ② 비슷한 문장 구조를 반복하여 운율을 형성함.

07 (가)와 (나)는 상처를 극복하며 성장할 수 있음을 이야기하고 있다. ③은 (가)와 (나)의 내용과는 거리가 멀다.

08 ㉢에는 자신의 잘못을 엄격하게 다스리고자 하는 삶의 태도가 드러나 있다. 자신을 용서하는 것과는 거리가 멀다.

09 (나)는 사춘기 소녀가 내면적으로 성장해 가는 과정을 그린 소설로, 예린이의 할머니는 어른이 되는 것을 사과가 익는 것에 빗대어 표현하고 있다. 사과가 오랫동안 충분히 익어야 달고 맛있다고 말하며 어른이 되는 데에도 오랜 시간이 필요함을 말하고 있다.

평가 기준

채점 요소	확인☑
ⓐ에 담긴 할머니의 의도를 바르게 파악하였다.	
주어진 문장 형식에 맞추어 서술하였다.	

자료실
〈야, 춘기야〉(김옥) 작품 개관

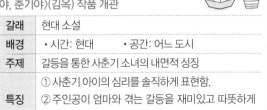

갈래	현대 소설	
배경	• 시간: 현대	• 공간: 어느 도시
주제	갈등을 통한 사춘기 소녀의 내면적 성장	
특징	① 사춘기 아이의 심리를 솔직하게 표현함. ② 주인공이 엄마와 겪는 갈등을 재미있고 따뜻하게 그려 냄.	

1 ⑤   1-1 ㉠: 아버지 ㉡: 윌킨슨 선생님   2 ②   2-1 ④

3 ③   3-1 ⑤   4 ④   4-1 ④

• 빌리 엘리어트(리 홀)

갈래	시나리오
배경	• 시간: 1980년대
	• 공간: 영국 북동부의 가난한 탄광 마을
주제	갈등과 역경을 극복하고 이룬 소년의 꿈
특징	① 한 소년이 어려움을 이겨 내고 꿈을 이루어 나가는 과정을 담고 있음.
	② 시간의 순서에 따라 사건이 진행됨.
	③ 대사와 행동을 통해 인물의 심리와 갈등 양상이 나타남.

핵심 포인트 1 주요 등장인물

빌리	열한 살 소년. 아버지의 권유로 권투를 배우지만 자신에게 소질이 없다는 것을 깨닫고, 발레에 새로운 재미를 느낀다. 어려운 집안 환경과 가족들의 반대에도 좌절하거나 체념하지 않고 자신의 꿈을 이루기 위해 노력한다.
아버지	탄광 파업에 열심히 참가하지만 빌리가 진심으로 발레를 하기 원하고, 재능도 있다는 것을 알게 된 뒤에 파업 참가를 그만두려 한다. 무뚝뚝하지만 아들을 깊이 사랑한다.
윌킨슨 선생님	빌리에게 발레를 가르치고, 빌리가 왕립 발레 학교에 지원할 수 있도록 돕는다.

핵심 포인트 2 이 글에 드러난 주요 갈등

아버지		빌리
빌리가 발레를 하는 것을 반대함.	↔	발레를 계속 하고 싶음.

1   (가)의 아버지의 대사를 보면 발레는 여자만 배우는 것이고 남자는 발레를 하면 안 된다는 생각이 드러나 있다. 이러한 이유로 아버지는 빌리가 발레 배우는 것을 반대하고 있는 것이다.

1-1   (가)에는 발레를 배우고 싶은 빌리와, 빌리가 발레를 하는 것을 반대하는 아버지 사이의 갈등이 나타나 있다. (나)에서 윌킨슨 선생님은 빌리의 재능을 알아보고 빌리가 더 좋은 곳에서 발레를 배울 수 있도록 도와주려 한다.

• 어느 날 자전거가 내 삶 속으로 들어왔다(성석제)

갈래	수필
주제	자전거를 배우는 경험을 통해 깨달은 삶의 진리
특징	① 상황에 따른 글쓴이의 심리 변화가 잘 나타남.
	② 경험을 통해 얻은 깨달음을 진솔하게 표현함.

핵심 포인트 글쓴이가 얻은 깨달음

자전거 타기에 성공한 그날, 세상을 움직여 온 비밀을 얻게 됨.	

↓

일단 안장 위에 올라선 이상 계속 가지 않으면 쓰러진다.	일단 시작한 일은 중간에 그만둘 수 없다.
노력하고 경험을 쌓고도 잘 모르겠으면 자연의 판단 — 본능에 맡겨라.	노력해도 잘되지 않을 때에는 본능에 맡겨야 한다.

2   포기하지 않고 끈기 있게 도전하여 결국 자전거 타기에 성공하는 모습을 통해 거듭된 실패에도 쉽게 단념하지 않는 태도를 엿볼 수 있다.

2-1   이 글의 글쓴이인 '나'는 시행착오를 거쳐 결국 자전거 타기에 성공하면서, 일단 시작한 일은 중간에 그만둘 수 없으며 노력하고 경험을 쌓고도 잘 모르겠으면 본능에 맡겨야 한다는 깨달음을 얻었다. 자전거를 어릴 때 배워야 쉽게 탈 수 있다고 깨닫는 내용은 나타나지 않는다.

• 공작나방(헤르만 헤세)

갈래	현대 소설
주제	나비 수집과 관련된 경험에서 얻은 깨달음과 그 깨달음을 통한 정신적인 성장
특징	① 주인공이 어린 시절을 회상하는 형식으로 이루어짐.
	② 인물의 심리와 갈등이 섬세하게 표현됨.
	③ 액자식 구성을 통해 이야기가 전개됨.

글의 짜임

발단 1	하인리히가 '나'의 나비 수집 판을 보고 자신의 어린 시절을 떠올림.
발단 2	어린 시절의 '나'(하인리히)는 푸른 날개의 나비를 잡은 뒤 에밀에게 보여 주려고 함.
전개	에밀의 혹평에 마음이 상한 '나'는 2년 뒤 에밀이 공작나방을 잡았다는 소문을 들음.
위기	에밀의 공작나방을 훔친 '나'는 이를 제자리에 갖다 놓으려고 하지만, 공작나방이 망가짐.
절정	어머니의 조언을 들은 '나'는 에밀에게 잘못을 고백하지만, 에밀은 '나'를 용서해 주지 않음.
결말	'나'는 한번 저지른 일은 돌이킬 수 없음을 깨닫고, 수집한 나비들을 망가뜨림.

핵심 포인트 1 공작나방을 훔친 하인리히의 심리 변화

> 공작나방을 갖게 되어 만족함.

↓

> 층계를 내려오다가 다른 사람에게 들킬까 봐 불안해함.

↓

> 자신의 잘못된 행동을 깨닫고 부끄러워함.

↓

> 망가진 공작나방을 꺼내 보고 괴로워함.

핵심 포인트 2 서술자의 변화와 이 소설의 액자식 구성

외부 이야기	내부 이야기
'나'의 집에 놀러 온 하인리히가 '나'의 나비 수집 판을 보고 어린 시절의 추억을 떠올림.	'나'(하인리히)가 나비 수집과 관련한 자신의 어린 시절 이야기를 들려줌.
외부 이야기의 '나'는 하인리히가 추억을 떠올리게 하여 내부 이야기가 전개되도록 이끄는 서술자임.	내부 이야기의 '나'는 외부 이야기의 '나'에게 자신의 경험을 들려주는 하인리히로, 소설의 주인공이자 서술자임.

3 하인리히는 어린 시절 공작나방을 훔치고 망가뜨린 일에 대해 에밀에게 사과했지만 결국 용서받지 못했던 경험을 통해 한번 저지른 일은 어떻게 해도 바로잡을 도리가 없다는 것을 깨달았다.

3-1 이 글은 소년 하인리히가 친구 에밀의 공작나방을 훔쳐 망가뜨리면서 겪게 되는 갈등과 그 과정에서 얻은 깨달음, 그리고 이를 통한 하인리히의 정신적 성장을 그리고 있다.

· **하늘은 맑건만**(현덕)

갈래 현대 소설
배경 · 시간: 1930년대 · 공간: 어느 도시
주제 양심을 속이지 않고 정직하게 사는 삶의 중요성
특징 ① 갈등을 겪으며 성장하는 인물의 모습이 잘 나타남.
② 주인공과 대립하는 인물이 등장하여 주인공의 갈등을 커지게 함.
③ 사건의 진행에 따른 인물의 심리 변화가 잘 나타남.
④ '정직'이라는 보편적인 가치를 일깨움.

핵심 포인트 문기의 성찰 과정

잘못 받은 거스름돈을 마음대로 쓰고, 삼촌에게 거짓말을 함.	자신을 길러 준 삼촌의 기대에 어긋나는 행동을 했다는 사실 때문에 생각할수록 낯이 더 뜨거워짐.
↓	
수만이의 협박에 못 이겨 숙모의 돈을 훔침.	점순이가 누명을 쓰자 죄책감, 미안함, 괴로움 때문에 뜬눈으로 밤을 새움.
↓	
하늘은 맑고 푸르건만 문기는 그 하늘을 떳떳하게 쳐다보지 못함.	자신의 행동에 대한 죄책감, 부끄러움으로 마음이 무거움.
↓	
선생님께 잘못을 고백하려다 실패하고 교통사고를 당한 문기는 삼촌에게 모든 일을 털어놓음.	자신의 잘못을 모두 고백하고 죄책감에서 벗어나 홀가분해짐.

4 이 소설은 문기의 모습을 통해 양심을 속이지 않고 정직하게 사는 삶의 중요성을 전달하고 있다. 선의의 거짓말을 하는 것과는 거리가 멀다.

4-1 이 글의 마지막 부분에는 문기가 삼촌에게 잘못을 모두 털어놓은 뒤 죄책감에서 벗어나 홀가분해지는 모습이 나타나 있다. 따라서 문기처럼 여전히 죄책감에 시달리고 있다는 내용은 적절하지 않다.

3일 **필수 체크 전략 2** 86~89쪽

01 ② **02** ㉠: 삼촌 ㉡: 삼촌을 속인/삼촌의 기대를 저버린
03 ③ **04** 훔치고 함부로 다루는 **05** ③ **06** ⓐ: (세상을 움직여 온) 비밀 ⓑ: 본능/자연의 판단 **07** ③ **08** ④

01 (가)에서도 문기는 자기 잘못을 알고 죄책감에 부끄러워하고 있다. (나)에서 문기는 삼촌에게 그동안 자신이 저지른 잘못을 모두 고백하고 죄책감에서 벗어난다.

02 삼촌은 조카인 문기를 길러 내고 문기를 진심으로 아끼는 존재이다. 문기는 삼촌의 꾸중을 듣고, 자신을 믿어 주는 삼촌의 기대를 저버린 것에 죄책감을 느끼고 있다.

평가 기준

채점 요소	확인 ☑
㉠에 들어갈 인물을 바르게 파악하였다.	
㉡에 들어길 말을 바르게 파악하였다.	

03 (다)의 '누가 그랬는지 공작나방을 ~ 말하더군.'을 통해 에밀이 '나'(하인리히)가 공작나방을 망가뜨린 것을 모르고 있었고, '나'가 자신의 소행임을 밝히고 나서야 에밀이 사실을 알게 되었음을 알 수 있다.

04 '나'는 에밀의 공작나방을 훔치다 망가뜨리고 이 사실을 에밀에게 고백한다. 그러자 에밀은 냉담한 태도를 보인다. "너의 나비 다루는 성의가 어떻다는 것을 알 만큼은 알았어."라는 에밀의 말에 나비를 다루는 '나'의 태도에 대한 경멸이 드러난다.

평가 기준

채점 요소	확인 ☑
'그런 자식'의 의미를 바르게 파악하였다.	
빈칸에 알맞은 문장 형식으로 서술하였다.	

05 글쓴이는 사람이 없는 운동장에서 자전거 타기 연습을 했고 계속해서 자전거 타기에 실패했다. 마지막 시도에서도 실패하여 쓰러진 뒤, 계속되는 실패에 막막함을 느끼고 실의에 빠진 모습이 나타나 있다.

06 (라)에서 글쓴이는 '세상을 움직여 온 비밀'을 얻게 되었다고 하면서 자신이 깨달은 것을 밝히고 있다. 글쓴이가 얻은 깨달음은 일단 시작한 일은 중간에 그만둘 수 없으며 노력해도 잘되지 않을 때에는 본능에 맡겨야 한다는 것이다.

07 시나리오는 소설처럼 작가가 상상하여 창작해 낸 이야기로, 인물, 사건, 배경을 중심으로 하여 구성된다. 실제 있었던 사건을 그대로 서술한 글은 아니다.

08 이 글은 발레 무용수가 되고 싶은 소년 빌리가 갈등과 역경을 극복하고 자신의 꿈을 이루어 나가는 과정을 그린 시나리오이다. 재능을 타고나야지만 꿈을 이룰 수 있다는 것은 이 글에서 전달하려는 바와 거리가 멀다.

누구나 합격 전략   90~91쪽

01 준우   **02** ㉠: 산골 ㉡: 바다   **03** 새살/새살을 키운다
04 (1) ☹ (2) ☺   **05** (1) ㉢ (2) ㉡ (3) ㉠   **06** 돌   **07** ㉠: 본
능/자연의 판단 ㉡: 독자   **08** 한솔

01 성장은 육체적으로 자라는 것뿐만 아니라 정신적인 성숙을 의미하기도 한다.

02 이 시는 바다로 흘러가는 강물을 소재로 하여 성장의 과정을 표현하고 있다. '산골'은 어린 강물이 원래 살던 익숙한 공간이고 '바다'는 어린 강물이 새롭게 만나는 크고 낯선 도전의 공간이다.

03 이 시는 시련을 극복하고 성장해 가는 인생의 과정을 딱지가 생기고 떨어지면서 새살이 돋는 과정에 빗대어 표현하였다.

04 (1) 빌리는 춤을 출 때의 느낌을 불이 붙은 것, 새, 감전에 빗대어 표현하고 있다. 자신의 정체성에 혼란을 느끼고 있는 것은 아니다. (2) 빌리가 심사 위원의 물음에 답하는 모습에서 춤에 대한 빌리의 순수한 열정이 드러난다.

05 (1) '하늘'은 부끄럽지 않은 삶, 윤리적 삶을 판단하는 절대적 기준을 의미한다. (2) '별'은 화자가 추구하는 희망, 이상적 삶의 세계를 의미한다. (3) '길'은 화자가 걸어가야 할 숙명, 운명을 상징한다.

06 이 시의 화자는 남에게는 엄격해지고 자신에게는 너그러워지는 자신의 옹졸한 모습을 작고 단단한 '돌'에 비유하며 자신의 삶을 성찰하고 있다.

07 이 글은 글쓴이가 어린 시절 자전거 타기를 배우면서 얻은 깨달음을 전달하는 수필로, 독자는 이 글을 읽으며 글쓴이의 경험과 깨달음을 자신의 삶과 관련지어 감상하면서 자신의 삶을 성찰할 수 있다.

08 글에 드러난 글쓴이의 생각과 가치관을 무조건 받아들이기보다는 글쓴이의 생각이 적절한지 생각해 보고, 글쓴이의 경험과 관련지어 자신의 삶을 성찰하며 바람직하고 가치 있는 삶이란 무엇인지 생각해 보는 것이 적절하다.

01 ⓐ: ㉡, ⓑ: ㉠, ⓒ: ㉢, ⓓ: ㉢, ⓔ: ㉣   02 ㉠: 과거 ㉡: 미래 ㉢: 현재   03 그동안 정말 힘드셨겠어요. 그런데 그거 아세요? 딱지가 새살을 키운답니다. 지금은 상처 때문에 아프겠지만 상처가 아물면서 새살이 돋아날 거예요. 포기하지 말아요. 그동안의 경험을 발판으로 삼아 앞으로는 더 잘 해낼 수 있을 거예요.
04 ②

01 〈보기〉는 이 시의 내용을 바탕으로 아빠가 딸에게 보내는 편지글로 재구성한 것이다. '집'과 '아빠'의 품을 떠나 '대학교'에서 새로운 생활을 시작하게 된 '딸'은 '산골'과 '엄마 강물'의 품을 떠나 '바다'로 향하는 '어린 강물'에 해당하고, 낯선 환경에서 겪는 '어려움'은 '파도'와 연결된다.

02 이 시의 화자는 부끄러움 없는 삶에 대한 간절한 소망과 의지를 노래하고 있다. 1연에서는 과거의 삶을 성찰하며 미래의 삶에 대한 의지를 밝히고, 2연에서는 현실의 상황을 드러내고 있다.

03 이 시의 주제를 참고하여, 지금 받은 상처가 회복되는 과정에서 더욱 성장할 수 있다는 내용으로 글쓴이를 격려하는 댓글을 쓰는 것이 적절하다.

평가 기준

채점 요소	확인 ☑
〈보기〉의 글쓴이에게 공감하는 말을 썼다.	
시에 나타난 표현을 활용하여 글쓴이에게 힘이 되는 말을 썼다.	

04 이 시의 화자는 바다를 바라보며 남에게는 엄격해지고 자신에게는 너그러워지는, 돌과 같은 자신의 태도를 반성하고, 바다처럼 남에게는 너그러워지고 스스로는 억센 파도로 다스리는 엄격한 태도를 갖기를 바라고 있다.

05 ⑤   06 ㉠: 공작나방 ㉡: 에밀 ㉢: 잘못   07 ③   08 ③

05 문기는 자신의 잘못을 깨닫고 반성하고 있다. 그리고 자신을 길러 준 삼촌의 기대에 어긋나는 행동을 했다는 사실 때문에 부끄러움을 느끼고 있다.

06 에밀의 공작나방을 훔치려다 망가뜨린 '나'는 죄책감에 괴로워하다가 에밀에게 잘못을 고백하고 용서를 구하지만 에밀은 '나'에게 냉담한 반응을 보이며 사과를 받아 주지 않는다.

평가 기준

채점 요소	확인 ☑
㉠에 들어갈 대상을 바르게 파악하였다.	
㉡에 들어갈 인물을 바르게 파악하였다.	
㉢에 들어갈 말을 바르게 파악하였다.	

07 글쓴이는 시행착오 끝에 어차피 가지 않으면 안 될 길이라며 과감하게 내리막길 타기에 도전하여 마침내 자전거 타기에 성공하였다. 글쓴이가 실패의 원인을 파악하고 분석하는 내용은 나타나 있지 않다.

08 발레의 어떤 점이 좋았냐는 심사 위원의 질문에 빌리는 "춤추는 거요."라고 대답하고 있다. 즉, 발레의 어느 특정 부분을 좋아하는 게 아니라, 춤추는 것 자체를 좋아하고 있다.

정답과 해설

권말 정리 마무리 전략

신유형·신경향·서술형 전략 98~103쪽

01 ②　02 ⓐ: 별 ⓑ: 꿈/희망/목표/이상　03 ②　04 ⑤
05 ①, ②　06 하늘이 맑은 것과 대조적으로 문기의 마음은 어둡다는 것을 강조하기 위해서입니다./맑은 하늘을 떳떳하게 바라볼 수 없는 문기의 괴로운 심리를 강조하기 위해서입니다.
07 ④　08 어패류를 추천함.　09 ㉠: 돌 ㉡: 남에게는 너그럽고 자신에게는 엄격한 ㉢: 별　10 ②　11 ④　12 비 온 뒤에 땅이 굳어진다

01 ㉠은 화자가 생각하는 청년의 의미와 가치가 드러난 부분으로, 청년이라면 꿈과 희망, 목표가 있어야 함을 말하고 있다.

자료실

〈고래를 위하여〉(정호승) 작품 개관

갈래	현대시	제재	고래
주제	청년들에게 사랑하면서 꿈을 이루기를 당부함.		
특징	① 상징을 사용하여 시어를 다양한 의미로 이해할 수 있음. ② '~면 ~ 아니지'를 반복하여 운율을 형성함.		

02 (가)와 (나)에 공통적으로 나타나는 상징적 소재는 '별'이다. (가)는 청년들이 꿈을 품고 사랑하며 살아가기를 바라는 마음을 노래한 시로, '별'은 꿈, 희망, 목표, 이상 등을 상징한다.

평가 기준

채점 요소	확인 ☑
ⓐ에 들어갈 시어를 바르게 찾아 썼다.	
(가)에서 ⓐ가 상징하는 의미를 바르게 파악하여 ⓑ에 들어갈 말을 한 단어로 썼다.	

03 '오늘따라 별들 부산하게 바자닌다.'에는 별들을 사람처럼 표현하는 의인법이 쓰였다. ②에서는 직유법을 써서 장미를 앵두에 빗대어 표현하고 있다.

오답 풀이

①, ③, ④, ⑤ 의인법이 쓰였다.

04 (가)의 '밤하늘은 / 별들의 운동장'에서 밤하늘을 운동장에 빗대어 표현하는 은유법이 쓰였다. 그리고 (가)의 '빗나간 야구공 하나'도 유성을 빗댄 표현으로, 은유법이 쓰

였다. 그러므로 (나)는 (가)와 달리 은유법이 쓰였다는 ⑤의 내용은 적절하지 않다.

오답 풀이

① (가)에는 은유법과 의인법, (나)에는 은유법이 쓰였으므로 둘 다 비유가 쓰였다.

② (가)에는 '얇은 쇠붙이나 유리 따위가 떨어지거나 부딪쳐 맑게 울리는 소리.'를 뜻하는 '쨍그랑'이, (나)에는 '한꺼번에 자지러지게 웃는 소리.'를 뜻하는 '까르르'가 쓰였다.

③ (가)에서 별이 반짝이는 모습, 유성이 떨어지는 모습 등에서 시각적 심상을 느낄 수 있고, '아득히 들리는 함성', '빈 우레 소리', '쨍그랑' 등에서 청각적 심상을 느낄 수 있다. (나)의 '초롱초롱 반짝이는 너희들의 눈'에서 시각적 심상을, '까르르 웃는 너희들의 웃음'에서 청각적 심상을 느낄 수 있다.

④ (가)의 3~5행에서 별들이 반짝이는 모습을 사람처럼 표현하고 있다.

05 (가)의 문기와 (나)의 수남이는 잘못을 저지르고 자신의 부도덕성 때문에 떳떳하지 못하다고 생각한다. 문기는 잘못을 고백하고 싶은 마음과 그렇게 하기 두려운 마음 사이에서 갈등하고, 수남이는 자신이 한 짓이 도둑질인지 아닌지, 자신의 내면에 부도덕성이 자리 잡은 건 아닌지 갈등한다.

06 문기는 자신이 저지른 잘못 때문에 괴로워하며 무겁고 어두운 마음에 고개를 들지 못한다. 맑은 하늘은 문기의 어두운 마음과 대조되어 의미를 강조하는 효과가 있다.

평가 기준

채점 요소	확인 ☑
문기의 심리를 바르게 파악하였다.	
제목에 담긴 작가의 의도를 바르게 파악하였다.	
주어진 문장 형식에 맞추어 서술하였다.	

07 점순이는 '나'에 대한 관심과 애정의 표현으로 감자를 건넨다. 하지만 '나'에게 거절당한 뒤 민망하고 화가 난 마음에 '나'의 닭에게 분풀이를 한다. '나'에게 미안한 감정이 있는 것은 아니다.

08 용왕이 자신의 병을 낫게 할 묘수를 말하라고 다그치자 꼴뚜기가 약초보다 어패류가 낫다고 말하며 신하들 사이에 갈등과 대립이 시작되고 있다.

32 일등전략 · 국어 문학 1

〈토끼와 자라〉(엄인희) 작품 개관

갈래	희곡
제재	용왕의 병과 토끼의 간
주제	용왕의 헛된 욕심과 토끼의 지혜
특징	① 고전 소설 〈토끼전〉을 희곡으로 각색한 작품임. ② 인간을 동물에 빗대어 인간 사회를 풍자하고 있음. ③ 등장인물의 말과 행동을 과장되게 표현하여 독자의 웃음을 유발함.

09 ㉠에는 (나)의 화자가 자신의 옹졸한 태도를 빗댄 대상인 '돌'이 들어가는 것이 적절하다. ㉡에는 바다의 너그러움과 엄격함에 관한 내용이 들어가는 것이 적절하다. ㉢에는 (가)의 화자가 바라는 이상, 희망 등을 의미하는 '별'이 들어가는 것이 적절하다.

평가 기준

채점 요소	확인☑
㉠에 들어갈 말을 (나)에서 바르게 찾아 썼다.	
㉡에 들어갈 말을 알맞은 형식으로 바르게 썼다.	
㉢에 들어갈 말을 (가)에서 바르게 찾아 썼다.	

10 (나)는 남에게는 너그럽고 자신에게는 엄격한 삶의 태도를 갖기를 바라는 마음을 주제로 한 시이다. 고생을 해 보지 않은 사람은 고생하는 사람의 사정을 모른다는 말인 ②는 (나)의 주제와는 거리가 멀다.

오답 풀이

① 남을 흉보기 전에 그것을 거울삼아 먼저 제 잘못을 뉘우치고 고치라는 뜻의 속담이다.
③ 많은 결점을 가진 사람이 다른 사람의 자그마한 결점을 들어 나쁘게 말함을 비꼬는 뜻의 속담이다.
④는 《논어》, ⑤는 《명심보감》에 나오는 경구이다.

11 ㉠에는 글쓴이가 자전거 타기에 성공하여 느끼는 기쁨이 드러나고, ㉡에는 문기가 그동안의 잘못을 모두 고백한 뒤 죄책감에서 벗어나 느끼는 홀가분함이 드러난다. 정직의 중요성을 알게 된 문기가 그동안 저지른 잘못을 반복할 것이라는 내용은 적절하지 않다.

12 '비 온 뒤에 땅이 굳어진다'는 비에 젖어 질척거리던 흙도 마르면서 단단하게 굳어진다는 뜻으로, 어떤 시련을 겪은 뒤에 더 강해짐을 비유적으로 이르는 말이다.

고난도 해결 전략 1회

104~107쪽

01 (1) 사나이는, 했다 (2) 직유법을 써서 깜짝 놀란 엿장수의 모습을 뱀을 밟은 것에 빗대어 표현하였다.　**02** ④　**03** ③　**04** ⑤　**05** ④　**06** 이 시조의 제1수와 〈보기〉에 공통으로 쓰인 비유의 종류는 의인법으로, 사람이 아닌 것을 사람처럼 표현하는 방법이다.　**07** ③　**08** ③

01 '사나이는 그야말로 뱀이나 밟은 것처럼 ~ 절만 했다.'에서 깜짝 놀란 엿장수의 모습을 뱀을 밟은 것에 빗대어 표현하였다. '~처럼'을 써서 원관념을 보조 관념에 직접 빗대어 표현하는 직유법이 쓰였다.

평가 기준

채점 요소	확인☑
비유가 쓰인 문장의 첫 어절과 마지막 어절을 바르게 파악하였다.	
비유의 종류, 원관념과 보조 관념을 바르게 파악하였다.	
주어진 문장 형식에 맞추어 서술하였다.	

02 (다)를 통해 마을을 떠나고 싶지 않은 남이의 마음을 짐작할 수 있고, (라)에서 남이가 엿장수의 가위 소리를 듣고 재빨리 집 밖으로 나간 것으로 미루어 보아 남이가 엿장수를 기다리고 있었음을 알 수 있다. 이를 참고할 때 ㉠에서 엿장수와의 이별을 앞둔 남이의 슬픔과 안타까움을 느낄 수 있다.

03 (나)에서 용이는 꿩이 하늘로 날아오르는 모습을 보고 힘을 얻어 책 보퉁이들을 골짜기로 던지고 아이들의 부당한 요구를 거부하며 아이들에게 당당히 맞서게 된다.

04 아이들은 용이에게 무거운 책 보퉁이들을 나르게 하고 용이에게 거친 말을 하며 용이를 괴롭히고 있다. ⑤는 그러한 행동이 모두 자신에게 돌아오게 됨을 부메랑에 빗대어 표현하고 있다.

05 이 시조에서는 물의 맑음과 영원함(제2수), 바위의 불변성(제3수), 소나무의 지조와 절개(제4수), 대나무의 절개와 겸허함(제5수), 달의 포용성과 과묵함(제6수)을 예찬하고 있다.

오답 풀이

①, ② 제2수에서 구름은 자주 검어지고 바람은 영원하지 않아 부정적인 존재로 그려지고 있다.
③ 제3수에서 꽃은 피었다 쉽게 져 버리는 부정적인 존재로 그려지고 있다.

06 이 시조의 제1수에서는 다섯 자연물을 의인화하여 '내 벗'이라고 표현하고, 〈보기〉에서는 '달'과 '청풍'을 의인화하여 자신의 집에 함께 사는 인격체로 여기고 이들이 방을 한 칸씩 맡는다고 표현하였다.

평가 기준

채점 요소	확인 ☑
이 시조의 제1수와 〈보기〉에 공통으로 쓰인 비유의 종류와 그 개념을 바르게 파악하였다.	
주어진 문장 형식에 맞추어 서술하였다.	

📝 자료실

〈십 년을 경영하여〉(송순) 작품 개관

갈래	시조
제재	전원생활
주제	자연에 대한 사랑과 안빈낙도(安貧樂道)
특징	의인법을 사용하여 '달', '청풍'과 '나'가 초가 삼간 속에서 일체를 이루는 물아일체(物我一體)의 삶을 드러냄.

07 ㉢에는 상급 학교에 진학하지 못해 속상한 아들의 마음을 달래 주려는 어머니의 마음이 담겨 있다.

📝 자료실

〈연〉(이청준) 작품 개관

갈래	현대 소설
제재	연
배경	• 시간(계절): 봄　　• 공간: 어느 마을
주제	연을 날리다 고향을 떠난 아들의 안녕을 기원하는 어머니의 염려와 한없는 사랑
특징	① '연'이라는 상징적 소재를 바탕으로 내용을 전개함. ② 아들에 대한 어머니의 심리가 드러남. ③ 연의 상태에 따라 어머니의 심리가 변함.

08 이 글에서 '연'은 가난한 집안 형편 때문에 상급 학교에 진학하지 못해 섭섭하고 아쉬운 아들의 마음을 달래는 소재이자, 그런 아들에 대한 어머니의 염려와 사랑이 담긴 소재이다. '연'은 아들을 상징하기도 하고 미지의 세계에 대한 아들의 동경과 성장에 대한 내적 갈망, 자유를 향한 의지 등을 상징한다. 고향에 대한 애정이나 그리움과는 거리가 멀다.

고난도 해결 전략 2회　　　🌡108~111쪽

01 ①　　**02** 문기가 '정직하고 바르게 사는 삶'이라는 올바른 가치관을 형성하는 데 영향을 주었을 것이다.　　**03** ④　　**04** ②
05 ①　　**06** (1) 도덕적으로 자신을 견제해 줄 어른인 아버지가 있는 고향으로 돌아가기 위해 짐을 꾸렸다. (2) 마침내 결심을 굳힌 수남이의 얼굴은 누런 똥빛이 말끔히 가시고, 소년다운 청순함으로 빛났다.　　**07** ④　　**08** 공학자가 되는 것보다 제가 하고 싶은 일을 하면서 살고 있으니 행복할 거예요.

01 ㉠에서 말하는 '두 번째 허물'은 문기가 숙모의 돈을 훔친 일이다. 〈보기〉를 보면 문기가 돈을 훔친 것 때문에 점순이가 억울한 누명을 쓴 것이 나타나 있다. 따라서 문기는 점순이의 울음소리를 듣고 죄책감이 더욱 커져 내적 갈등이 심화될 것임을 짐작할 수 있다.

02 문기는 갈등을 겪으면서 양심을 속이는 행동이 자신을 얼마나 힘들게 하는지 깨닫고, 떳떳한 마음을 지니고 살아가는 것이 얼마나 소중한지를 알게 되었을 것이다.

평가 기준

채점 요소	확인 ☑
이 글의 주제를 바르게 파악하였다.	
갈등 해결 과정이 문기의 성장에 미쳤을 영향을 주제와 관련지어 바르게 서술하였다.	
주어진 문장 형식에 맞추어 서술하였다.	

03 길동은 임금을 받들어 모시고자 하였지만 천비 소생이라 벼슬길에 나설 수 없었다. 이런 길동이 병조 판서 벼슬을 받은 것을 두고 임금에게 "신의 소원을 풀어 주옵시니"라고 하는 것을 보아 아버지의 소원을 이루어 드리기 위해서가 아니라 벼슬길에 나가고자 했던 자신의 소원을 이루기 위해 병조 판서 벼슬을 받고자 하였음을 알 수 있다.

오답 풀이

① (나)를 통해 길동이 조선을 떠나 율도국으로 가기로 결심하였음을 알 수 있다.
② (가)를 통해 길동이 분신술을 쓰고, 공중으로 사라지는 등 비범한 재주를 지니고 있음을 알 수 있다.
③ (가)의 "탐관오리들이 백성의 고혈을 빨아서 모은 재물을 빼앗았사오나"를 통해 알 수 있다.
⑤ (가)에서 길동은 호부호형을 못 하는 것이 평생 원한이 되어 도둑 무리의 우두머리가 되었다고 말하고 있다.

04 길동이 남다른 재주를 부려 병조 판서 벼슬을 받았지만, 적서 차별 제도를 찬성하는 모습은 나타나 있지 않다.

05 (가)에는 수남이에게 차 수리비를 받아 내려는 신사와, 돈을 지키기 위해 신사에게 용서를 비는 수남이의 외적 갈등이 나타나 있다. ①~⑤ 가운데 외적 갈등이 나타난 것은 ①이다. 나머지는 모두 내적 갈등이 나타나 있다.

06 수남이는 잘못된 일을 하면서 쾌감을 느낀 것은 자신 안에 부도덕한 면이 있기 때문이라고 생각하여, 도덕적으로 자신을 견제해 줄 어른인 아버지에게 돌아가기로 결심한다. 이와 같이 결심하자 수남이의 얼굴은 누런 똥빛이 가시고 소년다운 청순함으로 빛난다. 이를 통해 수남이의 내적 갈등이 해결되었음을 알 수 있다.

평가 기준

채점 요소	확인 ☑
수남이가 갈등을 해결하기 위해 한 행동을 바르게 파악하였다.	
수남이의 갈등이 해결되었음을 나타내는 문장을 바르게 찾아 썼다.	

07 (가)의 엄마는 할머니와 달리 현대적인 삶의 방식을 중시하고 있다. 가족의 행복을 더 중시하는 인물인지는 알 수 없다.

> **📝 자료실**
> 〈할머니를 따라간 메주〉(오승희) 작품 개관
>
> | 갈래 | 현대 소설 |
> |---|---|
> | 제재 | 메주 띄우기 |
> | 배경 | • 시간: 현대   • 공간: 도시의 아파트 |
> | 주제 | 가치관 차이로 인한 세대 간의 갈등과 해결 |
> | 특징 | ① 서로 다른 가치관을 지니고 있는 등장인물들의 외적 갈등이 잘 드러나 있음.
② 할머니와 엄마의 갈등과 해결 과정을 '나'(은지)의 시선으로 그리고 있음. |

08 파르한의 아버지는 파르한이 공학자가 되기를 바라지만, 파르한은 돈을 많이 버는 일보다 자신이 원하는 일을 하며 살고 싶어 한다.

평가 기준

채점 요소	확인 ☑
파르한이 바라는 삶의 방식을 바르게 파악하였다.	
주어진 문장 형식에 맞추어 서술하였다.	

> **📝 자료실**
> 〈세 얼간이〉(라지쿠마르 히라니 외) 작품 개관
>
> | 갈래 | 시나리오 |
> |---|---|
> | 제재 | 인도의 대학생이 처한 현실과 꿈을 향한 도전 |
> | 배경 | • 시간: 현대   • 공간: 인도 |
> | 주제 | 사회가 요구하는 대로 살지 말고 자신이 원하는 일을 하며 살아야 함. |
> | 특징 | ① 현실에 대응하는 인물들의 다양한 모습을 보여 줌.
② 어려움을 극복해 가는 인물들의 모습을 유쾌하게 표현함. |

고난도 해결 전략 3회　　112~115쪽

01 '봄바람'은 '바다'와 의미가 통한다. 왜냐하면 '봄바람'은 남을 따뜻하게 대하는 태도를 빗댄 대상인데, '바다'도 남에게 너그러운 존재이기 때문이다.　**02** ③　**03** ①　**04** ④　**05** ③　**06** (가)의 어머니는 '나'에게 "에밀을 찾아가서 사실을 고백하고 용서를 빌어라."라고 말하며 정직과 책임감을 강조한다. 반면에 〈보기〉의 주인 영감님은 수남이에게 "잘했다, 잘했어."라고 칭찬하며 부도덕한 태도를 보인다.　**07** ③　**08** 수택이에게 상처를 준 것이 미안했기 때문이다.

01 〈보기〉에서 '봄바람'은 남을 따뜻하게 대하는 태도를 빗댄 대상이다. (가)에서는 널따랗고 억센 파도가 치는 '바다'를 남에게는 너그럽고 자신에게는 엄격한 존재로 나타내고 있다.

평가 기준

채점 요소	확인 ☑
〈보기〉의 '봄바람'과 그 의미가 통하는 자연물을 (가)에서 바르게 찾아 썼다.	
(가)에서 찾은 자연물이 〈보기〉의 '봄바람'과 그 의미가 통하는 까닭을 바르게 파악하였다.	
주어진 문장 형식에 맞추어 서술하였다.	

02 〈보기〉에서는 시련과 고난을 겪으며 자란 나무가 좋은 열매를 맺는다고 말하고 있다. ㉠~㉤ 중 이와 의미가 유사한 시구는 ㉢이다. ㉢은 몸에 생긴 딱지가 상처를 아물게 하는 것처럼 마음에 생긴 딱지 역시 우리가 더욱 성숙해질 수 있게 도와준다는 의미를 담고 있다. 즉, 인간은 상처를 입고 회복하는 과정에서 더욱 성장할 수 있다는 것을 이야기하고 있으므로 〈보기〉에서 말하려는 바와 비슷한 의미를 지닌 시구이다.

오답 풀이
㉠ 포용력이 있는 바다의 모습을 표현하고 있다.
㉡ 자신을 엄격하게 다스리는 모습을 표현하고 있다.
㉣ 양심에 부끄럽지 않은 순수한 삶을 살겠다는 화자의 바람이 담겨 있다.
㉤ 모든 살아 있는 존재에 대한 한없는 연민과 사랑을 표현하고 있다.

03 (가)에는 어린 강물이 바다로 흘러가고 엄마 강물이 산골로 돌아오는 상황이 나타나 있다. 따라서 바다 한가운데를 배경으로 하는 것은 적절하지 않다.

04 ㉣은 발레 능력과 학교 성적이 우수하고, 가족의 전폭적인 지지를 받을 수 있는 학생을 의미한다. 이어지는 내용인 '단지 발레뿐만이 아니라 ~ 성공할 수 없습니다.'를 통해 알 수 있다.

05 (가)의 '나'는 어머니에게 자신의 잘못을 털어놓고 있다. '나의 이 고백이 얼마나 어려운 고민 끝에 나왔는지를 충분히 짐작하시는 것 같았어.'를 통해 어머니가 '나'의 괴로운 마음을 헤아리고 있음을 알 수 있다.

06 (가)의 어머니는 '나'가 잘못을 털어놓자 에밀에게 사실을 고백하고 용서를 빌라고 단호하게 말한다. 그러나 〈보기〉의 주인 영감님은 수남이가 잘못을 털어놓자 오히려 칭찬하며 통쾌해한다.

평가 기준

채점 요소	확인☑
'나'의 고백에 대한 어머니의 말이나 행동을 바탕으로 하여 (가)의 어머니의 태도를 바르게 파악하였다.	
수남이의 고백에 대한 주인 영감님의 말이나 행동을 바탕으로 하여 〈보기〉의 주인 영감님의 태도를 바르게 파악하였다.	

07 그동안 늘 혼자였던 수택이는 자신에게 반찬을 나누어 준 '나'에게 고마움을 느끼고, 고마운 마음을 표현하려고 '나'에게 신문을 주었다.

08 〈보기〉에는 '나'가 오랜 시간 수택이에 대한 미안한 마음을 떨치지 못하고 어른이 되어서도 수택이를 떠올리며, 수택이가 상처를 잊고 잘 지내기를 바라고 있음이 드러난다. 이를 참고할 때 '나'가 수택이에게 미안한 마음을 느껴 ㉡과 같이 행동하였음을 짐작할 수 있다.

평가 기준

채점 요소	확인☑
〈보기〉를 참고하여, '나'가 ㉡과 같이 행동한 까닭을 바르게 파악하였다.	
'나'의 심리가 직접 드러나도록 서술하였다.	
주어진 문장 형식에 맞추어 서술하였다.	

공부하느라
수고했어요!

어휘력을 길러 보자!

필수 어휘 체크 전략

〈1주〉 **비유와 상징** —————— 38

〈2주〉 **갈등** —————— 46

〈3주〉 **성장과 성찰** —————— 54

필수 어휘 체크 전략

1주 비유와 상징

감각적

관형사 **명사** ❶ [ㄱㄱ] 을 자극하는. 또는 그런 것.

예 이 소설은 감각적 묘사가 뛰어난 작품이다. / 그 노래는 감각적인 가사를 담고 있다.

개선장군

명사 ① 적과의 싸움에서 이기고 돌아온 ❷ [ㅈㄱ] . ② 어떤 일에 성공하여 의기양양한 사람을 비유적으로 이르는 말.

예 적을 물리치고 개선장군이 되어 돌아오다. / 개선장군처럼 의기양양하다.

❸ [ㄱㅁㅈㄷ]

동사 ① 틀어잡거나 휘감아 쥐다. ② 무엇을 완전히 소유하거나 장악하다.

예 둘은 서로 상대의 멱살을 거머쥐고 있었다. / 그는 뜻하지 않았던 행운을 거머쥐게 되었다.

관습적

관형사 **명사** 한 사회에서 오랫동안 지켜진 질서나 ❹ [ㅍㅅ] 에 따른. 또는 그런 것.

예 비둘기는 평화를 상징하는 관습적 상징물이다. / 이제는 관습적인 편견을 버려야 한다.

❺ [ㄱㅊㅈ]

관형사 **명사** 사물이 직접 경험하거나 지각할 수 있도록 일정한 형태와 성질을 갖추고 있는. 또는 그런 것.

예 드디어 구체적 성과를 얻었다. / 보상을 받으려면 구체적인 피해를 증명해야 한다.

❻ [ㄱㅈㄷ]

동사 기세가 꺾여 약해지다.

예 아무리 어려운 처지에 있더라도 결코 기죽지 마라.

내

명사 개천. 시내보다는 크지만 ❼ [ㄱ] 보다는 작은 물줄기.

예 옆 마을에 가려면 내를 건너야 한다.

답 ❶ 감각 ❷ 장군 ❸ 거머쥐다
❹ 풍습 ❺ 구체적 ❻ 기죽다
❼ 강

누더기

명사 누덕누덕 기운 헌 **❶** [○].

예 이 옷은 완전히 누더기처럼 찢어지고 더러워졌어.

---

❷ [ㄴㅅㅇ]

명사 눈언저리의 속눈썹이 난 곳.

예 부모님을 보니 눈시울이 뜨거워져 눈물이 날 것 같았다.

다대일

명사 양쪽 가운데 여럿인 어느 한쪽이 **❸** [ㅎㄴ]인 나머지 한쪽을 상대하는 일.

예 우리는 지원군이 올 때까지 다대일로 맞서 싸우기로 했다.

단조하다

형용사 사물이 단순하고 **❹** [ㅂㅎ]가 없어 새로운 느낌이 없다.

예 우리 집은 한 가지 색으로만 꾸며 단조해 보인다.

대응하다

동사 ① 어떤 일이나 사태에 맞추어 태도나 행동을 취하다. ② 어떤 두 대상이 주어진 어떤 관계에 의하여 서로 **❺** [ㅉ]이 되다.

예 자연재해에 대응하다. / 다음에 제시된 한국어와 대응할 수 있는 영어 어휘를 고르시오.

독창적

관형사 명사 다른 것을 모방함이 없이 새로운 것을 **❻** [ㅊㅇ]으로 만들어 내거나 생각해 내는. 또는 그런 것.

예 독창적 아이디어가 필요하다. / 훈민정음은 독창적이고 과학적이다.

---

❼ [또ㄹㄹ]

부사 작고 동그스름한 것이 가볍게 구르는 소리. 또는 그 모양. '도르르'보다 센 느낌을 준다.

예 송골송골 맺혀 있던 땀방울이 볼을 타고 또르르 흘러내렸다.

답 ❶ 옷 ❷ 눈시울 ❸ 하나
❹ 변화 ❺ 짝 ❻ 처음
❼ 또르르

❶ □ㅈ **하다**

동사 오는 사람을 나가서 맞이하다.

예 친구를 마중하러 버스 정류장으로 나갔다.

망국민

명사 망하여 없어진 ❷ □ㄹ 의 백성.

예 그에게서 망국민의 설움이 느껴졌다.

망망대해

명사 한없이 크고 넓은 ❸ ㅂㄷ .

예 섬을 빠져나가자 가도 가도 끝이 보이지 않는 망망대해가 펼쳐져 있었다.

❹ ㅁㄱㅊ

명사 둘 사이에서 어떤 일을 맺어 주는 것.

예 극장은 예술가와 대중의 매개체 역할을 한다.

❺ ㅁㄹ **하다**

형용사 흥미 있는 일이 없어 심심하고 지루하다.

예 이렇게 할 일 없이 지하철을 기다리는 시간은 너무 무료하다.

미덥다

형용사 ❻ ㅁㅇ 이 가는 데가 있다.

예 나는 그가 미덥지가 않다.

바자니다

동사 '바장이다'의 옛말. 부질없이 짧은 ❼ ㄱㄹ 를 오락가락 거닐다.

예 오늘따라 별들 부산하게 바자닌다.

답 ❶ 마중 ❷ 나라 ❸ 바다
❹ 매개체 ❺ 무료 ❻ 믿음
❼ 거리

부글거리다

동사 ① 많은 양의 액체가 잇따라 야단스럽게 끓다. ② 큰 ❶ [ㄱㅍ] 이 잇따라 일어나다.

예 찌개가 부글거리며 끓고 있었다. / 지수는 거품이 부글거릴 때까지 세제를 계속 넣었다.

❷ [ㅂㅅ] 하다

형용사 급하게 서두르거나 시끄럽게 떠들어 어수선하다.

예 시장은 아침부터 장사꾼들로 부산하였다.

❸ [ㅂㅂㅅ]

명사 변하지 아니하는 성질.

예 모든 생명체는 태어나면 죽는 자연의 불변성 속에 갇혀 있다.

불현듯

부사 ① 불을 켜서 ❹ [ㅂ] 이 일어나는 것과 같다는 뜻으로, 갑자기 어떠한 생각이 걷잡을 수 없이 일어나는 모양. ② 어떤 행동을 갑작스럽게 하는 모양.

예 불현듯 어린 시절이 떠오르다. / 나는 불현듯 자리를 박차고 일어나 그곳을 빠져나왔다.

❺ [ㅂㄷㄷ]

동사 곧바로 말하지 아니하고 빙 둘러서 말하다.

예 사람들은 올곧은 그를 소나무에 빗대었다.

사상

명사 어떠한 사물에 대하여 가지고 있는 구체적인 사고나 ❻ [ㅅㄱ] .

예 그의 자서전에는 그의 인생 철학과 사상이 담겨 있다.

사시

명사 사철. 봄·여름·가을· ❼ [ㄱㅇ] 의 네 철.

예 마당에 사시 푸른 나무를 심었다.

답 ❶ 거품 ❷ 부산 ❸ 불변성
❹ 불 ❺ 빗대다 ❻ 생각
❼ 겨울

색색

명사 ① 여러 가지 **❶** [ㅅㄲ]. ② 가지각색의 여러 가지.

예 봄이 되니 이곳저곳에서 색색의 꽃이 폈다. / 윤서는 다양한 액세서리를 색색으로 갖추었다.

---

❷ [ㅅㄱ]

명사 싱싱하고 힘찬 기운.

예 승규는 차츰 기력을 회복하고 곧 얼굴에 생기가 돌았다.

---

❸ [ㅅㄹ] **하다**

동사 일이나 관계 따위가 제대로 이루어지다.

예 계약이 성립하려면 서명을 해야 한다.

아득히

부사 ① 보이는 것이나 들리는 것이 **❹** [ㅎㅁ] 하고 매우 멀게. ② 까마득히 오래된 상태로. ③ 정신이 흐려진 상태로. ④ 어떻게 하면 좋을지 몰라 막막하게.

예 성당에서 찬송가가 아득히 들려온다. / 아득히 먼 옛날. / 정신이 아득히 흐려지더니 깊은 잠 속으로 빠져들었다. / 잃어버린 아이의 생사를 한 달 동안이나 아득히 알 길이 없었다.

---

❺ [ㅇㅅㅍㄹ]

부사 ① 빛이 약하거나 멀어서 조금 어둑하고 희미한 모양. ② 또렷하게 보이거나 들리지 아니하고 희미하고 흐릿한 모양. ③ 기억이나 의식이 분명하지 못하고 조금 희미한 모양.

예 달이 작은 등불처럼 아슴푸레 깜박거린다. / 먼 산에서 짐승의 울음소리가 아슴푸레 들려왔다. / 지난날의 행복했던 기억이 아슴푸레 떠오른다.

---

❻ [ㅇㅅ]

부사 잇따라 자꾸.

예 손자는 할머니의 이야기에 연신 눈을 깜박대며 귀를 기울였다.

예찬하다

동사 무엇이 훌륭하거나 좋거나 아름답다고 **❼** [ㅊㅇ] 하다.

예 한복을 선이 아름다운 옷이라고 예찬하다.

답 ❶ 색깔 ❷ 생기 ❸ 성립
❹ 희미 ❺ 아슴푸레 ❻ 연신
❼ 찬양

우레

명사 천둥. 천둥소리와 ❶ ㅂㄱ 를 동반하는 대기 중의 방전 현상.

예 내일 밤부터 우레를 동반한 폭우가 내릴 예정이다.

❷ ㅇㅅㅅ

명사 서로 비슷한 성질.

예 두 작품 사이에는 유사성이 많다.

❸ ㅈㄱ

명사 신념, 신의 따위를 굽히지 아니하고 굳게 지키는 꿋꿋한 태도.

예 송죽같이 굳은 절개를 지키다.

지조

명사 원칙과 신념을 굽히지 아니하고 끝까지 지켜 나가는 꿋꿋한 ❹ ㅇㅈ . 또는 그런 기개.

예 그는 나라에 대한 일편단심과 지조를 지키기 위해 목숨을 바쳤다.

추상적

관형사 **명사** 어떤 사물이 직접 경험하거나 지각할 수 있는 일정한 ❺ ㅎㅌ 와 성질을 갖추고 있지 않은. 또는 그런 것.

예 추상적 관념에서 벗어나라. / 그의 추상적인 그림은 이해하기 어렵다.

❻ ㅎㄷㄹㅈㄷ

형용사 ① 매우 탐스럽거나 한창 성하다. ② 매우 흐뭇하거나 푸지다.

예 꽃이 흐드러지게 만발하다. / 객석에서는 흐드러진 웃음소리가 끊이질 않았다.

히죽이

부사 만족스러운 듯이 슬쩍 한 번 웃는 ❼ ㅁㅇ .

예 그는 좋아서 히죽이 웃었다.

답 ❶ 번개 ❷ 유사성 ❸ 절개
❹ 의지 ❺ 형태 ❻ 흐드러지다
❼ 모양

01 다음 단어와 뜻을 바르게 연결하시오.

(1) 우레 •

(2) 절개 •

(3) 생기 •

• ㉠ 싱싱하고 힘찬 기운.

• ㉡ 천둥소리와 번개를 동반하는 대기 중의 방전 현상.

• ㉢ 신념, 신의 따위를 굽히지 아니하고 굳게 지키는 꿋꿋한 태도.

02 다음 뜻풀이에 해당하는 단어를 쓰시오.

어떠한 사물에 대하여 가지고 있는 구체적인 사고나 생각.

03 다음 문장의 괄호 안에서 문맥상 알맞은 단어를 고르시오.

(1) 종교들은 서로 차이가 많은 것 같지만 (유사성/불변성)도 높다.

(2) 멀리서 새벽 두 시를 알리는 괘종시계 소리가 (히죽이/아슴푸레) 들려왔다.

04 다음 문장의 빈칸에 공통으로 들어갈 알맞은 말을 〈보기〉에서 고르시오.

• 나는 모처럼의 휴가를 특별한 일 없이 (   ) 보냈다.

• 할머니는 텅 빈 집에서 먼 산만 바라보며 늘 (   ) 앉아 계셨다.

┌ 보기 ┐

미덥게   무료하게   부산하게

05 다음 문장의 빈칸에 들어갈 알맞은 단어를 〈보기〉에서 찾아 쓰시오.

┌ 보기 ┐

눈꺼풀   눈시울   불현듯   연신

(1) 그는 (   ) 용기를 되찾았는지 걸음을 옮기기 시작했다.

(2) 할머니는 먼저 세상을 떠난 할아버지를 생각하며 (   )을 붉히셨다.

06 다음 단어와 뜻을 바르게 연결하시오.

(1) 다대일 •
(2) 망국민 •
(3) 망망대해 •

• ㉠ 한없이 크고 넓은 바다.
• ㉡ 망하여 없어진 나라의 백성.
• ㉢ 양쪽 가운데 여럿인 어느 한쪽이 하나인 나머지 한쪽을 상대하는 일.

07 다음 문장의 괄호 안에서 문맥상 알맞은 단어를 고르시오.

그의 (추상적/관습적)인 조각은 많은 사람에게 다양하게 해석되었다.

08 다음 문장의 빈칸에 공통으로 들어갈 말로 적절한 것은?

• 약속은 당사자들이 서로 지킬 것을 전제로 (   )한다.
• 많이 팔리는 것이 좋은 책이라는 등식은 (   )하지 않는다고 생각한다.

① 대응   ② 성공   ③ 성립
④ 설립   ⑤ 예찬

09 다음 대화의 빈칸에 들어갈 알맞은 말을 〈보기〉에서 고르시오.

세훈: 뚜껑이 잘 안 열리네.
유나: 한 손으로 몸통을 (   ) 다른 한 손으로 뚜껑을 힘껏 돌려 봐.

┌ 보기 ┐
마중하고   거머쥐고   걷어치우고

10 다음 뜻풀이에 해당하는 단어를 쓰시오.

적과의 싸움에서 이기고 돌아온 장군.

2주 갈등

갑절

명사 어떤 수나 양을 ❶[ㄷ] 번 합한 만큼.

예 한국의 경제 규모가 십오 년 동안 갑절로 커졌다.

걱실걱실히

부사 성질이 너그러워 말과 ❷[ㅎㄷ]을 시원스럽게 하는 모양.

예 동네에 소문이 난 대로 그는 걱실걱실히 일도 잘하는 사람이었다.

걸머쥐다

동사 등이나 ❸[ㅇㄲ] 따위에 걸치어 움켜잡다.

예 그는 겉저고리를 그대로 걸머쥐고 되돌아 나갈까도 생각했다.

❹[ㄱㅈ]하다

동사 일정한 작용을 가함으로써 상대편이 지나치게 세력을 펴거나 자유롭게 행동하지 못하게 억누르다.

예 그는 마라톤 경기 내내 다른 선수들을 견제하며 달렸다.

결딴내다

동사 ① 어떤 일이나 ❺[ㅁㄱ] 따위를 아주 망가져서 도무지 손을 쓸 수 없는 상태가 되게 하다. ② 살림을 망치어 거덜 내다.

예 윤수는 기계를 잘 다루지 못해 만지는 기계마다 결딴낸다. / 보증을 잘못 서서 살림을 결딴내고 말았다.

경박하다

형용사 언행이 ❻[ㅅㅈ]하지 못하고 가볍다.

예 예의가 없는 사람은 어떤 말이나 행동을 하든지 간에 경박해 보인다.

❼[ㄱㅈ]

명사 사상이나 감정, 세력 따위가 한창 무르익거나 높아짐. 또는 그런 상태.

예 공연의 분위기가 고조에 달하자, 관객 모두가 열광했다.

답 ❶ 두 ❷ 행동 ❸ 어깨 ❹ 견제 ❺ 물건 ❻ 신중 ❼ 고조

남루하다

형용사 옷 따위가 낡아 해지고 ❶ ㅊㄹㅅ 가 너저분하다.

예 옷차림이 남루하다고 사람을 함부로 대해서는 안 된다.

느물거리다

동사 말이나 행동을 자꾸 ❷ ㄴㄱ 맞게 하다.

예 그는 자신도 모르게 야비하게 웃으면서 느물거렸다.

❸ ㄷㄹ

명사 ① 사물을 너그럽게 용납하여 처리할 수 있는 넓은 마음과 깊은 생각. ② 길이, 부피, 무게 등을 재서 사물의 양을 헤아림.

예 그 분은 도량이 큰 분이니 같이 지내기는 좋을 것이다. / 도량이 정확하다.

떼밀다

동사 남의 몸이나 어떤 ❹ ㅁㅊ 따위를 힘을 주어 밀다.

예 그는 앞에 있는 학생을 떼밀어 간신히 지하철을 탔다.

마름

명사 (옛날에) 땅 ❺ ㅈㅇ 을 대신하여 농지를 관리하는 사람.

예 소작료를 받으러 다니는 마름이 때로는 땅 주인보다 더 위세를 부렸다.

❻ ㅁㄹ

명사 붙들고 못 하게 말림.

예 가수 김 씨는 소속사 측의 만류에도 불구하고 강한 의지로 녹음을 강행하였다.

모종

명사 옮겨 심으려고 가꾼, 벼 이외의 온갖 어린 ❼ ㅅㅁ . 또는 그것을 옮겨 심음.

예 토마토는 모종을 구하기가 쉽고 가꾸기가 까다롭지 않다.

답 ❶ 차림새 ❷ 능글 ❸ 도량
❹ 물체 ❺ 주인 ❻ 만류
❼ 식물

방자하다

형용사 어려워하거나 조심스러워하는 태도가 없이 **❶** [ㅁㄹ] 하고 건방지다.

예 어른 앞에서 방자하게 굴지 마라.

배기다

동사 (주로 부정 표현이나 의문문에 쓰여) 참기 어려운 일을 잘 참고 **❷** [ㄱㄷㄷ].

예 일이 힘들어 배겨 내지 못하겠다.

❸ [ㅂㅈ]

명사 가슴의 한복판.

예 어머니가 복장을 찢듯이 통곡을 하기 시작했다.

부각

명사 어떤 사물을 **❹** [ㅌㅈ] 지어 두드러지게 함.

예 시청은 친근한 이미지의 부각을 위해 담장을 철거했다.

부추기다

동사 ① 남을 이리저리 들쑤셔서 어떤 일을 하게 만들다. ② 감정이나 상황 따위가 더 심해지도록 **❺** [ㅇㅎ] 을 미치다.

예 옷 가게 점원은 옷이 굉장히 잘 어울린다며 나를 부추겨 옷을 사게 만들었다. / 물가 상승을 부추기다.

❻ [ㅂㅅㅈㄱ]

명사 거의 죽게 된 처지나 형편.

예 오랜 전쟁으로 국민들이 빈사지경에 빠졌다.

사투

명사 죽기를 각오하고 싸우거나 죽을힘을 다하여 **❼** [ㅆㅇ] . 또는 그런 싸움.

예 그는 병과의 사투를 겪은 뒤에 건강을 되찾았다.

답 ❶ 무례 **❷** 견디다 **❸** 복장
❹ 특징 **❺** 영향 **❻** 빈사지경
❼ 싸움

생색

명사 다른 사람 앞에 당당히 나설 수 있거나 자랑할 수 있는 ^❶ [ㅊㅁ].

예 승규는 지수에게 생일 선물을 한 것을 가지고 한참을 생색을 내었다.

^❷ [ㅅㅇ] 하다

동사 환경이나 변화에 적응하여 익숙하여지거나 체계, 명령 따위에 적응하여 따르다.

예 그는 약삭빠르게 세태에 순응하여 출세했다.

시비하다

동사 옳고 그름을 따지는 ^❸ [ㅁㄷㅌ] 을 하다.

예 형은 사소한 일로는 누구에게도 시비하려고 하지 않았다.

^❹ [ㅅㅁㄹ]

명사 ① 감겨 있거나 헝클어진 실의 첫머리. ② 일이나 사건을 풀어 나갈 수 있는 첫머리.

예 털실 뭉치에서 실마리를 잡아 천천히 실타래를 풀었다. / 아무리 생각해 보아도 문제를 해결할 실마리는 달리 없었다.

쌔근쌔근하다

동사 고르지 아니하고 가쁘게 자꾸 숨 쉬는 ^❺ [ㅅㄹ] 가 나다. 또는 그런 소리를 내다.

예 그는 자신의 귀에 거슬리는 말을 듣는다든지 하면 숨소리가 거칠게 쌔근쌔근한다.

알싸하다

형용사 매운맛이나 독한 ^❻ [ㄴㅅ] 따위로 코 속이나 혀끝이 알알하다.

예 고추가 매워 혀끝이 알싸하다.

암팡스레

부사 ^❼ [ㅁ] 은 작아도 야무지고 다부진 면이 있게.

예 정우가 암팡스레 쥔 주먹을 들어 보이며 상대를 위협하였다.

답 ❶ 체면 ❷ 순응 ❸ 말다툼
❹ 실마리 ❺ 소리 ❻ 냄새
❼ 몸

어리다

동사 눈에 ❶ ㄴㅁ 이 조금 괴다.

예 지수의 눈가에 어리던 눈물이 이내 주르륵 흘러내렸다.

얼김

명사 (주로 '얼김에' 꼴로 쓰여) 어떤 일이 벌어지는 바람에 자기도 모르게 ❷ ㅈㅅ 이 얼떨떨한 상태.

예 그는 당황하여 얼김에 엉뚱한 말을 해 버렸다.

이른바

부사 ❸ ㅅㅅ 에서 말하는 바.

예 그녀는 매우 아름다워 이른바 절세미인으로 불린다.

❹ ㅈㅈ

명사 없어지거나 떠난 뒤에 남는 자취나 형상.

예 그는 종적도 없이 사라졌다.

쮀지르다

동사 '쥐어지르다'의 준말. 주먹으로 ❺ ㅎㄲ 내지르다.

예 경찰은 앞에 있는 범인을 마구 쮀지르고 싶을 만큼 매우 화가 났다.

❻ ㅈㄱ 하다

형용사 어떤 것에 대하여 쏟는 관심이나 사랑 등이 더할 수 없이 정성스럽다.

예 어머니는 자식들에 대한 사랑이 지극하셨다.

지전

명사 종이에 인쇄를 하여 만든 ❼ ㅎㅍ .

예 형은 주머니에서 일 원짜리 지전 두 장과 백통전을 내놓았다.

답 ❶ 눈물 ❷ 정신 ❸ 세상
❹ 종적 ❺ 힘껏 ❻ 지극
❼ 화폐

참소하다

동사 남을 헐뜯어서 **❶** [ㅈ] 가 있는 것처럼 꾸며 윗사람에게 고하여 바치다.

예 간신들은 저마다 임금에게 세자를 참소하기 시작했다.

파하다

동사 어떤 일을 마치거나 **❷** [ㄱㅁ] 두다.

예 지수는 너무 피곤해서 모임을 일찍 파하고 집에 돌아왔다.

풍기다

동사 ① 냄새가 나다. 또는 **❸** [ㄴㅅ] 를 퍼뜨리다. ② (비유적으로) 어떤 분위기가 나다. 또는 그런 것을 자아내다.

예 옆집에서 음식 냄새를 풍기다. / 이 작품에서는 인간미가 풍긴다.

하직

명사 먼 길을 떠날 때 웃어른께 **❹** [ㅈㅂ] 을 고하는 것.

예 그는 아버지께 하직을 고하고 물러 나왔다.

❺ [ㅎㄱㅎㄱ]

부사 곁눈으로 살그머니 계속 할겨 보는 모양.

예 강아지가 할금할금 내 눈치를 살핀다.

허하다

형용사 튼튼하지 못하고 **❻** [ㅂㅌ] 이 있다.

예 우리는 상대편의 수비가 허한 틈을 타서 공격을 했다.

홉뜨다

동사 눈알을 위로 굴리고 **❼** [ㄴㅅㅇ] 을 위로 치뜨다.

예 아버지는 외박을 하고 온 형을 보고 눈을 홉뜨며 호통을 치셨다.

답 ❶ 죄 ❷ 그만 ❸ 냄새 ❹ 작별
❺ 할금할금 ❻ 빈틈 ❼ 눈시울

01 다음 단어와 뜻을 바르게 연결하시오.

(1) 갑절 •

(2) 생색 •

(3) 이른바 •

• ㉠ 세상에서 말하는 바.

• ㉡ 어떤 수나 양을 두 번 합한 만큼.

• ㉢ 다른 사람 앞에 당당히 나설 수 있거나 자랑할 수 있는 체면.

02 다음 설명에 해당하는 단어를 쓰시오.

> ① 감겨 있거나 헝클어진 실의 첫머리.
> ② 일이나 사건을 풀어 나갈 수 있는 첫머리.

03 다음 문장의 괄호 안에서 문맥상 알맞은 단어를 고르시오.

(1) 그는 부모님의 (만류/만료)에도 불구하고 기어코 퇴사를 결심하였다.

(2) 땅 주인보다 (마름/소작인)에게 잘 보여야 다음 해 땅을 떼이지 않는다.

04 다음 문장의 빈칸에 공통으로 들어갈 알맞은 단어의 기본형을 〈보기〉에서 고르시오.

> • 건너편 식당에서 맛있는 냄새가 (   ).
> • 드레스를 입고 진주 귀고리를 한 부인은 우아한 분위기를 (   ).

┌ 보기 ┐

배기다   파하다   풍기다   허하다

05 다음 문장의 빈칸에 들어갈 알맞은 단어를 〈보기〉에서 고르시오.

┌ 보기 ┐

고조   부각   사투   종적

(1) 수완이는 (   )도 없이 사라져서 연락이 끊긴 지 오래다.

(2) 연장전까지 가는 (   ) 끝에 우리 학교 축구팀이 결승전에서 이겼다.

06 다음 단어와 뜻을 바르게 연결하시오.

(1) 남루하다 •

(2) 시비하다 •

(3) 지극하다 •

• ㉠ 옳고 그름을 따지는 말다툼을 하다.

• ㉡ 옷 따위가 낡아 해지고 차림새가 너저분하다.

• ㉢ 어떤 것에 대하여 쏟는 관심이나 사랑 등이 더할 수 없이 정성스럽다.

07 다음 문장의 괄호 안에서 맞춤법에 맞는 표기를 고르시오.

> 싸움을 구경하는 사람들은 싸움을 말리기는커녕 오히려 (부추기고/부추키고) 있다.

08 다음 문장의 빈칸에 공통으로 들어갈 말로 적절한 것은?

> • 그는 학문이 깊고 (   )이 넓은 윤주를 특별히 아꼈다.
> • 과학적 영농은 수확량의 정확한 (   )에서부터 시작되는 것이다.

① 개량   ② 도량   ③ 아량

④ 역량   ⑤ 측량

09 다음 문장의 빈칸에 들어갈 알맞은 단어를 〈보기〉에서 고르시오.

> 밤늦게 집에 들어온 준수는 (   ) 아빠의 눈치를 살폈다.

┌ 보기 ┐

걱실걱실히   암팡스레   할금할금

10 다음 뜻풀이에 해당하는 단어를 쓰시오.

> 환경이나 변화에 적응하여 익숙하여지거나 체계, 명령 따위에 적응하여 따르다.

필수 어휘 체크 전략

3주 성장과 성찰

가망

명사 될 만하거나 ❶ ㄱㄴㅅ 이 있는 희망.

예 이번 선거에서는 당선될 가망이 없다.

가속

명사 점점 속도를 더함. 또는 그 ❷ ㅅㄷ .

예 무거운 수레는 내리막길에 들어서자 가속이 붙어 무섭게 달리기 시작했다.

가치관

명사 사람이 어떤 것의 ❸ ㄱㅊ 에 대하여 가지는 태도나 판단의 기준.

예 나는 봉사 활동을 시작하면서부터 삶에 대한 가치관이 크게 바뀌었다.

❹ ㄱㅍ 하면

부사 조금이라도 일이 있기만 하면 곧.

예 요즘 그는 신경이 예민한지 걸핏하면 성을 낸다.

❺ ㄱㅁ 하다

동사 깔보아 업신여기다.

예 그는 나를 경멸하는 눈초리로 쳐다보았다.

❻ ㄱㄴ

명사 괴로워하고 번뇌함.

예 그는 깊은 고뇌에 빠져들었다.

고심하다

동사 몹시 애를 태우며 ❼ ㅁㅇ 을 쓰다.

예 재호는 진로 문제에 대해 크게 고심했다.

답 ❶ 가능성 ❷ 속도 ❸ 가치
❹ 걸핏 ❺ 경멸 ❻ 고뇌
❼ 마음

고약

명사 주로 헐거나 곪은 데에 붙이는 끈끈한 **①** [ㅇ].

예 우리 할머니는 상처가 난 곳에 고약을 붙여 주신다.

그러쥐다

동사 그러당겨 **②** [ㅅㅇ]에 잡다.

예 어둠 저쪽에서 덜컥거리는 소리가 나자 그는 바짝 긴장하여 몽둥이를 꽉 그러쥐었다.

③ [ㄴㄷ]하다

형용사 ① 태도나 마음씨가 동정심 없이 차갑다. ② 어떤 대상에 흥미나 관심을 보이지 않는 데가 있다.

예 냉담한 어조로 말하다. / 정치에 냉담하다.

도랑

명사 매우 좁고 작은 **④** [ㄱㅇ].

예 동네 아이들이 도랑에서 가재를 잡고 있다.

⑤ [ㄷㄹ]

명사 ① 사람이 마땅히 지켜야 할 바른 마음가짐이나 몸가짐. ② 어떤 일을 하거나 문제를 해결하기 위한 방법.

예 스승에게 제자 된 도리를 다했다. / 어떻게 할 도리가 없다.

득득

부사 작고 **⑥** [ㄷㄷ]한 물건을 세게 자꾸 긁을 때 나는 소리. 또는 그 모양.

예 나는 가마솥에 붙은 누룽지를 득득 긁어 먹었다.

맷방석

명사 맷돌을 쓸 때 밑에 까는, 짚으로 만든 **⑦** [ㅂㅅ].

예 할아버지는 맷방석 위에 맷돌을 놓았다.

답 ❶약 ❷손안 ❸냉담
❹개울 ❺도리 ❻단단
❼방석

① ㅁㅁㅈ

관형사 **명사** 업신여기고 얕잡아 보는 느낌이 있는. 또는 그런 것.

예 그는 모멸적 태도를 보였다. / 그렇게 모멸적으로 아랫사람을 대하지 마라.

② ㅁㅈㄷ

형용사 ① 마음씨가 몹시 매섭고 독하다. ② 기세가 몹시 매섭고 사납다. ③ 참고 견디기 힘든 일을 능히 배기어 낼 만큼 억세다. ④ 괴로움이나 아픔 따위의 정도가 지나치게 심하다.

예 성격이 모질다. / 바람이 모질게 분다. / 아픔을 모질게 참다. / 모진 학대를 이겨 내다.

③ ㅂㄹㅈ 하다

형용사 바랄 만한 가치가 있다.

예 다수결로 결정하는 것이 항상 옳고 바람직한 건 아니다.

본능

명사 어떤 생물체가 태어난 후에 경험이나 교육에 의지하지 않고 선천적으로 가지고 있는 억누를 수 없는 **④** ㄱㅈ 이나 충동.

예 승규는 자동차의 굉음 소리를 듣자 도로를 질주하고 싶은 본능이 되살아났다.

본디

명사 사물이 전하여 내려온 그 **⑤** ㅊㅇ .

예 그는 본디부터 곧은 성품을 타고났다.

삽시간

명사 매우 짧은 **⑥** ㅅㄱ .

예 맑았던 하늘에 천둥소리가 들리더니 삽시간에 구름이 덮이고 곧 빗방울이 떨어졌다.

⑦ ㅅㅈ

명사 ① 사람이나 동식물 따위가 자라서 점점 커짐. ② 사물의 규모나 세력 따위가 점점 커짐.

예 청소년기는 성장이 매우 빠른 시기이다. / 시민 계급의 성장을 이룩하였다.

답 ① 모멸적 ② 모질다 ③ 바람직
④ 감정 ⑤ 처음 ⑥ 시간
⑦ 성장

성찰하다

동사 자기의 마음을 ❶ [ㅂㅅ] 하고 살피다.

예 자기 자신을 성찰하다.

❷ [ㅅㅎ]

명사 이미 해 놓은 일이나 짓.

예 경찰은 이번 사건을 피해자와 친분이 있던 사람의 소행으로 보고 수사하고 있다.

시리다

형용사 ① 몸의 한 부분이 찬 기운으로 인해 ❸ [ㅊㅇ] 를 느낄 정도로 차다. ② 찬 것 따위가 닿아 통증이 있다. ③ 빛이 강하여 바로 보기 어렵다.

예 코끝이 시리다. / 찬물을 마셨더니 이가 시리다. / 눈이 시릴 정도로 눈밭이 새하얗다.

시행착오

명사 어떤 목표에 이르기 위해 ❹ [ㅅㄷ] 와 실패를 되풀이하면서 점점 알맞은 방법을 찾는 일.

예 여러 차례의 시행착오를 거친 후에 드디어 신제품을 개발하였다.

안장

명사 자전거 따위에 사람이 앉게 된 ❺ [ㅈㄹ] .

예 자전거 페달에 다리가 닿질 않아 안장을 좀 낮추었다.

압지

명사 잉크나 먹물 따위로 쓴 것이 번지거나 묻어나지 아니하도록 위에서 눌러 물기를 빨아들이는 ❻ [ㅈㅇ] .

예 압지로 그 페이지의 물기를 빨아냈다.

양심

명사 사물의 가치를 변별하고 자기의 행위에 대하여 옳고 그름과 ❼ [ㅅ] 과 악의 판단을 내리는 도덕적 의식.

예 나는 내 양심에 비추어 한 점 부끄럼 없는 삶을 살아왔다.

답 ❶반성 ❷소행 ❸추위
❹시도 ❺자리 ❻종이
❼선

엄격하다

형용사 말, **①** ㅌㄷ , 규칙 따위가 매우 엄하고 철저하다.

예 이번 시험은 더욱 엄격한 심사 기준이 적용된다.

② ㅇㄹ 하다

형용사 자취나 기미, 기억 따위가 환히 알 수 있게 또렷하다.

예 집 안에 도둑이 든 흔적이 역력했다.

왕립

명사 국왕이나 **③** ㅇㅈ 이 세움. 또는 그런 것.

예 이 극장은 왕립이다.

인격

명사 사람으로서의 **④** ㅍㄱ .

예 사람의 말과 행동은 그 사람의 인격을 보여 준다.

자질

명사 ① 타고난 성품이나 소질. ② 어떤 분야의 일에 대한 능력이나 **⑤** ㅅㄹ 의 정도. ③ 타고난 체질.

예 그는 자질이 침착하다. / 과학자로서의 자질이 뛰어나다. / 허약한 자질을 극복하다.

잘다

형용사 ① 알곡이나 과일, 모래 따위의 둥근 물건이나 글씨 따위의 **⑥** ㅋㄱ 가 작다. ② 길이가 있는 물건의 몸피가 가늘고 작다. ③ 일이 작고 소소하다. ④ 세밀하고 자세하다. ⑤ 생각이나 성질이 대담하지 못하고 좀스럽다.

예 알약이 너무 커서 잘게 부순 다음 삼켰다. / 그는 사람 됨됨이가 잘고 경망스러워 보인다.

장끼

명사 **⑦** ㄲ 의 수컷.

예 콩밭에 나가 보니 장끼 한 마리가 콩들을 쪼아 먹고 있었다.

답 ❶ 태도 ❷ 역력 ❸ 왕족
❹ 품격 ❺ 실력 ❻ 크기
❼ 꿩

❶ ㅈㅍㅈ

관형사 명사 전체에 걸쳐 남김없이 완전한. 또는 그런 것.

예 학생들의 전폭적 협조가 필요하다. / 모든 사람이 그의 해결 방안에 전폭적으로 공감한다.

지식인

명사 일정한 수준의 지식과 **❷** ㄱㅇ 을 갖춘 사람. 또는 지식층에 속하는 사람.

예 진정한 지식인이라면 사회 발전을 위해 자신의 능력을 사용할 수 있어야 한다.

지지

명사 ① 어떤 사람이나 단체 등이 내세우는 주의나 의견 등에 **❸** ㅊㅅ 하고 따름. ② 어떤 것을 붙들어서 버티게 함.

예 그는 국민들의 전적인 지지를 받아 대통령에 당선되었다. / 버팀목으로 지지를 하다.

❹ ㅊㅉㅈ 하다

동사 ① 채찍으로 치다. ② (비유적으로) 몹시 재촉하면서 다그치거나 일깨워 힘차게 북돋아 주다.

예 죄인을 채찍질하다. / 스스로를 채찍질하다.

칠칠하다

형용사 (주로 '못하다', '않다'와 함께 쓰여) 성질이나 일 처리가 **❺** ㅂㄷ 하고 야무지다.

예 평소에도 칠칠하지 못한 동생은 버스에 우산을 두고 내렸다.

티끌

명사 ① 티와 **❻** ㅁㅈ 를 통틀어 이르는 말. ② 몹시 작거나 적음을 이르는 말.

예 우리는 티끌 하나 없이 교실을 깨끗이 청소했다. / 나는 거짓말할 생각은 티끌만큼도 없었다.

회상하다

동사 지난 **❼** ㅇ 을 돌이켜 생각하다.

예 그는 지난 시절을 회상하면서 얼굴을 찌푸렸다.

답 ❶ 전폭적 ❷ 교양 ❸ 찬성
❹ 채찍질 ❺ 반듯 ❻ 먼지
❼ 일

01 다음 단어와 뜻을 바르게 연결하시오.

(1) 양심 •

(2) 성장 •

(3) 가치관 •

• ㉠ 사람이나 동식물 따위가 자라서 점점 커짐.

• ㉡ 사람이 어떤 것의 가치에 대하여 가지는 태도나 판단의 기준.

• ㉢ 사물의 가치를 변별하고 자기의 행위에 대하여 옳고 그름과 선과 악의 판단을 내리는 도덕적 의식.

02 다음 뜻풀이에 해당하는 단어를 쓰시오.

일정한 수준의 지식과 교양을 갖춘 사람. 또는 지식층에 속하는 사람.

03 다음 문장의 빈칸에 공통으로 들어갈 알맞은 말을 〈보기〉에서 고르시오.

• 그는 (   ) 심사 기준을 통과해야 시험에 최종 합격을 할 수 있다.

• 나는 (   ) 부모 밑에서 자라면서 항상 집에 일찍 들어오는 습관이 생겼다.

┌ 보기 ├

칠칠한   엄격한   바람직한

04 다음 문장의 빈칸에 들어갈 알맞은 단어를 〈보기〉에서 찾아 쓰시오.

┌ 보기 ├

인격   자질   고뇌   고약

(1) 연주는 폐활량이 적은 (   )을/를 극복하고 마라톤 선수가 되었다.

(2) 그의 음악에는 평탄치 않았던 그의 삶의 (   )이/가 고스란히 담겨 있다.

05 다음 문장의 괄호 안에서 문맥상 알맞은 말을 고르시오.

(1) 그는 (본능/본디)부터 타고난 성품이 어질어서 따르는 사람이 많았다.

(2) 김 사장은 직원 수를 줄이는 문제에 대해 (고심/경멸)하느라 결정을 계속 내리지 못하고 있다.

>> 정답과 해설 64쪽

06 다음 단어와 뜻을 바르게 연결하시오.

(1) 시리다 •

(2) 그러쥐다 •

(3) 역력하다 •

• ㉠ 그러당겨 손안에 잡다.

• ㉡ 자취나 기미, 기억 따위가 환히 알 수 있게 또렷하다.

• ㉢ 몸의 한 부분이 찬 기운으로 인해 추위를 느낄 정도로 차다.

07 다음 문장의 괄호 안에서 문맥상 알맞은 단어를 고르시오.

> 그들은 계약을 성사시키기 위해 상대방의 요구를 (전폭적/모멸적)으로 받아들였다.

08 다음 뜻풀이에 해당하는 단어를 쓰시오.

> 어떤 목표에 이르기 위해 시도와 실패를 되풀이하면서 점점 알맞은 방법을 찾는 일.

09 다음 대화의 빈칸에 들어갈 알맞은 단어를 〈보기〉에서 고르시오.

> 윤아: 오늘 시험 잘 볼 수 있겠어?
>
> 준희: 열심히 했으니까 최소한 시험에 합격할 (   )은 있다고 봐.
>
> ┌ 보기 ┐
>
> 가속   가망   소행

10 다음 문장의 빈칸에 공통으로 들어갈 말로 적절한 것은?

> • 민규는 마음을 (   ) 먹고, 떼를 쓰는 동생의 손을 뿌리쳤다.
>
> • 그는 고문관의 심한 고문에도 굴하지 않고 (   ) 견뎌 냈다.

① 차갑게   ② 모질게   ③ 쌀쌀맞게

④ 떳떳하게   ⑤ 심오하게

정답과 해설

1주 비유와 상징

필수 어휘 테스트   44~45쪽

01 (1) ⓛ (2) ⓒ (3) ⓓ   02 사상   03 (1) 유사성 (2) 아슴푸
레   04 무료하게   05 (1) 불현듯 (2) 눈시울   06 (1) ⓒ (2)
ⓛ (3) ⓓ   07 추상적   08 ③   09 거머쥐고   10 개선
장군

---

01 (1) '우레'는 '천둥소리와 번개를 동반하는 대기 중의 방전 현상.'을 뜻한다.

   (2) '절개'는 '신념, 신의 따위를 굽히지 아니하고 굳게 지키는 꿋꿋한 태도.'를 뜻한다.

   (3) '생기'는 '싱싱하고 힘찬 기운.'을 뜻한다.

02 '어떠한 사물에 대하여 가지고 있는 구체적인 사고나 생각.'을 뜻하는 단어는 '사상(思想)'이다.

03 (1) '서로 비슷한 성질.'을 뜻하는 '유사성'이 적절하다.

   (2) '또렷하게 보이거나 들리지 아니하고 희미하고 흐릿한 모양.'을 뜻하는 '아슴푸레'가 적절하다.

> **오답 풀이**
> • 불변성: 변하지 아니하는 성질.
> • 히죽이: 만족스러운 듯이 슬쩍 한 번 웃는 모양.

04 '흥미 있는 일이 없어 심심하고 지루하다.'를 뜻하는 '무료하다'가 적절하다.

> **오답 풀이**
> • 미덥다: 믿음이 가는 데가 있다.
> • 부산하다: 급하게 서두르거나 시끄럽게 떠들어 어수선하다.

05 (1) '불을 켜서 불이 일어나는 것과 같다는 뜻으로, 갑자기 어떠한 생각이 걷잡을 수 없이 일어나는 모양.'을 뜻하는 '불현듯'이 적절하다.

   (2) '눈언저리의 속눈썹이 난 곳.'을 뜻하는 '눈시울'이 적절하다.

> **오답 풀이**
> • 연신: 잇따라 자꾸.
> • 눈꺼풀: 눈알을 덮는, 위아래로 움직이는 살갗.

06 (1) '다대일'은 '양쪽 가운데 여럿인 어느 한쪽이 하나인 나머지 한쪽을 상대하는 일.'을 뜻한다.

   (2) '망국민'은 '망하여 없어진 나라의 백성.'을 뜻한다.

   (3) '망망대해'는 '한없이 크고 넓은 바다.'를 뜻한다.

07 '어떤 사물이 직접 경험하거나 지각할 수 있는 일정한 형태와 성질을 갖추고 있지 않은 것.'을 뜻하는 '추상적'이 적절하다.

> **오답 풀이**
> • 관습적: 한 사회에서 오랫동안 지켜진 질서나 풍습에 따른 것.

08 '일이나 관계 따위가 제대로 이루어지다.'를 뜻하는 '성립하다'가 적절하다.

> **오답 풀이**
> • 대응하다: ① 어떤 일이나 사태에 맞추어 태도나 행동을 취하다. ② 어떤 두 대상이 주어진 어떤 관계에 의하여 서로 짝이 되다.
> • 성공하다: 목적하는 바를 이루다.
> • 설립하다: 기관이나 조직체 따위를 만들어 일으키다.
> • 예찬하다: 무엇이 훌륭하거나 좋거나 아름답다고 찬양하다.

09 '들어잡거나 휘감아 쥐다.'를 뜻하는 '거머쥐다'가 적절하다.

> **오답 풀이**
> • 마중하다: 오는 사람을 나가서 맞이하다.
> • 걷어치우다: 흩어진 것을 거두어 치우다.

10 '적과의 싸움에서 이기고 돌아온 장군.'을 뜻하는 단어는 '개선장군'이다.

다시 한번 살펴보며
어휘력을 길러 보세요.

2주 갈등

필수 어휘 테스트   52~53쪽

01 (1) ⓛ (2) ⓒ (3) ㄱ   02 실마리   03 (1) 만류 (2) 마름

04 풍기다   05 (1) 종적 (2) 사투   06 (1) ⓛ (2) ㄱ (3) ⓒ

07 부추기고   08 ②   09 할금할금   10 순응하다

01 (1) '갑절'은 '어떤 수나 양을 두 번 합한 만큼.'을 뜻한다.
   (2) '생색'은 '다른 사람 앞에 당당히 나설 수 있거나 자랑할 수 있는 체면.'을 뜻한다.
   (3) '이른바'는 '세상에서 말하는 바.'를 뜻한다.

02 '감겨 있거나 헝클어진 실의 첫머리.' 또는 '일이나 사건을 풀어 나갈 수 있는 첫머리.'를 뜻하는 단어는 '실마리'이다.

03 (1) '붙들고 못 하게 말림.'을 뜻하는 '만류'가 적절하다.
   (2) '땅 주인을 대신하여 농지를 관리하는 사람.'을 뜻하는 '마름'이 적절하다.
   오답 풀이
   • 만료: 기한이 다 차서 끝남.
   • 소작인: 다른 사람의 농지를 빌려 농사를 짓고 그 대가로 사용료를 지급하는 사람.

04 '냄새가 나다.' 또는 '(비유적으로) 어떤 분위기가 나다. 또는 그런 것을 자아내다.'를 뜻하는 '풍기다'가 적절하다.
   오답 풀이
   • 배기다: 참기 어려운 일을 잘 참고 견디다.
   • 파하다: 어떤 일을 마치거나 그만두다.
   • 허하다: 튼튼하지 못하고 빈틈이 있다.

05 (1) '없어지거나 떠난 뒤에 남는 자취나 형상.'을 뜻하는 '종적'이 적절하다.
   (2) '죽기를 각오하고 싸우거나 죽을힘을 다하여 싸움. 또는 그런 싸움.'을 뜻하는 '사투'가 적절하다.
   오답 풀이
   • 고조: 사상이나 감정, 세력 따위가 한창 무르익거나 높아짐. 또는 그런 상태.
   • 부각: 어떤 사물을 특징지어 두드러지게 함.

06 (1) '남루하다'는 '옷 따위가 낡아 해지고 차림새가 너저분하다.'를 뜻한다.
   (2) '시비하다'는 '옳고 그름을 따지는 말다툼을 하다.'를 뜻한다.
   (3) '지극하다'는 '어떤 것에 대하여 쏟는 관심이나 사랑 등이 더할 수 없이 정성스럽다.'를 뜻한다.

07 '남을 이리저리 들쑤셔서 어떤 일을 하게 만들다.' 또는 '감정이나 상황 따위가 더 심해지도록 영향을 미치다.'를 뜻하는 단어의 올바른 표기는 '부추기다'이다. 따라서 '부추기고'가 적절하다.

08 '사물을 너그럽게 용납하여 처리할 수 있는 넓은 마음과 깊은 생각.' 또는 '길이, 부피, 무게 등을 재서 사물의 양을 헤아림.'을 뜻하는 '도량'이 적절하다.
   오답 풀이
   • 개량: 나쁜 점을 보완하여 더 좋게 고침.
   • 아량: 너그럽고 속이 깊은 마음씨.
   • 역량: 어떤 일을 해낼 수 있는 힘.
   • 측량: 기기를 써서 물건의 높이, 깊이, 넓이, 방향 따위를 잼.

09 준수는 집에 늦게 들어와 아빠의 눈치를 살피는 상황이므로 빈칸에는 '곁눈으로 살그머니 계속 할겨 보는 모양.'을 뜻하는 '할금할금'이 들어가는 것이 자연스럽다.
   오답 풀이
   • 걱실걱실히: 성질이 너그러워 말과 행동을 시원스럽게 하는 모양.
   • 암팡스레: 몸은 작아도 야무지고 다부진 면이 있게.

10 '환경이나 변화에 적응하여 익숙하여지거나 체계, 명령 따위에 적응하여 따르다.'를 뜻하는 단어는 '순응하다'이다.

지치지 말고,
조금만 더 힘내요!

3주 성장과 성찰

필수 어휘 테스트   60~61쪽

01 (1) ⓒ (2) ⓐ (3) ⓑ   02 지식인   03 엄격한   04 (1)
자질 (2) 고뇌   05 (1) 본디 (2) 고심   06 (1) ⓒ (2) ⓐ (3) ⓑ
07 전폭적   08 시행착오   09 가망   10 ②

01 (1) '양심'은 '사물의 가치를 변별하고 자기의 행위에 대하
여 옳고 그름과 선과 악의 판단을 내리는 도덕적 의식.'을
뜻한다.
(2) '성장'은 '사람이나 동식물 따위가 자라서 점점 커짐.'
을 뜻한다.
(3) '가치관'은 '사람이 어떤 것의 가치에 대하여 가지는 태
도나 판단의 기준.'을 뜻한다.

02 '일정한 수준의 지식과 교양을 갖춘 사람. 또는 지식층에
속하는 사람.'을 뜻하는 단어는 '지식인'이다.

03 '말, 태도, 규칙 따위가 매우 엄하고 철저하다.'를 뜻하는
'엄격하다'가 적절하다.
> **오답 풀이**
> • 칠칠하다: 성질이나 일 처리가 반듯하고 야무지다.
> • 바람직하다: 바랄 만한 가치가 있다.

04 (1) '타고난 체질.'을 뜻하는 '자질'이 적절하다.
(2) '괴로워하고 번뇌함.'을 뜻하는 '고뇌'가 적절하다.
> **오답 풀이**
> • 인격: 사람으로서의 품격.
> • 고약: 주로 헐거나 곪은 데에 붙이는 끈끈한 약.

05 (1) '사물이 전하여 내려온 그 처음.'을 뜻하는 '본디'가 적
절하다.
(2) '몹시 애를 태우며 마음을 쓰다.'를 뜻하는 '고심하다'
가 적절하다.
> **오답 풀이**
> • 본능: 어떤 생물체가 태어난 후에 경험이나 교육에 의
> 하지 않고 선천적으로 가지고 있는 억누를 수 없는 감
> 정이나 충동.
> • 경멸하다: 깔보아 업신여기다.

06 (1) '시리다'는 '몸의 한 부분이 찬 기운으로 인해 추위를
느낄 정도로 차다.'를 뜻한다.

(2) '그러쥐다'는 '그러당겨 손안에 잡다.'를 뜻한다.
(3) '역력하다'는 '자취나 기미, 기억 따위가 환히 알 수 있
게 또렷하다.'를 뜻한다.

07 '전체에 걸쳐 남김없이 완전한 것.'을 뜻하는 '전폭적'이
적절하다.
> **오답 풀이**
> • 모멸적: 업신여기고 얕잡아 보는 느낌이 있는 것.

08 '어떤 목표에 이르기 위해 시도와 실패를 되풀이하면서
점점 알맞은 방법을 찾는 일.'을 뜻하는 단어는 '시행착오'
이다.

09 '될 만하거나 가능성이 있는 희망.'을 뜻하는 '가망'이 적
절하다.
> **오답 풀이**
> • 가속: 점점 속도를 더함. 또는 그 속도.
> • 소행: 이미 해 놓은 일이나 짓.

10 '마음씨가 몹시 매섭고 독하다.' 또는 '참고 견디기 힘든
일을 능히 배기어 낼 만큼 억세다.'를 뜻하는 '모질다'가
적절하다.
> **오답 풀이**
> • 차갑다: ① 촉감이 서늘하고 썩 찬 느낌이 있다. ② 인
> 정이 없이 매정하거나 쌀쌀하다.
> • 쌀쌀맞다: 성격이나 행동이 따뜻한 정이나 붙임성이
> 없이 차갑다.
> • 떳떳하다: 굽힐 것이 없이 당당하다.
> • 심오하다: 사상이나 이론 따위가 깊이가 있고 오묘하다.

공부하느라
수고했어요!

내 안의 국어 DNA를 깨우자!

국어 공부력을 기르는
DNA 깨우기

중학에서 다지는 국어 공부력

비문학 독해, 문학, 문법, 어휘 등
어느 것 하나 놓칠 수 없는
중학 국어 공부의 확실한 해법!

알찬 구성, 친절한 안내

개념·원리 이해부터 문제 적용까지
학습 계획표를 따라 공부하면
어느새 실력이 쑥쑥!

교과 연계로 학습 효율 UP

교과와 연계하여 내용을 선정함으로써
배경지식을 쌓으며 내신도 챙길 수 있는
일석이조의 효율적인 학습 시스템!

비문학 독해 DNA 깨우기 (4권)
❶ 독해 기초 / ❶ 독해 원리 /
❷ 독해 기술 / ❸ 기출 유형

문학 DNA 깨우기 (3권)
❶ 기본 개념 / ❷ 감상 원리 /
❸ 기출 유형

문법 DNA 깨우기 (1권)

어휘 DNA 깨우기 (2권)
기본 / 실력

book.chunjae.co.kr

교재 내용 문의 ·················· 교재 홈페이지 ▶ 중학 ▶ 교재상담
교재 내용 외 문의 ················ 교재 홈페이지 ▶ 고객센터 ▶ 1:1문의
발간 후 발견되는 오류 ··········· 교재 홈페이지 ▶ 중학 ▶ 학습지원 ▶ 학습자료실

시험에 잘 나오는
대표 유형 ZIP

중학 국어
문학 1

특목고 대비
일등
전략

 천재교육

중학 국어
문학 1

일등
전략

이 책의 차례

대표 유형 01	원관념과 보조 관념의 관계 이해하기	04
대표 유형 02	시에 쓰인 비유 파악하기 ❶	06
대표 유형 03	시에 쓰인 비유 파악하기 ❷	08
대표 유형 04	시에 쓰인 비유의 효과 이해하기	10
대표 유형 05	소설에 쓰인 비유의 효과 이해하기	12
대표 유형 06	시어의 상징적 의미 파악하기	14
대표 유형 07	소재의 상징적 의미 파악하기	16
대표 유형 08	상징의 효과 이해하기	18
대표 유형 09	내적 갈등 이해하기	20
대표 유형 10	외적 갈등 이해하기	22
대표 유형 11	갈등의 원인 파악하기	24

중l 문학 대표 유형을
시험에 잘 나오는
문제로 확인해 봐.

대표 유형 12 갈등의 해결 과정 파악하기   26

대표 유형 13 소설 구성 단계에 따른 갈등 진행 양상 파악하기   28

대표 유형 14 갈등 진행 과정에 나타난 인물의 심리 파악하기   30

대표 유형 15 갈등 상황에 나타난 인물의 성격 · 가치관 파악하기   32

대표 유형 16 갈등 해결 과정에 담긴 주제 파악하기   34

대표 유형 17 작품에 나타난 삶의 태도 파악하기 ❶   36

대표 유형 18 작품에 나타난 삶의 태도 파악하기 ❷   38

대표 유형 19 작품의 주제 파악하기 ❶   40

대표 유형 20 작품의 주제 파악하기 ❷   42

대표 유형 21 문학 작품 읽고 성찰하기 ❶   44

대표 유형 22 문학 작품 읽고 성찰하기 ❷   46

● 다음 시를 읽고, 물음에 답하시오.

나무들이
샤워하고 있다

저것 봐
저것 봐

진달래는 분홍 거품이
조팝나무는 하얀 거품이
영산홍은 빨강 거품이
보글보글 일고 있잖아

깨끗이 씻은 자리
씨앗 마중하려고
부지런히 목욕 중이야

온 산이 공중목욕탕처럼
색색의 거품으로 부글거리고 있어. ⊙

– 정현정, 〈나무들의 목욕〉 천(박)

01 ㉠에 쓰인 비유를 〈보기〉와 같이 정리할 때, 빈칸에 들어갈 알맞은 말은?

┌─ 보기 ┐
'온 산'과 '공중목욕탕'은 (   )는 점이 비슷하다.
└────────────────────────────────────┘

① 높다   ② 어둡다   ③ 부글거린다
④ 사람이 많다   ⑤ 나무가 있다

해결 전략

작품 이해 이 작품은 다양한 비유를 써서 색색의 꽃을 피우는 나무들과 그런 나무들로 가득한 봄 산의 풍경을 노래한 시이다. 봄 햇살을 받으며 꽃을 피우는 나무들의 모습을 샤워하는 모습에 빗대어 표현하였다.

개념 확인 표현하려는 대상(원관념)을 그와 비슷한 다른 대상(보조 관념)에 빗대어 표현하는 방법을 ❶ ⬜⬜⬜ (이)라고 하는데, 이때 원관념과 보조 관념 사이에는 유사성이 존재한다.

정답인 이유 ③ ㉠에서는 '온 산'에 꽃이 활짝 펴 부글거리는 모습이 '공중목욕탕'에서 거품이 부글거리는 모습과 비슷한 점을 바탕으로, 꽃을 피우는 나무들로 가득한 산의 모습을 '❷ ⬜⬜⬜⬜'에 빗대어 표현하고 있다.

답 ❶ 비유 ❷ 공중목욕탕

다시 한번 확인!

• 이 시에 나타난 원관념과 보조 관념 사이의 유사성

원관념	비슷한 점	보조 관념
온 산	부글거림. • 온 산: ❶ ⬜⬜ 이/가 부글거림.(활짝 핌.) • 공중목욕탕: ❷ ⬜⬜ 이/가 부글거림.	공중목욕탕

답 ❶ 꽃 ❷ 거품

● 다음 시를 읽고, 물음에 답하시오.

교실은 온통 별밭이다.
초롱초롱 반짝이는 너희들의 눈
별 하나의 꿈, / 별 하나의 희망, / 별 하나의 이상,

교실은 흐드러진 장미밭이다.
까르르 웃는 너희들의 웃음
장미 한 송이의 사랑, / 장미 한 송이의 열정, / 장미 한 송이의 순결,

교실은 향긋한 사과밭이다.
수줍게 피어나는 너희들의 볼
사과 한 알의 보람, / 사과 한 알의 결실, / 사과 한 알의 믿음,

교실은 찬란한 보석밭이다.
너희들의 빛나는 이마
이름을 부르면 하나씩 깨어나는
사파이어, / 에메랄드, / 다이아몬드,

아, 너희들은 영원히 빛나는 / 별밭이다. / 꽃밭이다.

– 오세영, 〈별처럼 꽃처럼〉 천(노) 교

02 이 시의 표현 방법에 대한 설명으로 적절하지 않은 것은?

① 학생들의 웃음으로 가득한 교실을 장미밭에 빗대어 표현하였다.

② 학생들의 발그레한 볼로 가득한 교실을 사과밭에 빗대어 표현하였다.

③ 학생들의 빛나는 이마로 가득한 교실을 보석밭에 빗대어 표현하였다.

④ 학생들이 뛰어다니는 시끌벅적한 교실을 운동장에 빗대어 표현하였다.

⑤ 학생들의 반짝이는 눈빛으로 가득한 교실을 별밭에 빗대어 표현하였다.

해결 전략

작품 이해 이 작품은 반짝이는 학생들의 눈망울, 웃음 등으로 가득한 ❶ [   ] 의 모습을 별밭, 장미밭, 사과밭, 보석밭에 빗대어 표현한 시이다.

정답인 이유 ④ 교실을 운동장에 빗대어 표현한 내용은 나타나 있지 않다.

오답인 이유 ①, ②, ③, ⑤ 2연에서 학생들의 웃음이 가득한 교실을 ❷ [   ] 에 비유, 3연에서 수줍게 피어나는 학생들의 볼이 가득한 교실을 사과밭에 비유하였다. 4연에서 학생들의 빛나는 이마가 가득한 교실을 보석밭에 비유, 1연에서 학생들의 반짝이는 눈빛이 가득한 교실을 별밭에 비유하였다.

답 ❶ 교실 ❷ 장미밭

다시 한번 확인!

• 이 시에 쓰인 비유

원관념	보조 관념	비슷한 점
교실	별밭	학생들의 반짝이는 눈빛이 ❶ [ ] 와/과 비슷함.
	장미밭	학생들이 까르르 웃는 모습이 흐드러지게 핀 장미와 비슷함.
	사과밭	학생들의 수줍게 피어나는 볼이 향긋한 사과와 비슷함.
	보석밭	학생들의 빛나는 이마가 찬란한 보석과 비슷함.

↓

'~은/는 ~이다'와 같은 형식으로 두 대상이 동일한 것처럼
빗대어 표현하는 ❷ [   ] 이/가 쓰임.

답 ❶ 별 ❷ 은유법

● 다음 시를 읽고, 물음에 답하시오.

㉠눈이 내린다
봄이라서
㉡봄빛처럼 포근한 눈

담장 위에 쌓이는 봄눈
나무 위에 쌓이는 봄눈
㉢마당 위에 쌓이는 봄눈

그리고
마루에서 졸다가 깬
눈을 하고 앉은
새끼 고양이의 눈 속에도 ⎤
                    ㉣
내리는 봄눈   ⎦

감았다 떴다 하는   ⎤
새끼 고양이의 눈처럼
보드라운
봄   ㉤
봄 하늘
봄 하늘의 봄눈   ⎦

　　　　　　　　　　 – 오규원, 〈포근한 봄〉 천(노) 지

03 ⊙~⑩ 중 〈보기〉와 같은 표현 방법이 사용된 것끼리 바르게 묶은 것은?

┌─ 보기 ───┐
│   │
│   얼음장같이 차가운 방바닥   │
│   │
└───┘

① ⊙, ⓛ   ② ⊙, ⓒ   ③ ⓛ, ⑩

④ ⓒ, ⓔ   ⑤ ⓔ, ⑩

해결 **전략**

작품 이해   이 작품은 따스한 봄날 **①** [ ] 이/가 내리는 모습을 감각적으로 표현
한 시이다. 봄눈이 주는 포근하고 부드러운 느낌을 '봄빛'과 '새끼 고양이의
눈'에 빗대어 구체적이고 생생하게 드러내고 있다.

정답인 이유   ③ 〈보기〉에서는 '~같이', '~처럼' 등의 표현을 사용하여 하나의 대상을 다
른 대상에 직접 빗대어 표현하는 **②** [ ] 을/를 써서 차가운 방바닥을
'얼음장'에 비유하고 있다. ⓛ, ⑩에서는 '~처럼'을 써서 하늘에서 내리는
봄눈을 각각 '봄빛', '새끼 고양이의 눈'에 빗대어 표현하고 있다.

오답인 이유   ⊙ 눈이 내리는 것을 표현하였다.
ⓒ 봄눈이 내려 마당 위에 쌓이는 모습을 표현하였다.
ⓔ 새끼 고양이의 눈에 비친 봄눈의 모습을 감각적으로 표현하였다.

답 ❶ 눈 ❷ 직유법

다시 한번 확인!

• **이 시에 쓰인 비유**

봄빛처럼 포근한 눈	봄에 내리는 눈을 '**①** [ ] '에 빗대어, 봄눈이 주는 포근한 느낌을 구체적으로 표현함.
감았다 떴다 하는 새끼 고양이의 눈처럼 / 보드라운 봄 / 봄 하늘 / 봄 하늘의 봄눈	봄눈을 '새끼 고양이의 눈'에 빗대어, **②** [ ] 이/가 주는 보드라운 느낌을 참신하고 감각적으로 표현함.

답 ❶ 봄빛 ❷ 봄눈

● 다음 시를 읽고, 물음에 답하시오.

아씨처럼 나린다
보슬보슬 햇비
맞아 주자 다 같이
옥수숫대처럼 크게
닷 자 엿 자 자라게
해님이 웃는다
나 보고 웃는다.

하늘 다리 놓였다
알롱알롱 무지개
노래하자 즐겁게
동무들아 이리 오나
다 같이 춤을 추자
해님이 웃는다
즐거워 웃는다.

– 윤동주, 〈햇비〉 [미]

04 이 시에 대한 감상으로 적절하지 <u>않은</u> 것은?

① 햇비를 '아씨'에 비유한 점이 참신하게 느껴져.

② 무지개를 마치 사람처럼 표현해서 신선함을 느낄 수 있네.

③ 각 연의 6~7행에 '웃는다'를 반복해서 운율을 느낄 수 있어.

④ '보슬보슬', '알롱알롱'과 같은 의태어를 통해 시각적 심상이 드러나 있어.

⑤ '하늘 다리 놓였다 / 알롱알롱 무지개'라는 시구를 읽으니 하늘에 다리처럼 놓여 있는 무지개가 떠오르네.

해결 **전략**

작품 이해 이 작품은 직유법, 은유법, 의인법과 같은 다양한 **❶** 을/를 사용해서 햇비를 맞으며 밝게 자라는 아이들의 모습을 노래한 시이다.

정답인 이유 ② 2연 1~2행에서는 은유법을 써서 무지개를 '하늘 다리'에 빗대어 표현하여, 하늘에 무지개가 뜬 모습을 인상 깊게 전달하고 있다. 무지개를 **❷** 처럼 표현한 내용은 나타나 있지 않다.

답 ❶ 비유 **❷** 사람

다시 한번 확인!

· **이 시에 쓰인 비유와 그 효과**

아씨처럼 나린다 / 보슬보슬 햇비	잠시 나타났다가 곧 그치는 '햇비'(여우비)의 모습을 '**❶** '에 빗대어 표현함.
맞아 주자 다 같이 / 옥수숫대처럼 크게 닷 자 엿 자 자라게	비를 맞으며 자라나는 아이들을 '옥수숫대'에 빗대어 표현함.
· 해님이 웃는다 / 나 보고 웃는다. · 해님이 웃는다 / 즐거워 웃는다.	'해'에 '-님'을 붙여 높이고, 해님이 웃는다고 **❷** 처럼 표현함.
하늘 다리 놓였다 / 알롱알롱 무지개	공중에 떠 있는 무지개를 '하늘 다리'에 빗대어 표현함.

↓

효과	· 햇비가 내리는 풍경을 생동감 넘치게 표현함. · 시의 분위기와 느낌을 효과적으로 드러냄.

답 ❶ 아씨 **❷** 사람

● 다음 글을 읽고, 물음에 답하시오.

아이들의 발과 주먹이 용이를 덮쳐 왔을 때, 용이는 번개같이 거기를 빠져나와 몇 걸음 발을 옮기더니, 발밑에 있는 돌을 두 손으로 한 개씩 거머쥐고는 거기 있는 커다란 바윗돌 위에 껑충 뛰어올랐습니다. / 그 몸놀림이 어찌나 재빠른지, 아이들이 모두 놀랐습니다. 지금까지의 용이와는 아주 다른, 딴 아이였습니다.

"자, 덤빌람 덤벼! 누구든지 오는 녀석은 가만두지 않을 끼다!"

아이들이 입을 벌리고 어쩔 줄 모르고 서 있을 때, 뒤에서 한 아이가,

"난, 내 책보 가질러 갈란다."

하고 달려갔습니다. 그 소리에 다른 아이들도 모두 정신이 돌아온 것처럼,

"나도 간다." / "나도 간다." / 하고 달려갔습니다.

"이 자식, 두고 봐라." / 맨 마지막에 내려가면서 성윤이가 말했습니다.

"오냐, 인마, 얼마든지 봐 준다." / 용이 목소리는 한층 크고 자랑스러웠습니다. [중략]

'나 인제 못난 아이 아니야!'

그러고는 다시 혼잣말로 중얼거렸습니다.

"내일 아침에는 순이를 데리고 오자. 순이를 놀리는 녀석은 어떤 녀석이고 용서 안 할 끼다."

용이는 돌아서서, 햇빛이 눈부신 내리받이 길을 바라보았습니다. 이제는 단숨에 학교까지 뛰어갈 듯합니다. 하늘에는 하얀 구름 한 송이가 날고 있었습니다. ㉠용이는 훌쩍 한번 뛰더니 마구 두 팔을 내저으면서 내리 달렸습니다. 그것은 마치 한 마리의 꿩이 소리치면서 하늘을 날아오르는 모습과도 같았습니다.

– 이오덕, 〈꿩〉 천(노)

05 ⊙과 같은 비유적 표현의 효과로 적절하지 <u>않은</u> 것은?

① 인물의 행동을 생생하게 표현할 수 있다.

② 독자의 상상력을 자극하여 흥미를 높여 준다.

③ 전달하고자 하는 바를 효과적으로 전달할 수 있다.

④ 인물의 당당한 기세와 자유로움을 선명하게 표현할 수 있다.

⑤ 표현하고자 하는 바를 그와 반대되는 말 속에 숨겨서 전달할 수 있다.

해결 전략

개념 확인　비유를 사용하면 표현하려는 대상의 모습이나 대상이 주는 느낌을 생생하게 전달할 수 있고, 재미있고 참신한 느낌을 줄 수 있다. 또한 독자의
❶ 　　　 을/를 자극하여 흥미를 높일 수 있고, 전달하고자 하는 바를 인상 깊게 전달할 수 있다.

정답인 이유　⑤ ⊙은 표현하고자 하는 바를 그와 반대되는 말 속에 숨겨서 전달하는 것과는 관련이 없다. ⊙에서는 용이를 하늘을 날아오르는 ❷ 　　　 의 모습에 빗대어, 용이가 두 팔을 내저으며 달리는 모습을 생생하게 표현하였다.

답 ❶ 상상력 ❷ 꿩

다시 한번 확인!

• 이 글에 쓰인 비유와 그 효과

용이는 훌쩍 한번 뛰더니 ~ 날아오르는 모습과도 같았습니다.	두 팔을 내저으며 달리는 ❶ 　　　 의 모습을 소리치면서 하늘을 날아오르는 꿩의 모습에 빗대어 표현함.

효과	• 용이의 당당한 기세와 자유로움을 선명하게 표현함. • 용이를 상징적 소재인 '꿩'에 빗대어 ❷ 　　　 을/를 강조함.

답 ❶ 용이 ❷ 주제

● 다음 시조를 읽고, 물음에 답하시오.

가 까마귀 싸우는 골에 백로야 가지 마라.

성난 까마귀 흰빛을 시샘할세라.

청강(淸江)에 기껏 씻은 몸을 더럽힐까 하노라.

– 영천 이씨, 〈까마귀 싸우는 골에〉 금

나 까마귀 검다 하고 백로야 웃지 마라.

겉이 검은들 속조차 검을쏘냐.

겉 희고 속 검은 것은 너뿐인가 하노라.

– 이직, 〈까마귀 검다 하고〉 금 교

06 (가)와 (나)에 공통으로 나타난 시어에 대한 설명으로 적절하지 <u>않은</u> 것은?

① (가)의 '까마귀'는 싸움을 일삼는 부정적 존재를 의미한다.

② (가)의 '백로'는 더러움이 묻지 않은 긍정적 존재를 의미한다.

③ (나)의 '까마귀'는 겉과 속이 모두 검은 부정적 존재를 의미한다.

④ (나)의 '백로'는 겉모습과 달리 속이 검은 부정적 존재를 의미한다.

⑤ (가)와 (나)에서 검은 빛깔은 부정적인 의미의 빛깔로 여겨진다.

해결 전략

작품 이해 (가)는 정몽주의 어머니가 아들이 새로운 지배 세력, 변절자들과 어울리는 것에 대해 경계하고 염려하는 마음을 노래한 시조로, '백로'는 충신을 상징하고 '❶ '은/는 간신을 상징한다. (나)는 고려 유신의 한 사람으로 조선을 세우는 데 참여한 이직이 자신의 행위를 정당화하기 위해 지은 시조로, ❷ 와/과 달리 속이 시커먼 이들에 대한 경계를 드러내고 있다.

정답인 이유 ③ (나)에서는 '까마귀'가 겉이 검다고 할지라도 속조차 검을 리가 있겠냐며 '까마귀'를 긍정적으로 바라보고 있다.

답 ❶ 까마귀 ❷ 겉모습

다시 한번 확인!!

· '까마귀'와 '백로'의 상징적 의미

	㉮ 〈까마귀 싸우는 골에〉	㉯ 〈까마귀 검다 하고〉
까마귀	싸움을 일삼고 남을 시샘하는 인물, 간신, 이성계 무리 → ❶ 존재	양심적인 내면을 지닌 인물, 이직 → 긍정적 존재
백로	세상의 더러움에 물들지 않은 결백한 인물, 충신, 정몽주 → ❷ 존재	겉모습과 달리 음흉한 내면을 지닌 인물, 고려의 유신 → 부정적 존재

답 ❶ 부정적 ❷ 긍정적

● 다음 글을 읽고, 물음에 답하시오.

㉮ "우리 동네 말임더, 나이 올해 스무 살 먹은 얌전한 신랑이 있는데, 모자 단둘이고요, 뱃일이고 바닷일이고 입 댈 것 없지요."

철수는 듣다못해, / "그래서 영감은 거기다 남이를 시집보내겠단 말씀이죠?"

"암요." [중략]

"남아, 준비 다 됐나? 차 시간 놓칠라. 속히 가자."

하고 소리를 질렀다. 남이는 건넌방 쪽을 흘겨보고, / "가고 싶거든 혼자 가지……."

㉯ 골목에서 엿장수 가위 소리가 들려왔다. 남이는 재빨리 윤이를 업고, 영이의 손목을 잡은 채 밖으로 나갔다. 남이 아버지는 벌써 저만치 철수와 하직을 하면서 내려가고, 엿장수는 막 철수네 집 앞에서 대문을 나서는 남이와 마주쳤다. 엿장수는 얼빠진 사람처럼 남이를 바라보는데 남이의 눈에는 순간 어두운 그림자가 지나갔다.

㉰ 이래서 남이는 떠나간다. 다만 한 가지 철수 내외에게 수수께끼는 마을 중턱에서 남이를 보내고 서서 그의 뒷모양을 바라보는데, 남이가 어이한 옥색 고무신을 신고 가는 것이다. 더구나 한 번도 신지 않은 새것을……

철수 내외는 서로 얼굴만 쳐다볼 뿐 도로 물어본달 수도 없고 해서 그만두었다.

보리밭 사이 조그만 언덕길로 ㉠옥색 고무신을 신은 남이는 갔다. 자천 골짜기로 꽃놀이를 가는 줄만 알았던 남이가 난데없는 영감 하나를 따라가고 있는 광경을 엿장수는 울음 고개 위에서 멀거니 바라보고 있는 것을 남이 자신이야 알 리도 없었다.

– 오영수, 〈고무신〉 천(박)

07 〈보기〉는 이 소설의 중심 사건들이다. 이 글과 〈보기〉를 참고할 때 ㉠의 상징적 의미로 적절하지 <u>않은</u> 것은?

---보기---
- 영이와 윤이가 남이가 아끼는 고무신을 엿과 바꿔 먹음.
- 남이는 엿장수를 만나 고무신을 돌려 달라고 성화를 부림.
- 남이의 저고리 앞섶에 붙은 벌을 엿장수가 잡아 줌.
- 엿장수가 남이를 보려고 마을을 매일 기웃거림.
- 남이 아버지가 남이를 시집보내려고 찾아옴.
- 남이는 새 고무신을 신고 아버지를 따라 마을을 떠남.

① 애정　　② 추억　　③ 질투　　④ 사랑　　⑤ 이별

해결 **전략**

작품 이해　이 작품은 산기슭 마을에 찾아온 봄을 배경으로, 식모살이를 하는 남이와 마을에 드나드는 엿장수 청년의 순수하고 애틋한 사랑과 안타까운 이별을 ❶ 을/를 매개로 하여 그린 소설이다.

정답인 이유　③ 사건이 진행되는 과정에서 '고무신'의 역할에 주목하여 그 의미를 찾을 수 있다. '옥색 고무신'은 남이가 소중하게 여기던 물건으로, 남이와 엿장수의 만남의 매개체이자 남이와 엿장수의 애틋한 ❷ 와/과 이별을 상징하는 소재이다. 질투와는 관련이 없다.

답 ❶ 고무신 ❷ 사랑

다시 한번 확인!

· '고무신'의 상징적 의미

고무신	• 남이가 애지중지한 물건 • 남이와 엿장수의 만남의 매개체 • 엿장수가 ❶ 에게 준 선물 • 남이가 마을을 떠날 때 신고 간 물건	➡	애정, 사랑, 추억, ❷ 을/를 상징함.

답 ❶ 남이 ❷ 이별

● 다음 시를 읽고, 물음에 답하시오.

푸른 바다에 고래가 없으면 ⌐

푸른 바다가 아니지　　　　　⌐ ㉠

마음속에 푸른 바다의

고래 한 마리 키우지 않으면

청년이 아니지

푸른 바다가 고래를 위하여

푸르다는 걸 아직 모르는 사람은

아직 사랑을 모르지

고래도 가끔 수평선 위로 치솟아 올라

별을 바라본다

나도 가끔 내 마음속의 고래를 위하여

밤하늘 별들을 바라본다

– 정호승, 〈고래를 위하여〉 ㉠

08 ㉠에 나타난 상징적 표현과 〈보기〉를 비교할 때, 상징의 효과로 적절하지 **않은** 것은?

┌─ 보기 ──────────────────────────────────┐

인생에 꿈과 목표가 없으면 의미 있는 인생이 아니다.

└──┘

① 문학적인 아름다움을 느끼게 할 수 있다.

② 말하고자 하는 바를 인상 깊게 전달할 수 있다.

③ 추상적인 관념을 구체적인 사물로 나타낼 수 있다.

④ 대상을 우스꽝스럽게 표현하여 웃음을 유발할 수 있다.

⑤ 대상에 상징적 의미를 부여하여 작품의 깊이를 더할 수 있다.

해결 전략

작품 이해 이 작품은 상징을 사용해서 청년들이 이상을 추구하고 사랑하며 살아가기를 바라는 마음을 노래한 시이다.

개념 확인 상징을 사용하면 '꿈', '인생' 등과 같은 **❶**〔　　　　〕인 관념을 구체적인 사물로 나타낼 수 있고, 대상에 상징적 의미를 부여하여 전달하고자 하는 바를 인상 깊게 표현할 수 있으며 작품의 깊이를 더할 수 있다.

정답인 이유 ④ 대상을 우스꽝스럽게 표현하여 웃음을 유발하는 것은 **❷**〔　　　　〕의 효과와는 거리가 멀다.

🔑 답 ❶ 추상적 ❷ 상징

다시 한번 확인!

• 이 시에 쓰인 상징과 그 효과

푸른 바다에 고래가 없으면 / 푸른 바다가 아니지 마음속에 푸른 바다의 고래 한 마리 키우지 않으면 / 청년이 아니지	청년들이 마음속에 **❶**〔　　　　〕와/과 희망, 목표를 가지고 살아가기를 바람.

↓

효과	• 말하고자 하는 바를 인상적으로 전달하고, 문학적인 아름다움을 느끼게 함. • 말하고자 하는 바를 깊이 생각해 보게 할 수 있고, 직설적으로 표현하는 것보다 **❷**〔　　　　〕을/를 풍부하게 전달할 수 있음.

🔑 답 ❶ 꿈 ❷ 의미

● 다음 글을 읽고, 물음에 답하시오.

가 나는 얼굴이 빨갛게 달아올랐어.

'보리 방구 조수택이 내 짝이 되다니⋯⋯.'

수택이 냄새보다 아이들이 킥킥대는 소리가 더 참기 힘들었지.

나는 바로 짝을 바꿔 달라고 말하고 싶었어. 그전에 수택이 짝이 된 아이들은 그렇게 해서 바꿨거든. 선생님은 물론 들어주시지 않았지. 번번이 수택이가 바꿔 달라고 한 거였어. 짝이 싫어하는 눈치를 보이면 선생님한테 가서 이렇게 말했거든.

"선생님, 맨 뒷자리로 보내 주세요."

나 그래도 나는 대놓고 싫어하는 눈치를 보일 수가 없었어. 일 학기가 끝나갈 무렵 나는 '착한 어린이 상'을 탔거든. 아이들이 투표해서 뽑아 준 거였지. 내가 그 상을 타고 싶어서 착하게 군 건 아니었어. 하지만 그 상을 탄 다음부턴 착한 어린이답게 행동하고 싶었어. 애들은 수택이를 보리 방구라고 놀리고 가까이 오는 것도 싫어했지만, 막상 짝을 바꾸겠다고 하면 나를 좋지 않게 볼 것만 같았어.

"쟤가 무슨 착한 어린이야?"

하고 수군대면서 말이야.

－ 유은실, 〈보리 방구 조수택〉 [미]

09 이 글에 나타난 갈등에 대한 설명으로 적절한 것은?

① '나'는 자신과 짝이 되려 하는 수택이와 외적 갈등을 겪는다.

② '나'는 '착한 어린이 상'을 받기 위해 수택이와 짝을 할 것인지 갈등한다.

③ 자신을 꺼리는 아이와 친해지고 싶은 수택이의 내적 갈등이 두드러진다.

④ 수택이를 멀리하려는 아이들과 이를 못마땅해하는 선생님의 외적 갈등이 두드러진다.

⑤ '나'는 수택이와 짝을 하기는 싫지만 친구들의 시선을 걱정해 말하지 못하고 갈등한다.

해결 **전략**

작품 이해 이 작품은 초등학생인 '나'가 수택이와 짝이 된 후 겪게 되는 사건을 그린 소설이다.

개념 확인 내적 갈등은 한 인물의 **❶** 〔 〕에서 두 가지 이상의 욕구가 동시에 일어나서 생기는 갈등이다.

정답인 이유 ⑤ '나는 바로 짝을 바꿔 달라고 말하고 싶었어.', '막상 짝을 바꾸겠다고 하면 나를 좋지 않게 볼 것만 같았어.'에서 나타나듯 수택이와 짝을 하기 싫으면서도 '착한 어린이 상'을 받은 아이답지 않다고 아이들이 좋지 않게 볼까 봐 **❷** 〔 〕하고 있음을 알 수 있다.

오답인 이유 ② '나'는 '착한 어린이 상'을 이미 받았으며 착한 어린이답게 행동하고 싶어 할 뿐이지 상을 받고 싶어서 수택이와 짝을 할지 갈등하는 것은 아니다.

답 ❶ 마음속 ❷ 걱정

다시 한번 확인!

• '나'의 내적 갈등

반 친구들이 다들 ❶ 〔 〕을/를 하기를 꺼려 하는 수택이와 짝이 되고 싶지 않아 선생님께 짝을 바꿔 달라고 말하고 싶음.	⟷	착한 어린이답게 행동하고 싶고, 짝을 바꾸겠다고 하면 ❷ 〔 〕이/가 좋지 않게 볼까 봐 신경 쓰임.

답 ❶ 짝 ❷ 아이들

● 다음 글을 읽고, 물음에 답하시오.

가 어느 가을철 9월 보름께가 되자, 달빛은 처량하게 비치고 맑은 바람은 쓸쓸히 불어와 사람의 마음을 울적하게 하였다. 그때 길동은 서당에서 글을 읽다가 문득 책상을 밀치고 탄식하기를,

"대장부가 세상에 나서 공맹(孔孟)을 본받지 못할 바에야, 차라리 병법이라도 익혀 대장인을 허리춤에 비스듬히 차고 동정서벌하여 나라에 큰 공을 세우고 이름을 만대에 빛내는 것이 장부의 통쾌한 일이 아니겠는가. 나는 어찌하여 일신(一身)이 적막하고, 부형이 있는데도 아버지를 아버지라 부르지 못하고 형을 형이라 부르지 못하니 심장이 터질지라, 이 어찌 통탄할 일이 아니겠는가!"

하고, 말을 마치며 뜰에 내려와 검술을 익히고 있었다.

나 특재가 정신을 가다듬고 살펴보니 길동이었다. 재주가 대단하다고는 여기면서도 '어찌 나를 대적하리오.' 하고 달려들면서 소리쳤다.

"너는 죽어도 나를 원망하지 말라. 초란이 무녀와 관상녀로 하여금 상공과 의논하게 하고 너를 죽이려 한 것이니, 어찌 나를 원망하랴."

칼을 들고 달려드는 특재를 보자, 길동은 분함을 참지 못해 요술로 특재의 칼을 빼앗아 들고 호통을 쳤다.

"네가 재물을 탐내어 사람 죽이기를 좋아하니, 너같이 무도한 놈은 죽여서 후환을 없애겠다."

하고 칼을 드니, 특재의 머리가 방 가운데 떨어졌다.

– 허균, 〈홍길동전〉 천(박) 비 지

10 (가)와 (나)에 나타난 갈등 유형에 대한 설명으로 적절한 것끼리 묶은 것은?

> ㄱ. (가)와 (나)는 모두 외적 갈등이 드러난다.
>
> ㄴ. (가)는 인물과 사회 간의 갈등이 드러난다.
>
> ㄷ. (가)는 인물과 자연 간의 갈등이 드러난다.
>
> ㄹ. (나)는 인물과 인물 간의 갈등이 드러난다.
>
> ㅁ. (나)는 인물의 내적 갈등이 중심을 이룬다.

① ㄱ, ㄹ ② ㄴ, ㅁ ③ ㄱ, ㄴ, ㄹ ④ ㄱ, ㄷ, ㅁ ⑤ ㄴ, ㄹ, ㅁ

해결 **전략**

작품 이해 이 작품은 신분에 따른 **❶_____**이/가 있었던 사회에서 호부호형과 입신양명을 할 수 없었던 길동이 갈등을 해결해 나가는 과정을 그린 소설이다.

개념 확인 외적 갈등은 한 인물과 다른 인물, 또는 인물과 그 인물을 둘러싼 외부 환경 사이에서 일어나는 갈등이다. 인물과 인물의 갈등, 인물과 사회의 갈등, 인물과 운명의 갈등, 인물과 자연의 갈등 등이 있다.

정답인 이유 ③ (가)에는 첩의 자식을 차별하는 사회 제도와 길동 사이의 갈등이 드러나고, (나)에는 길동의 목숨을 노리는 특재와 이런 특재에 맞서는 길동 사이의 갈등이 드러난다. 이러한 갈등은 모두 **❷_____** 갈등에 해당한다.

답 ❶ 차별 ❷ 외적

다시 한번 확인!

· **가**와 **나**에 나타난 외적 갈등

가	나
호부호형과 입신양명을 소망하는 길동	길동을 없애려는 특재
↕	↕
적서 차별이 있는 사회	특재에 맞서는 길동
↓	↓
인물과 **❶_____** 의 갈등	인물과 **❷_____** 의 갈등

답 ❶ 사회 ❷ 인물

● 다음 글을 읽고, 물음에 답하시오.

"어머니, 그런 데다 못을 박으시면 어떡해요?"

"매달아 놓을 데가 마땅치 않아 그러재. 원 메주 하나 매달아 놓을 데도 없는 집구석이 어디 있다냐. 몹쓸 집구석이여."

할머니는 못을 또 하나 들어서 박았다. 그것을 본 엄마는 입을 앙다물고 눈을 한 번 꼭 감았다 뜨더니 떨리는 목소리로 외쳤다.

"아니, 메주만 중요하고 집 꼴은 아무렇게나 돼도 괜찮단 말씀이세요?"

할머니는 그제서야 돌아서서 엄마 얼굴을 똑바로 바라보았다.

"뭐여? 집 꼴? 그럼 내가 집 꼴을 망치고 있단 말여? 못 몇 개 박은 게 집 꼴을 망치는 거란 말여?"

할머니는 눈을 부릅뜨고 노여워 어쩔 줄 몰라 했다. 나는 무서웠다. 엄마가 이렇게 할머니에게 대드는 것은 처음 보았다. 엄마는 울상을 지으며 말했다.

"그러니까 메주 만들지 마시라 그랬잖아요."

"뭣이여? 메주를 만들지 마라? 니가 지금 메주 만드는 거 돕기나 하면서 그런 말을 하냐? 손가락 하나 까딱 안 하고 만들지 말란 소리만 하면 다여?"

"요즘 아파트에서 그런 거 만드는 사람이 몇이나 된다고 그러세요."

"너는 안 먹고 살래? 아무리 아파트기로서니 사람이 할 일은 하고 살아야재. 그래, 아파트 살면 장을 다 사 먹어야 한단 말여?"

"아유, 그만두세요. 어머닌 옛날 방식만 고집하시니." [중략]

"……할머니이."

할머니는 그제서야 내 얼굴을 보더니 혼잣말같이 중얼거렸다.

"시상이 아무리 달라졌다 혀도 달라지지 않는 것도 있는 법이여. 그렇재, 암."

- 오승희, 〈할머니를 따라간 메주〉 [지]

11 이 글에 나타난 갈등의 근본적인 원인으로 적절한 것은?

① 할머니는 집안일에 관심이 없고 불평만 하는 엄마를 못마땅하게 여겨서

② 할머니는 매사 실용적인 면을 추구하지만 엄마는 미적인 면을 추구해서

③ 할머니는 메주로 만든 음식을 좋아하지만 엄마는 메주로 만든 음식을 싫어해서

④ 할머니는 요즘 사람들이 게으르다고 생각하지만 엄마는 다들 바쁘다고 생각해서

⑤ 할머니는 전통적인 삶의 방식을 중시하지만 엄마는 현대적인 삶의 방식을 중시해서

해결 전략

작품 이해 이 작품은 메주를 둘러싸고 일어나는 가족 사이의 갈등을 다룬 소설이다. 할머니와 엄마의 **①** 차이가 잘 드러나 있다.

정답인 이유 ⑤ 할머니는 메주를 집에서 만드는 전통적인 삶의 방식을 지키려 하지만, 엄마는 요즘 아파트에서 메주를 만드는 사람이 얼마나 되냐며 현대적인 삶의 방식을 중시하는 모습을 보인다.

오답인 이유 ① 할머니는 메주를 만드는 일에 반대하는 엄마를 못마땅하게 여기는 것이다. ② 실용성이나 미관의 문제가 아니라 서로 추구하는 **②** 의 방식이 다른 것이다.

답 ① 가치관 **②** 삶

다시 한번 확인!

· 이 글에 나타난 갈등의 원인

표면적 원인	메주 만들기
근본적 원인	할머니와 엄마의 가치관의 차이 · 할머니: **①** 인 삶의 방식을 중시함. · 엄마: **②** 인 삶의 방식을 중시함.

답 ① 전통적 **②** 현대적

대표 유형 12 　갈등의 해결 과정 파악하기

● 다음 글을 읽고, 물음에 답하시오.

가 〈S# 35〉 동아리 방

대찬과 예진 정리하고 있던 중, 후다닥 달려 들어오는 유성. 놀라는 대찬, 예진.

유성　너 방금 무슨 소리야? 다시 말해 봐!

대찬　어? 아……, 그게…….

유성　(대찬 멱살 잡아채며) 지원금 때문에 은하를 이용했다, 이거야?

대찬　야, 이거 놓고 말해.

유성　(더 조이며) 네 눈엔 은하가 돈으로 보이냐, 어? 돈으로 보여?

예진　야, 왜 대찬이한테 그래. 성태 선배가 시킨 건데.

유성　(멱살 확 놓고는) 니들은 시키면 다 하는 똥개들이냐?

예진　야! / 대찬　아니, 근데 이 자식이!

예진　솔직히 말해서 걔 여기 들어오는 거 좋아할 사람 아무도 없어. 음악도 못 들으면서
　　 무슨 춤을 춘다는 거야? 그게 말이 돼?

나 〈S# 54〉 소강당

성태　자, 이제 다 끝났지? 뭐 특별히 떨어질 사람은 없
　　 는 거 같다.

저편 무대에서 등장하는 은하. 놀라는 성태, 대찬, 예
진, 아이들. 은하, 가운데로 나와서 인사하고는 손에 든
생수 한 모금을 마신다. 그러고는 그 통을 한편에 놓고 다
시 오면, 음악이 나온다. 박자가 강한 힙합 음악이다. 은
하, 박자 맞춰 춤춘다. 음악과 일치하는 몸놀림이다. 유성
도 놀란다. 은하의 춤이 끝나자, 모두 놀란다. 성태가 주
위 둘러보니 모두 입을 다물지 못한다. 성태, 얼른 일어나 박수 치는데, 아이들 짧게 어찌할
줄 모르다가, 성태 따라 박수 친다. 열렬하게 치는 대찬. 눈물 맺힌 채 앞을 보는 은하.

– 박범수, 〈그대로도 괜찮아〉

12 이 글에 나타난 갈등의 해결 과정으로 적절한 것은?

① 동아리 친구들이 유성의 말을 듣고 자신의 잘못을 반성한다.

② 유성은 동아리 친구들과 싸워 은하의 오디션 기회를 마련한다.

③ 동아리 친구들은 청각 장애를 극복하고 음악을 듣게 된 은하를 응원한다.

④ 청각 장애가 있는 은하가 뛰어난 춤을 선보여 동아리 지원금을 받게 된다.

⑤ 은하의 동아리 활동을 반대하던 친구들이 은하의 멋진 춤을 보고 감탄한다.

해결 전략

작품 이해 이 작품은 춤을 좋아하는 청각 장애 학생이 댄스 동아리에 들어가면서 겪게 되는 ❶ [   ] 을/를 다룬 드라마 대본이다.

정답인 이유 ⑤ (가)에는 청각 ❷ [   ] 이/가 있는 은하의 동아리 활동을 두고 동아리 친구들과 유성이 갈등하는 모습이 나타나 있다. 이러한 갈등은 (나)에서 은하가 노력 끝에 멋진 춤을 선보이자 동아리 친구들이 환호하며 해소된다.

오답인 이유 ② (나)에서 무대에 등장한 은하를 보고 유성이 놀란 것을 보아 유성이 은하의 오디션 기회를 마련한 것은 아님을 알 수 있다.

답 ❶ 갈등 ❷ 장애

다시 한번 확인!

• 이 글에 나타난 갈등 해결 과정

동아리 친구들과 유성의 갈등
동아리 친구들이 ❶ [   ] 을/를 동아리에서 내보내려 하고, 유성은 이에 반발함.

↓

갈등의 해결
은하가 노력 끝에 오디션에서 멋진 춤 솜씨를 보여 주자 동아리 친구들이 은하의 춤에 감탄하며 ❷ [   ] 을/를 보냄.

답 ❶ 은하 ❷ 박수

● 다음 글을 읽고, 물음에 답하시오.

㉮ 낮에 내가 한 짓은 옳은 짓이었을까? 옳을 것도 없지만 나쁠 것은 또 뭔가. 자가용까지 있는 주제에 나 같은 아이에게 오천 원을 우려내려고 그렇게 간악하게 굴던 신사를 그 정도 골려 준 것이 뭐가 나쁜가? 그런데도 왜 무섭게 떨렸던가. 그때의 내 꼴이 어땠으면, 주인 영감님까지 "네놈 꼴이 꼭 도둑놈 꼴이다."라고 하였을까.

그럼 내가 한 짓은 도둑질이었단 말인가. 그럼 나는 도둑질을 하면서 그렇게 기쁨을 느꼈더란 말인가.

수남이는 몸을 부르르 떨면서 낮에 자전거를 갖고 달리면서 맛본 공포와 함께 그 까닭 모를 쾌감을 회상한다. 마치 참았던 오줌을 내깔길 때처럼 무거운 억압이 갑자기 풀리면서 전신이 날아갈 듯이 가벼워지는 그 상쾌한 해방감 — 한번 맛보면 도저히 잊힐 것 같지 않은 그 짙은 쾌감, 아아 도둑질하면서도 나는 죄책감보다는 쾌감을 더 짙게 느꼈던 것이다.

혹시 내 피 속에 도둑놈의 피가 흐르고 있기 때문이 아닐까. 순간 수남이는 방바닥에서 송곳이라도 치솟은 듯이 후다닥 일어서서 안절부절못하고 좁은 방안을 헤맸다.

㉯ 소년은 아버지가 그리웠다. 도덕적으로 자기를 견제해 줄 어른이 그리웠다. 주인 영감님은 자기가 한 짓을 나무라기는커녕 손해 안 난 것만 좋아서 "오늘 운 텄다."라고 좋아하지 않았던가.

수남이는 짐을 꾸렸다. 아아, 내일도 바람이 불었으면. 바람이 물결치는 보리밭을 보았으면.

마침내 결심을 굳힌 수남이의 얼굴은 누런 똥빛이 말끔히 가시고, 소년다운 청순함으로 빛났다.

– 박완서, 〈자전거 도둑〉 비 금 교

13 이 글에 나타난 갈등 진행 양상에 대한 설명으로 적절하지 <u>않은</u> 것은?

① (가)는 구성 단계상 절정, (나)는 결말에 해당한다.

② (가)에는 갈등을 해결하기 위한 수남이의 결정이 나타난다.

③ (가)에서 최고조에 달했던 수남이의 갈등은 (나)에서 해소된다.

④ (나)에서 수남이가 갈등에서 벗어났음이 수남이의 얼굴에 나타난다.

⑤ (가)에서 자기 안의 부도덕성을 깨닫고 갈등하던 수남은 (나)에서 도덕성을 회복한다.

해결 전략

작품 이해 이 작품은 수남이가 다른 인물과 겪는 외적 갈등과 양심으로 인해 겪는 내적 갈등이 잘 드러난 소설이다.

정답인 이유 ② (가)는 수남이의 내적 갈등이 최고조에 이르는 장면이며, 갈등을 해결하기 위해 아버지 곁으로 가기로 결심하는 모습은 (나)에 나타난다.

오답인 이유 ①, ③ (가)는 갈등이 최고조에 이르는 ❶ ⬚ , (나)는 갈등이 해소되는 결말에 해당한다.

④ (나)의 '누런 똥빛이 말끔히 가시고, 소년다운 청순함으로 빛났다.'를 통해 수남이의 내적 갈등이 해소되었음을 알 수 있다.

⑤ (가)에서 수남이는 도둑질을 하며 ❷ ⬚ 을/를 느낀 것 때문에 자기 안에 부도덕성이 자리 잡고 있다고 생각하여 괴로워한다. (나)에서는 자신을 도덕적으로 견제해 줄 아버지 곁으로 가기로 하며 도덕성을 회복한다.

답 ❶ 절정 ❷ 쾌감

다시 한번 확인!

· 이 글에 나타난 갈등 진행 양상

㉮	수남이는 자전거를 들고 도망갈 때 느낀 쾌감을 떠올리며 괴로워함. → 갈등이 ❶ ⬚ 에 이름.
㉯	도덕적으로 자신을 견제해 줄 아버지가 있는 고향으로 돌아가기로 결심함. → 갈등이 ❷ ⬚ 됨.

답 ❶ 최고조 ❷ 해소

● 다음 글을 읽고, 물음에 답하시오.

가 "너 혹 붙장 안의 돈 봤니?" / 하다가는 채 문기가 입을 열기 전에 숙모는,

"학교서 지금 오는 애가 알겠니. 참, 점순이 고년 앙큼헌 년이드라. 낮에 내가 뒤꼍에서 화초 모종을 내고 있는데 집을 간다고 나가더니 글쎄, 돈을 집어 갔구나."

문기는 잠잠히 듣기만 한다. 그러나 속으로는 갚으면 고만이지 소리를 또 한 번 외어 본다.

그날 밤이었다. 아랫방 들창 밑에서 훌쩍훌쩍 우는 어린아이 울음소리가 났다. 아랫집 심부름하는 아이 점순이 음성이었다. 숙모가 직접 그 집에 가서 무슨 말을 한 것은 아니로되 자연 그 말이 한 입 건너 두 입 건너 그 집에까지 들어갔고, 그리고 그 집 주인 여자는 점순이를 때려 쫓아낸 것이다. 먼저는 동네 아이들이 모여 지껄지껄하더니 차차 하나 가고 둘 가고 훌쩍훌쩍 우는 그 소리만 남는다. 방 안의 문기는 그 밤을 뜬눈으로 새웠다.

나 "작은아버지." / 하고 문기는 입을 열었다. 그리고,

"저는 마땅히 받아야 할 벌을 받은 거예요."

하고 문기는 눈을 감으며 한 마디 한 마디 그러나 똑똑하게 처음서부터 끝까지 먼저 고깃간 주인이 일 원을 십 원으로 알고 거슬러 준 것, 그 돈을 써 버린 것, 그리고 또 붙장 안의 돈을 자기가 훔쳐 낸 것, 이렇게 하나하나 숨김없이 자백을 하자 이때까지 겹겹으로 몸을 싸고 있던 허물이 한 꺼풀 한 꺼풀 벗어지면서 따라 마음속의 어둠도 차차 사라지며 맑아 가는 것을, 문기는 확실히 깨달을 수 있었다. 마음이 맑아지며 따라 몸도 가뜬해진다.

내일도 해는 뜨고 하늘은 맑아지리라. 그리고 문기는 그 하늘을 떳떳이 마음껏 쳐다볼 수 있을 것이다.

– 현덕, 〈하늘은 맑건만〉 천(박) 천(노) 미 창 지

14 (가)와 (나)에 나타난 문기의 심리 변화로 적절한 것은?

① (가)에서 점순이에게 미안해하다가 (나)에서 벌을 받은 것에 괴로워한다.

② (가)에서 돈을 갚기 위해 초조했으나 (나)에서 돈 문제를 해결하고 기뻐한다.

③ (가)에서 도둑질을 하고도 뻔뻔했으나 (나)에서 잘못을 깨닫고 부끄러워한다.

④ (가)에서 숙모에게 의심받고 억울했으나 (나)에서 사실을 밝히고 당당해진다.

⑤ (가)에서 점순이 때문에 죄책감이 더욱 커졌다가 (나)에서 잘못을 고백하고 죄책감에서 벗어난다.

해결 전략

작품 이해 이 작품은 한 소년이 가게 주인의 실수로 거스름돈을 더 받고 나서 겪는 내적 갈등과 외적 갈등을 그린 소설이다.

정답인 이유 ⑤ (가)에서 문기는 자신이 훔친 돈 때문에 점순이가 누명을 쓴 것을 알고 죄책감과 미안함 때문에 괴로워한다. (나)에서는 삼촌에게 모든 잘못을 ❶ [   ]함으로써 죄책감에서 벗어나고 홀가분해진다.

오답인 이유 ① (나)에서 문기는 자신이 잘못해서 마땅히 받아야 할 ❷ [   ]을/를 받았다고 여기고 잘못을 고백한 후 홀가분해진다.

답 ❶ 고백 ❷ 벌

다시 한번 확인!

· 갈등 진행 과정에 나타난 문기의 심리

㉮		㉯
자신이 숙모의 돈을 훔친 일 때문에 점순이가 ❶ [ ]을/를 씀. → 죄책감, 미안함, 괴로움	➡	작은아버지에게 자신의 잘못을 고백함. → 후련함, ❷ [ ]

답 ❶ 누명 ❷ 홀가분함

● 다음 글을 읽고, 물음에 답하시오.

가 파르한　전 공학이 싫어요. 공학자가 돼도 형편없을 거예요. 란초는 간단한 이야기만 해 줬어요. 제가 원하는 것을 하라고요. 그러면 일이 놀이 같을 것이라고요.

아버지　그렇게 해서 이 정글에서 돈이나 벌 수 있겠냐?

파르한　보수는 적어도 많은 것을 배울 거예요.

아버지　한 오 년 뒤에 네 친구들이 좋은 차에 큰 집을 가진 것을 보면 너 자신을 저주할 거다.

파르한　전 공학자가 되면 좌절하고 아버지를 저주할 거예요. 차라리 저를 저주하며 사는 게 낫지 않나요?

아버지　사람들이 다 비웃을 거다. 마지막 해까지 와서 포기하다니……. 카푸르 씨는 "아들이 임페리얼 공대에서 공부하다니 복이 많네요."라고 했는데, 지금은 뭐라고 하겠냐?

나 파르한　아버지, 저는 아버지를 설득하고 싶은 것이지 협박하는 게 아니에요. 제가 사진작가가 된다고 무슨 일이 생기겠어요? 돈은 덜 벌겠죠. 집도 더 작고 차도 더 작겠죠. 하지만 저는 행복할 거예요. 정말 행복할 거예요. 다 제 진심 어린 마음에서 나온 말이에요. 지금까지 아버지 말씀 잘 듣는 아들이었잖아요. 한 번만 제 마음이 원하는 대로 하면 안 될까요? 아버지. 제발요. 아버지, 가지 마세요.

(파르한의 아버지, 일어나서 거실을 나간다.)

아버지　이거 환불해. 전문가용 카메라는 얼마나 하지? 노트북이랑 바꾸면 될지 모르겠다. 돈이 더 필요하면 말하렴. 너의 인생을 살아라.

– 라지쿠마르 히라니 외, 〈세 얼간이〉 교

15 다음은 이 글의 아버지와 파르한에 대해 정리한 것이다. 적절하지 <u>않은</u> 것은?

구분		아버지	파르한
①	가치를 두는 직업	공학자	사진작가
②	중요시하는 것	돈을 많이 버는 것	좋아하는 일을 하는 것
③		남의 인정을 받는 것	스스로 행복을 느끼는 것
④	성격	개혁적	순응적
⑤	갈등 해결 방법	아들의 뜻을 존중해 줌.	아버지께 진심을 전하고 설득함.

해결 전략

작품 이해 이 작품은 인도 대학생들의 이야기를 다룬 시나리오로, 파르한과 그의 아버지가 **①** 문제로 갈등하는 장면이 나타나 있다.

정답인 이유 ④ 아버지는 파르한에게 사회적으로 인정받고 돈도 많이 버는 직업인 공학자가 되기를 권하므로 개혁적인 것과 관련이 없고, 파르한은 아버지의 말을 따르지 않고 자신이 좋아하는 일을 하려고 하므로 순응적이라 보기 어렵다.

오답인 이유 ⑤ 파르한은 솔직하게 진심을 전하며 아버지를 **②** 하려고 노력하고, 아버지는 결국 아들에게 자신의 인생을 살라고 말하며 아들의 뜻을 존중해 준다.

답 ❶ 진로 **❷** 설득

다시 한번 확인!

• 갈등 상황에 나타나는 인물의 가치관

아버지	파르한
아들이 **①** 이/가 되기를 바람. → 사회적으로 인정받고 돈도 많이 버는 것을 중시함.	사진작가가 되고 싶어 함. → **②** 을/를 적게 벌더라도 자신이 좋아하는 일을 하는 것을 중시함.

답 ❶ 공학자 **❷** 돈

● 다음 글을 읽고, 물음에 답하시오.

㉮ 내가 계속 신문을 도로 제 서랍에 넣는데도 수택이는 하루도 빠짐없이 내 책상 서랍 속에 신문을 넣어 두었어. 소문은 점점 퍼져 가고 말이야.

"다시는 나한테 신문 주지 마!"

나는 수택이 얼굴에 대고 단단히 으름장을 놓았지.

그렇게 으름장을 놓은 다음 날이었어. 그날은 아침 일찍부터 놀림을 받았어. 학교 오는 길에 옆 반 애들이 뒤에서 수군거리는 거야.

"쟤가 보리 방구랑 사귀는 애야?"

"연애편지도 책상 속에 넣는다는데."

나는 뒤로 돌아서서 아니라고 말하고 싶었지만 꾹 참았어. 그래 봤자 더 웃음거리만 될 것 같아서.

㉯ 나는 서랍에서 신문을 꺼냈어. 신문을 들고 뒤로 돌아섰지. 나는 난로 쪽으로 성큼성 큼 걸어갔고, 아이들 시선은 나한테로 모아졌어. 나는 난로 뚜껑을 열었어. 난로 속에는 석탄이 빨갛게 달구어져 있었지. 나는 두 손으로 있는 힘껏 신문을 구겨서 공처럼 만들었 어. 그러고는 아이들 보란 듯이 신문을 난로 속에 던져 버렸단다.

신문에는 금세 불이 붙었어. 내 가슴은 쿵쾅쿵쾅 뛰기 시작 했어. 교실은 숨소리도 들릴 만큼 조용했고. 나는 난로 뚜껑 을 덮고 교실 밖으로 나가 버렸지. 그리고 다시는…… 다시는 말이야, 수택이 얼굴을 똑바로 보지 못했어.

다시 보지 못한 건 수택이 얼굴뿐이 아니었어. 바들바들 떨 던 어깨도, 어깨를 축 늘어뜨린 뒷모습도 제대로 볼 수 없었 어. 곧 겨울 방학이 되었고, 수택이는 방학 때 시골 친척 집으 로 이사를 가 버리고 말았거든. 왜 갔는지 아는 사람은 아무 도 없었어. 선생님은 가정 형편상 이사 갔다는 말만 하셨고.

– 유은실, 〈보리 방구 조수택〉 [미]

16 이 글의 갈등 해결 과정을 통해 작가가 전달하려는 내용으로 적절한 것은?

① 다른 사람의 마음에 상처를 주지 말아야 한다.

② 어려운 친구를 돕기 위한 모금 활동에 앞장서야 한다.

③ 거짓 소문을 퍼뜨리는 사람들 앞에서 진실을 밝혀야 한다.

④ 다른 사람의 시선에 얽매이지 말고 당당하게 행동해야 한다.

⑤ 다른 사람에게 오해를 살 행동을 하지 않도록 주의해야 한다.

해결 **전략**

개념 확인 갈등이 발생하고 해결되는 과정에서 작가가 전달하고자 하는 주제가 드러난다.

정답인 이유 ① '나'는 친구들에게 놀림을 받자 ❶ 〔　　　〕에서 벗어나기 위해 수택이가 준 신문을 난로에 던져 버린다. 이 과정에서 수택이는 상처를 받고 '나'도 수택이에게 ❷ 〔　　　〕을/를 느끼게 된다.

🔖 ❶ 갈등 ❷ 미안함

다시 한번 확인!

· **갈등 해결 과정을 통해 본 이 글의 주제**

갈등의 원인	갈등을 해결하려고 한 행동
반 친구들이 '나'와 수택이가 사귄다고 소문을 냄.	수택이가 준 ❶ 〔　　　〕을/를 난로 속에 던져 버림.

⬇

이후의 상황
'나'가 다시는 수택이 얼굴을 똑바로 보지 못함. → 자신의 행동이 수택이에게 ❷ 〔　　　〕이/가 되었음을 깨달음.

⬇

작가가 전달하려는 내용
· 다른 사람의 마음에 상처를 주지 말아야 한다. · 다른 사람의 처지와 마음을 헤아리고 이해할 줄 알아야 한다.

🔖 ❶ 신문 ❷ 상처

● 다음 시를 읽고, 물음에 답하시오.

친구가 원수보다 더 미워지는 날이 많다
티끌만 한 잘못이 맷방석만 하게
동산만 하게 커 보이는 때가 많다
그래서 세상이 어지러울수록
남에게는 엄격해지고 내게는 너그러워지나 보다
돌처럼 잘아지고 굳어지나 보다

멀리 동해 바다를 내려다보며 생각한다
널따란 바다처럼 너그러워질 수는 없을까
깊고 짙푸른 바다처럼
감싸고 끌어안고 받아들일 수는 없을까
스스로는 억센 파도로 다스리면서
제 몸은 맵고 모진 매로 채찍질하면서

– 신경림, 〈동해 바다〉 천(박)

17 이 시의 화자가 바라는 삶으로 적절한 것은?

① 자연 친화적인 삶

② 실수를 용납하지 않는 삶

③ 거친 바다와 같이 험난한 삶

④ 타인의 잘못을 엄격하게 다스리는 삶

⑤ 남에게는 너그럽고 자신에게는 엄격한 삶

해결 전략

> **작품 이해** 이 작품은 남에게는 너그럽고 자신에게는 엄격한 삶의 태도를 갖기를 바라는 마음을 노래한 시이다.

> **정답인 이유** ⑤ 널따랗고 깊으며 억센 파도가 치는 **①** 처럼 남에게는 너그러우면서도 자신을 엄격하게 다스리고자 하는 화자의 태도가 드러나 있다.

> **오답인 이유** ① 바다, 돌과 같은 자연물이 나타나 있지만 화자가 자연 친화적인 삶을 살고자 하는지는 드러나지 않는다.
>
> ③ '억센 **②** ', '맵고 모진 매', '채찍질'은 자신을 엄격하게 다스리고자 하는 마음과 관련한 것으로, 험난한 삶과는 관련이 없다.

답 ① 바다 ② 파도

다시 한번 확인!

- **이 시의 화자**: 동해가 내려다보이는 곳에서 자신을 성찰하는 '나'
- **이 시에 나타난 화자의 태도**

1연	자신을 **①** 에 빗대어, 남에게는 엄격해지고 자신에게는 너그러워지는 자신의 모습을 반성함.
2연	널따란 **②** 처럼 남에게는 너그러우면서도 자신을 엄격하게 다스리는 삶의 태도를 갖기를 바람.

답 ① 돌 ② 바다

● 다음 글을 읽고, 물음에 답하시오.

㉮ 빌리의 집(아침)

아버지　발레가 뭐냐? / 빌리　발레가 어때서요?

아버지　발레가 어떠냐고? / 빌리　뭐가 이상한데요?

아버지　뭐가 이상하냐고?

할머니　나도 한때 발레를 하러 다녔는걸. / 빌리　봐요.

아버지　그래, 할머니한테는 그렇지. 여자들에겐 정상적이지만 남자는 아니야. 빌리, 남
　　　자들은 축구나 권투나 레슬링을 하는 거야. 발레는 남자는 안 해.

빌리　누가 레슬링을 하는데요? / 아버지　성질 돋우지 마라, 빌리.

빌리　전 잘못된 건 없다고 봐요. [중략]

아버지　(단호하게) 잘 들어. 이제부터 발레는 깨끗이 잊어버려. 권투 역시 집어치워. 50
　　　펜스 벌려면 내가 얼마나 뼈 빠지게 일해야 하는지 아니? 이제부터 넌 집에서 할머니
　　　나 돌봐 드려. 알았어?

할머니　사람들이 나보고 훈련만 제대로 받으면 전문 무용수가 될 거랬다.

아버지　(소리 지르며) 그만 좀 하세요, 어머니.

빌리　(인상을 쓰며) 아빠가 미워요! 정말 미워요!

㉯ 체육관(밤)

　빌리와 마이클이 몰래 체육관에 들어온다. 빌리가 불을 켜고 음
악을 튼다. [중략]

　빌리가 음악에 맞춰 춤을 추기 시작하는데 아버지가 들어와 빌리
를 지켜보고 있다. 아버지를 본 빌리는 놀라서 잠시 동작을 멈춘다. 주저
하던 빌리는 다시 춤을 추기 시작한다. 빌리는 아버지를 바라보며 온 힘
을 다하여 열정적으로 춤을 추고, 아버지는 꼼짝 않고 빌리가 춤을 추는
모습을 지켜본다. 빌리가 아버지 바로 코앞에서 춤을 끝내고 아버지를 똑
바로 쳐다본다. 마이클이 박수를 치고 아버지는 밖으로 달려 나간다.

－ 리 홀, 〈빌리 엘리엇〉 천(박) 금

18 이 글의 빌리에 대한 설명으로 적절한 것은?

① 주어진 환경에 순응한다.

② 아버지의 말을 절대적으로 따른다.

③ 새로운 일에 도전하기를 두려워한다.

④ 자신이 좋아하는 일에 매우 열정적이다.

⑤ 좋아하지 않는 일이라도 일단 다양한 경험을 쌓고 싶어 한다.

해결 전략

작품 이해　이 작품은 ❶ □□□ 무용수가 되고 싶은 한 소년이 갈등과 역경을 극복하고 자신의 꿈을 이루어 나가는 과정을 그린 영화 시나리오이다.

정답인 이유　④ 아버지의 반대에도 굴하지 않고 체육관에서 온 힘을 다하여 춤을 추는 모습에서 자신이 좋아하는 일에 열정적인 빌리의 태도를 엿볼 수 있다.

오답인 이유　①, ② 빌리는 발레는 깨끗이 잊어버리고 집에서 할머니를 돌보기만 하라는 ❷ □□□ 의 말을 따르지 않고 몰래 체육관에 들어가 음악에 맞춰 춤을 춘다.

답 ❶ 발레 ❷ 아버지

다시 한번 확인!

· 이 글에 드러난 갈등

아버지		빌리
빌리가 발레를 하는 것을 ❶ □□□ 함.	↔	발레를 계속 하고 싶음.

· 이 글에 나타난 빌리의 태도

아버지가 우연히 체육관에서 춤을 추는 빌리를 보게 되고, 빌리는 아버지 앞에서 온 힘을 다하여 열정적으로 춤을 춤.	→	빌리는 어려운 집안 환경과 아버지의 반대에도 좌절하거나 체념하지 않고 자신의 ❷ □□□ 을/를 이루기 위해 노력함.

답 ❶ 반대 ❷ 꿈

● 다음 시를 읽고, 물음에 답하시오.

죽는 날까지 하늘을 우러러
한 점 부끄럼이 없기를,
잎새에 이는 바람에도
나는 괴로워했다.
별을 노래하는 마음으로
모든 죽어 가는 것을 사랑해야지.
그리고 나한테 주어진 길을
걸어가야겠다.

오늘 밤에도 별이 바람에 스치운다.

– 윤동주, 〈서시(序詩)〉 지

19 이 시의 화자가 궁극적으로 말하고자 하는 바로 적절한 것은?

① 양심에 따라 살기는 어렵다.

② 부끄러움 없는 삶을 살고 싶다.

③ 생명을 가진 것들은 모두 소중하다.

④ 죽음을 두려워하지 않는 인간은 없다.

⑤ 사람은 다른 사람들과 어울려 지내야 한다.

해결 전략

작품 이해 이 작품은 암울한 시대 상황에서도 양심을 지키며 현실에 타협하지 않는 삶, 즉 **❶** 이/가 없는 순결한 삶에 대한 간절한 소망과 의지를 노래한 시이다.

정답인 이유 ② 이 시의 화자는 부끄러움 없는 삶에 대한 간절한 **❷** 와/과 의지를 드러내고 있다.

오답인 이유 ①, ③ 이 시의 화자는 양심을 지키며 살고자 하나 현실의 시련 때문에 괴로워하기도 하고, 모든 죽어 가는 존재들을 사랑하며 살아가고자 한다. 그러나 ①과 ③은 이 시에서 궁극적으로 말하고자 하는 바는 아니다.

답 ❶ 부끄러움 **❷** 소망

다시 한번 확인!!

· 이 시의 흐름과 주제

1연 1~4행	과거	부끄러움 없는 삶을 살고자 했지만 작은 바람에도 괴로워했음.	**주제**
1연 5~8행	미래	앞으로 부끄러움 없는 삶을 살 것임. →	부끄러움 없는 삶에 대한 소망과 **❷**
2연	현재	**❶** 이 어둡고 암담한 상황임을 인식함.	

답 ❶ 현실 **❷** 의지

● 다음 글을 읽고, 물음에 답하시오.

㉮ 나는 오전에 자전거를 끌고 사람이 없는 운동장으로 갔다. 시멘트 계단 옆에 자전거를 세운 뒤 안장에 올라가서 발로 연단을 차는 힘으로 자전거의 주차 장치가 풀리면서 앞으로 나가도록 했다. 바퀴가 두 번도 구르기 전에 자전거는 멈췄고 나는 넘어졌다. 같은 식의 시행착오가 수백 번 거듭되었다.

㉯ 동네로 돌아오는 길에는 오십 미터쯤 되는 오르막이 있었다. 오르막에 올라서서 숨을 고르다가 문득 내리막을 달려 내려가면 자전거를 쉽게 탈 수 있지 않을까 하는 생각이 들었다. 내리막 아래쪽은 길이 휘어 있었고 정면에는 내가 어릴 적 물장구를 치고 놀던 도랑이 기다리고 있었다. 그리고 그 옆에는 다음 해 봄에 거름으로 쓸 분뇨를 모아 두는 '똥통'이 있었다. 내가 자전거를 통제하지 못하게 된다면 결말은 단순했다. 운 좋으면 도랑, 나쁘면 똥통.

㉰ 그럼에도 불구하고 나는 돌을 딛고 자전거에 올라섰다. 어차피 가지 않으면 안 될 길, 나는 몸을 앞뒤로 흔들어 자전거를 출발시켰다. 자전거는 앞으로 나아가기 시작했다. 페달을 밟지 않고도 가속이 붙었다. 나는 난생처음 봄을 맞는 장끼처럼 나도 모를 이상한 소리를 내지르며 자전거와 한 몸이 되어 달려 내려갔다. 가슴이 터질 듯 부풀었고 어질어질한 속도감에 사로잡혔다. 어느새 내 발은 페달을 차고 있었고 자전거는 도랑과 똥통 옆을 지나고 있었다. 나는 삽시간에 어른이 된 기분으로 읍내로 가는 길을 내달렸다.

㉱ 그날 나는 내 근육과 뇌에 새겨진 평범한, 그러면서도 세상을 움직여 온 비밀을 하나 얻게 되었다. 일단 안장 위에 올라선 이상 계속 가지 않으면 쓰러진다. 노력하고 경험을 쌓고도 잘 모르겠으면 자연의 판단 ― 본능에 맡겨라.

― 성석제, 〈어느 날 자전거가 내 삶 속으로 들어왔다〉 동

20 이 글의 글쓴이가 경험을 통해 깨달은 삶의 진리로 적절한 것은?

① 말을 내뱉기 전에 다시 한번 생각해라.

② 잘 아는 일이라도 세심하게 주의를 해라.

③ 노력해도 잘되지 않을 때에는 본능에 맡겨라.

④ 쉬운 일이라도 여럿이 협력하여 하면 훨씬 쉽다.

⑤ 아무리 위급한 경우에도 정신만 똑똑히 차리면 위기를 벗어날 수 있다.

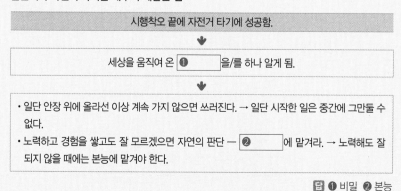

해결 전략

작품 이해 이 작품은 글쓴이가 어린 시절에 ❶ 타는 방법을 배우며 얻은 깨달음을 바탕으로 쓴 수필이다.

정답인 이유 ③ 자전거 타기에 계속 실패하던 글쓴이는 내리막에서 자전거 타기에 실패하면 도랑이나 똥통에 빠질 수도 있음을 알면서도 과감하게 자전거를 타고 ❷ 을/를 달려 내려간다. 마침내 자전거 타기에 성공한 글쓴이는 이러한 경험을 통해 노력해도 잘되지 않을 때에는 본능에 맡겨야 한다는 깨달음을 얻었다.

답 ❶ 자전거 ❷ 내리막

다시 한번 확인!

· 글쓴이가 자전거 타기를 배우며 깨달은 점

시행착오 끝에 자전거 타기에 성공함.

⬇

세상을 움직여 온 ❶ 을/를 하나 알게 됨.

⬇

· 일단 안장 위에 올라선 이상 계속 가지 않으면 쓰러진다. → 일단 시작한 일은 중간에 그만둘 수 없다.
· 노력하고 경험을 쌓고도 잘 모르겠으면 자연의 판단 — ❷ 에 맡겨라. → 노력해도 잘되지 않을 때에는 본능에 맡겨야 한다.

답 ❶ 비밀 ❷ 본능

● 다음 시를 읽고, 물음에 답하시오.

나는 어릴 때부터 그랬다.
칠칠치 못한 나는 걸핏하면 넘어져
무릎에 딱지를 달고 다녔다.
그 흉물 같은 딱지가 보기 싫어
손톱으로 득득 긁어 떼어 내려고 하면
아버지는 그때마다 말씀하셨다.
딱지를 떼어 내지 말아라 그래야 낫는다.
아버지 말씀대로 그대로 놓아두면
까만 고약 같은 딱지가 떨어지고
딱정벌레 날개처럼 하얀 새살이
돋아나 있었다.
지금도 칠칠치 못한 나는
사람에 걸려 넘어지고 부딪히며
마음에 딱지를 달고 다닌다.
그때마다 그 딱지에 아버지 말씀이
얹혀진다.
딱지를 떼지 말아라 딱지가 새살을 키운다.

– 이준관, 〈딱지〉 천(노)

21 이 시를 읽은 독자의 감상으로 적절하지 <u>않은</u> 것은?

① 마음에 상처를 입고 힘들어하는 사람에게 이 시를 추천해 주고 싶네.

② 나의 어린 시절 경험이 생각났어. 할머니도 나에게 딱지를 떼어 내지 말라고 말씀하셨지.

③ 얼마 전 친구에게 상처를 받아 내 마음에도 딱지가 생겼어. 마음의 딱지를 바로 떼어 내기 위해서 내일 당장 친구에게 복수할 거야.

④ 몸에 생긴 딱지가 상처를 아물게 하고 새살을 돋게 하는 것처럼, 마음에 생긴 딱지는 나를 더욱 성숙하게 만들 수 있다는 점을 깨달았어.

⑤ 딱지를 떼어 내지 않아야 상처가 낫듯이, 마음의 상처에 생긴 딱지도 억지로 떼지 않고 견뎌 내면서 차차 상처가 아물기를 기다려야겠어.

해결 **전략**

작품 이해 이 작품은 딱지가 생기고 떨어지며 **❶**〔　　　〕이/가 회복되는 것처럼 시련을 극복하며 성장할 수 있음을 전달하는 시이다.

정답인 이유 ③ 이 시의 화자는 **❷**〔　　　〕의 말씀처럼 딱지를 그대로 놓아두니 상처가 낫고 새살이 돋았다고 말하고 있다. 마음의 상처에 생긴 딱지를 억지로 떼어 내는 것은 이 시에서 전달하는 바와 거리가 멀다.

답 ❶ 상처 **❷** 아버지

다시 한번 확인!

• 이 시에 나타난 성장의 과정

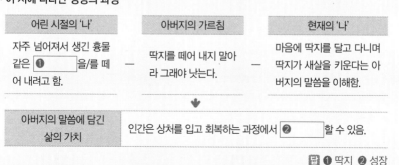

어린 시절의 '나'	아버지의 가르침	현재의 '나'
자주 넘어져서 생긴 흉물 같은 **❶**〔　　　〕을/를 떼어 내려고 함.	딱지를 떼어 내지 말아라 그래야 낫는다.	마음에 딱지를 달고 다니며 딱지가 새살을 키운다는 아버지의 말씀을 이해함.

아버지의 말씀에 담긴 삶의 가치	인간은 상처를 입고 회복하는 과정에서 **❷**〔　　　〕할 수 있음.

답 ❶ 딱지 **❷** 성장

● 다음 글을 읽고, 물음에 답하시오.

못쓰게 된 그 나방이 날개 판 위에 올려져 있었어. 에밀이 그 날개를 손질하느라고 무척 고심한 흔적이 역력(歷歷)했다네. 그는 날개의 조각들을 정성껏 주워 모아서 작은 압지 위에 펴 놓았어. 그러나 그것은 도저히 본디 모양으로 바로잡힐 가망은 없었고, 더듬이도 떨어진 그대로였어. 나는 그제야 그것이 나의 소행인 것을 밝혔다네. 그랬더니 에밀은 격분하지도, 큰 소리로 꾸짖지도 않고, 혀를 차며 한동안 나를 지켜보다가 나직한 소리로,

"알았어. 말하자면 너는 그런 자식이란 말이지?" / 라고 하더군.

나는 그에게 내 장난감을 모두 주겠다고 했어. 하지만 그는 듣지 않고 냉담하게 앉아, 여전히 나를 비웃는 눈으로 지켜보고만 있었으므로, 이번에는 내가 수집한 나비를 전부 주겠다고 했지.

"뭐, 그렇게까지 하지 않아도 좋아. 나는 네가 모은 것들이 어떤 것인지 잘 알고 있어. 게다가 오늘은 너의 나비 다루는 성의가 어떻다는 것을 알 만큼은 알았어."

그 순간, 나는 녀석의 멱살을 움켜쥐고 늘어지고 싶었어. 이제는 아무런 도리가 없음을 알았다네. 나는 몹시 나쁜 놈으로 결정이 나고 에밀은 천하에 정직한 사람이 되어, 정의를 방패로 삼아 냉정하고 모멸적인 태도로 내 앞에 버티고 있었어. 그는 욕설을 늘어놓지도 않았고, 다만 나를 바라보면서 경멸할 따름이었지.

그때 나는 비로소, 한번 저지른 일은 어떻게 해도 바로잡을 도리가 없다는 것을 깨달았다네. 나는 그 자리에서 물러나 힘없이 집으로 돌아왔어. [중략] 나는 잠자리에 들기 전에 가만히 식당으로 가서 갈색의 두껍고 커다란 종이 상자를 찾아 가지고 와서 침대 위에 올려놓고, 어둠 속에서 뚜껑을 열었어. 그리고 그 속에 든 나비들을 끄집어내어 손끝으로 비벼서 못쓰게 가루를 만들었다네.

– 헤르만 헤세, 〈공작나방〉 천(노) 동

22 다음은 이 글을 읽고 쓴 감상문이다. 빈칸에 들어갈 말로 적절한 것은?

> 에밀에게 용서받지 못한 하인리히는 집으로 돌아와 그동안 자신이 수집해 온 소중한 나비들을 망가뜨렸다. 나는 하인리히를 보면서 욕망을 채우는 것보다 (   )을/를 지키는 것이 더 중요함을 깨달았다. 한순간의 잘못된 판단 때문에 평생 후회하며 살게 될 수도 있다는 점을 기억하고, 앞으로 항상 무엇이 옳은 행동인지 신중하게 생각하며 행동해야겠다.

① 기분   ② 규칙   ③ 시간   ④ 양심   ⑤ 용기

해결 **전략**

작품 이해　이 작품은 **❶** [　　　] 수집에 열정적이던 소년 하인리히가 이웃 에밀과 갈등을 겪고, 자신의 잘못을 반성하며 정신적으로 성숙해 가는 과정을 그린 소설이다. 하인리히는 한번 저지른 일은 어떻게 해도 바로잡을 도리가 없다는 것을 깨닫고, 양심에 어긋난 행동을 한 자신의 잘못을 **❷** [　　　]하고 있다.

정답인 이유　④ 하인리히는 돌이킬 수 없는 잘못을 저지른 것을 후회하고 자책하며 그동안 수집한 나비를 가루로 만들었을 것이다. 앞으로 항상 무엇이 옳은 행동인지 신중하게 생각하며 행동하겠다는 감상문의 내용을 고려할 때 빈칸에는 '양심'이 들어가는 것이 적절하다.

답 ❶ 나비 ❷ 반성

다시 한번 확인!

• 하인리히의 경험과 깨달음

경험	하인리히는 에밀의 **❶** [　　　]을/를 훔치다 망가뜨린 뒤 에밀에게 사과했지만 에밀은 하인리히를 경멸하며 용서해 주지 않음.

⬇

깨달음	하인리히는 한번 저지른 일은 어떻게 해도 바로잡을 **❷** [　　　]이/가 없음을 깨달음.

답 ❶ 공작나방 ❷ 도리

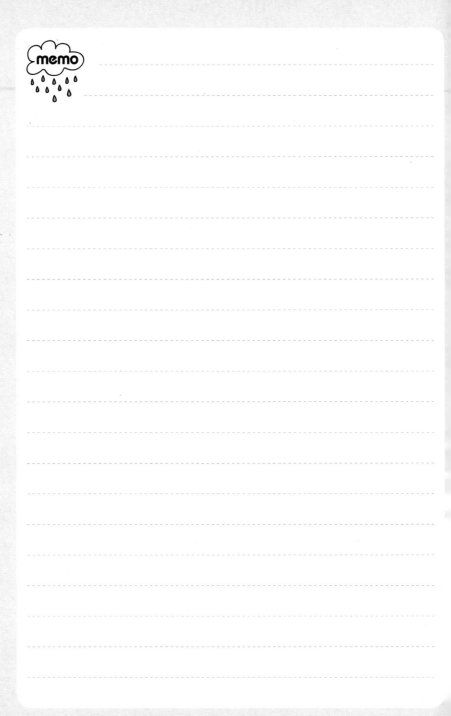

시험에 잘 나오는
대표 유형 ZIP